Stair na hArdteistiméireachta
An Eoraip agus an Domhan Mór, Rogha 3

Deachtóireacht agus Daonlathas
1920–1945

Seán Delap

AN GÚM

Baile Átha Cliath

Is aistriúchán é seo ar *Dictatorship and Democracy, 1920-1945*, a d'fhoilsigh Folens Publishers.

An chéad eagrán 2005

An leagan Béarla
© Seán Delap, 2004

An leagan Gaeilge
© Foras na Gaeilge, 2005

ISBN 1 85791 565 8

Dearadh, Leagan amach agus Clúdach: Melanie Gradtke
Arna chlóchur agus arna chlóbhualadh in Éirinn ag Cahill Printers

Táthar buíoch den Choiste Téarmaíochta, Foras na Gaeilge as ucht téarmaí a sholáthar le haghaidh an leabhair.

Le fáil ar an bpost uathu seo:

An Siopa Leabhar,   *nó*   An Ceathrú Póilí,
6 Sráid Fhearchair,   Cultúrlann Mac Adam–Ó Fiaich,
Baile Átha Cliath 2.   216 Bóthar na bhFál,
ansiopaleabhar@eircom.net   Béal Feirste BT12 6AH.
                              leabhair@an4poili.com

Orduithe ó leabhardhíoltóirí chuig:
Áis,
31 Sráid na bhFíníní,
Baile Átha Cliath 2.
eolas@forasnagaeilge.ie

An Gúm, 24-27 Sráid Fhreidric Thuaidh, Baile Átha Cliath 1.

Buíochas

Tá na foilsitheoirí fíorbhuíoch díobh seo a leanas as ucht a gcead grianghraif, cartúin, póstaeir agus léaráidí a atáirgeadh:

AA.VV., Cento Anni a Roma 1870-1970 Fratelli Palombi Editori, Roma, Aerospace Publishing, AKG Images, Associated Press, Bibliothèque nationale de France, Bildarchiv Heinz Bergschicker (Berlin), Bildarchive Preußischer Kulturbesitz, Bundesarchiv (Koblenz), Camera Press Ireland Ltd, *Daily Mail*, David King Collection, Eric Salomon, courtesy of MAGNUM, Hulton Deutsch, Hulton|Archive - Getty Images, The Illustrated London News Picture Library, Imperial War Museum, Keystone Press Agency (Paris), Lenin Museum, Mary Evans Picture Library, Peter Brookes and The Times © NI Syndication, London, Novosti Press Agency, Popperfoto, Punch Cartoon Library, Robert Doisneau/Rapho, Robert Hunt Library, Roger-Viollet (Paris), Süddeutscher Verlag GmbH, The Estate of David Lowe and *The London Evening Standard, The Glasgow Herald,* The Kobal Collection Ltd, The Mansell Collection, Ullstein bild, Warder Collection, Writers and Publishing Incorporated.

Más amhlaidh a rinne na foilsitheoirí faillí maidir le haon chóipcheart, beidh siad sásta socrú cuí a dhéanamh má thagann sealbhóir an chóipchirt i dteagmháil leo.

Clár

Réamhrá

Is é atá sa téacsleabhar seo ná *Deachtóireacht agus Daonlathas, 1920-1945*, arb é Rogha 3 é sa Réimse Staidéir Staire **An Eoraip agus an Domhan Mór, 1815-1992** i Siollabas nua na hArdteistiméireachta.

Tá an leabhar leagtha amach sa chaoi go bhfuil sé éasca le léamh. Tá *aibhsiú déanta ar **Eochairphearsana, Eochairchoincheapa** agus ar **Chás-staidéir** sa téacs.

An chúis atá leis na boscaí **Eochairphearsana** ná chun daoine a chasfar ar an dalta, agus é/í ag déanamh staidéir, a chur in aithne dó/di. Tá siad ann freisin chun cuidiú le daltaí an Ghnáthleibhéil a mbealach a dhéanamh trí na gnéithe difriúla. I gcás roinnt de na pearsana móra, mar shampla Leinín agus Hitler, tús eolais orthu sin is ea na boscaí 'Eochairphearsa'.

Is é atá sna h**Eochairchoincheapa** ná bealach isteach chun tosú ar phríomhghnéithe na topaice. Tá an-tábhacht leis na hEochairchoincheapa sin do mhic léinn Ardleibhéil, mar go bhfuil orthusan scrúdú níos mine a dhéanamh ar na topaicí.

Chomh maith leis sin, an chéad tagairt d'Eochairphearsa$^{\#}$ nó d'Eochairchoincheap,$^{+}$ tá sí marcáilte leis na comharthaí atá i ndiaidh na bhfocal san abairt seo.

Tá an t-eolas sa leabhar, a oiread agus is féidir, roinnte de réir na ngnéithe éagsúla mar atá siad i Siollabas nua na hArdteistiméireachta: An Pholaitíocht agus an Riarachán; an tSochaí agus an Geilleagar; Cultúr, Creideamh agus an Eolaíocht.

Mínítear téarmaí crua staire i mboscaí téacs ar imeall an leathanaigh. Sna bundoiciméid, tá míniú tugtha, idir lúibíní, ar théarmaí crua staire atá iontu. Tá cló trom ar roinnt téarmaí tábhachtacha.

Na ceisteanna atá i ndeireadh gach caibidil, tá siad rangaithe go soiléir le haghaidh dhaltaí an Ghnáthleibhéil agus an Ardleibhéil, agus tá riachtanais an dá leibhéal san áireamh iontu. Is Siollabas *faoi thiomáint spreagthaigh atá sa Siollabas, agus is mar sin atá formhór na gceisteanna Gnáthleibhéil; i gcás na gceisteanna Ardleibhéil, is gá aiste a scríobh agus comhthéacsú a dhéanamh ar an ábhar.

Cuid thábhachtach den staidéar ar an stair i Siollabas nua na hArdteistiméireachta is ea úsáid a bhaint as doiciméid. Tá doiciméid, cartúin agus pictiúir ar fud an téacs. Ligeann sin do dhalta a bheith ina staraí, tríd an ábhar stairiúil a bhaineann leis na gnéithe liostaithe den chúrsa a scrúdú go mion.

Tá Gluais chuimsitheach Gaeilge-Béarla i gcúl an leabhair. Mar áis do dhaltaí, tá Gluais Gaeilge-Béarla i mbun na leathanach sa leabhar freisin. Focail a bhfuil réiltín rompu sa téacs, tá an leagan Béarla díobh sa Ghluais sin.

Tiomnú

D'Imelda, Aoife agus Seán, agus
i gcuimhne ar m'athair

---

aibhsiú highlighting • faoi thiomáint spreagthaigh stimulus driven

Ag Obair le Fianaise

Réamhrá

Is é atá i gceist le staidéar a dhéanamh ar an stair ná eolas a chur ar an am atá caite. Ní leor dúinn féachaint ar *na nithe a tharla*; is gá dúinn freisin iarracht a dhéanamh míniú a thabhairt *ar an gcúis* ar tharla na nithe sin, agus *na torthaí* a bhí orthu a thuiscint. Leis sin a dhéanamh, ní mór dúinn fianaise stairiúil a aimsiú, rud a chruthóidh pictiúr iomlán dúinn.

Is féidir fianaise stairiúil a roinnt ina dhá príomhchuid: *Foinsí Príomha agus *Foinsí Tánaisteacha.

Foinsí Príomha

Bíonn foinse phríomha (an chéad fhoinse) bunaithe ar thaithí phearsanta. Is amhlaidh a scríobhadh nó a rinneadh í ag an am a tharla an eachtra. Samplaí d'fhoinsí príomha is ea bun-ghrianghraif, scannáin, litreacha, dialanna agus *tras-scríbhinní d'agallaimh. Chomh maith leo sin, foinsí príomha is ea leabhair a scríobh daoine a chonaic na heachtraí ag tarlú.

Foinsí Tánaisteacha

Is é is foinse thánaisteach (foinse *athláimhe) ann ná fianaise ó dhuine éigin nach raibh beo le linn do na heachtraí a bheith ag tarlú nó nach bhfaca na heachtraí ag tarlú lena s(h)úile féin. Is foinsí tánaisteacha iad téacsleabhair agus leabhair staire chomh maith.

Ní mór a thuiscint nach gá go mbeadh foinse phríomha níos iontaofa nó níos úsáidí ná foinse thánaisteach. Ní mór anailís a dhéanamh ar gach fianaise stairiúil chun a *n-iontaofacht a chinntiú. Ní mór mar sin, go scrúdóimis na foinsí maidir le *claonadh, bolscaireacht, *roghnaíocht, cothromaíocht agus *oibiachtúlacht.

> **Claonadh:**
> *Tosaíocht a thabhairt do dhearcadh ar leith.

> **Bolscaireacht:**
> Scaipeadh eolais ar bhealach eagraithe – eolas fíor nó bréagach.

> **Roghnaíocht:**
> Gan ach cuid den scéal a insint.

> **Cothromaíocht:**
> Eolas cothrom a thabhairt ar na tuiscintí éagsúla atá ann ar ghníomhartha duine, nó ar eachtra.

> **Oibiachtúlacht:**
> An t-eolas a chur i láthair ar bhealach nach dtugann tosaíocht do dhearcadh ar leith.

---

foinse phríomha primary source • **foinse thánaisteach** secondary source
tras-scríbhinn transcript • **athláimhe** second-hand • **iontaofacht** reliability • **claonadh** bias
roghnaíocht selectivity • **oibiachtúlacht** objectivity • **tosaíocht** preference

v

Ní mór gan dearmad a dhéanamh gur foinsí luachmhara freisin don staraí iad foinsí a bhfuil claonadh soiléir iontu. Óráid a thabharfadh deachtóir, mar shampla Hitler, bheadh claonadh agus eolas faoi na Giúdaigh inti ab fhurasta a léiriú a bheith mícheart. D'fhéadfadh gur foinse luachmhar don staraí í, áfach, mar shampla de bholscaireacht fhrith-Ghiúdach na Naitsithe.

Nuair a bhíonn píosa d'fhianaise stairiúil ag dalta, ní mór dó/di ceisteanna áirithe a chur le linn dó/di a bheith ag féachaint ar an bhfoinse.

Foinsí Scríofa

I gcás foinse scríofa, ní mór duit:

1. (1) údar na foinse a dhéanamh amach, agus (2) an uair a scríobhadh an fhoinse. Déan iarracht teacht ar an méid eolais is féidir leat faoin údar. Beidh beathaisnéis ghairid faoin údar le fáil ina lán leabhar.

2. Fiafraigh díot féin cén fáth ar scríobh an t-údar an doiciméad, an leabhar, etc. An raibh suim ar leith ag an údar san ábhar atá le fáil san fhoinse scríofa? An bhfuil an t-údar ina bhall de pháirtí polaitíochta, de ghluaiseacht chultúrtha, d'arm, etc?

3. Faigh amach cárbh as ar tháinig an doiciméad: leabhar, *taifid oifigiúla, taifid phríobháideacha, cuntais nuachtáin, tras-scríbhinní d'agallaimh, etc. Faigh amach an foinse phríomha nó foinse thánaisteach atá sa doiciméad.

4. Nuair a bheidh an t-údar agus an dáta aimsithe agat, ní mór duit staidéar a dhéanamh ar an ábhar atá le fáil san fhoinse scríofa. Déan machnamh ar an ábhar. An fíricí nó tuairimí atá ann? An cur síos macánta é ar an eachtra a tharla, nó an ar thuairim an údair atá sé bunaithe? Is iondúil gur meascán den fhírinne agus den tuairim a bhíonn i bhfoinsí scríofa.

5. Cuir ceist ort féin an do ghrúpa áirithe daoine a scríobhadh an doiciméad. Mar shampla, d'fhéadfadh gur chun an lucht éisteachta a *ghríosú ar bhealach áirithe a scríobhfaí óráid phoiblí. Ní gá go mbeadh fíordhearcadh an údair san óráid, agus dá bhrí sin nach mbeadh sí iontaofa.

Foinsí Amhairc
Cartúin

Foinse choiteann fianaise is ea cartúin pholaitiúla, agus baintear leas forleathan astu. Is jab sách deacair é anailís a dhéanamh ar chartúin mar nach minic a thugann cartúin dearcadh cothrom dúinn.

1. Ar dtús, ní mór an cartún a chur ina chomhthéacs polaitiúil. Cén tréimhse lena mbaineann sé: Éirí Amach 1916, Cogadh na Saoirse, an Chéad Chogadh Domhanda, etc.? Chun teacht ar an eolas sin ní mór duit féachaint ar fhoinsí eile, leabhar staire mar shampla, ionas go mbeidh eolas agat faoin gcúlra stairiúil lena mbaineann an cartún.

---

taifead record • **gríosaigh** stir up

2. *Dála na bhfoinsí scríofa, ní mór fáil amach cárb as ar tháinig an cartún. Faigh amach cén foilseachán as ar tháinig sé. Féach lena fháil amach an bhfuil an nuachtán nó an t-irisleabhar as ar tháinig an cartún faoi smacht nó faoi thionchar páirtí nó eagraíochta polaitiúla ar bith.

3. Déan staidéar ar na carachtair atá sa chartún. An bhfuil na carachtair á léiriú ar bhealach réalaíoch, nó an bhfuil áibhéil ag baint lena *gceannaithe? An cuma mhaith, droch-chuma nó cuma ghreannmhar atá an cartúnaí a chur ar na carachtair? An gceapann tú go bhfuil an cartún claonta?

4. Féach ar an gcúlra atá sa chartúin. An bhfuil comharthaí ar bith ann a thabharfadh níos mó eolais duit faoi aidhm an chartúin?

Seo cartún le Peter Brookes a foilsíodh in *The Times of London* in 2004. Cur síos atá ann ar George W. Bush agus a chúlra maidir le cogaí. Ba é an póstaer thíos, ó 1915, foinse inspioráide Peter Brookes.

5. Bíonn *scríbhinn ar an gcuid is mó de chartúin. Léigh í. An gceapann tusa gur cur síos cothrom í an scríbhinn ar an scéal?

Póstaeir

Dála na bhfoinsí eile ar fad, ní mór a fháil amach cén duine nó eagraíocht a d'eisigh an póstaer. Is iondúil gur teachtaireacht pholaitiúil a bhíonn i bpóstaer, agus mar gheall air sin is bolscaireacht a bhíonn ann. Ina ainneoin sin, is giotaí tábhachtacha d'fhianaise stairiúil is ea póstaeir. An teachtaireacht a bhíonn ar phóstaer, tugann sí barúil mhaith don staraí faoin dearcadh polaitiúil a bhí ann ag an am sin. Na treoracha céanna a d'úsáid tú chun anailís a dhéanamh ar chartúin, úsáid iad chun anailís a dhéanamh ar phóstaeir.

Grianghraif agus Scannáin

Cé gur foinsí stairiúla fíorluachmhara is ea bun-ghrianghraif agus bunscannáin, ní bhíonn gach rud iontu fíor i gcónaí. Is féidir grianghraif a leasú (a athrú). Ba mhionmhinic a rinneadh é sin nuair a bhí Josef Stailín ina cheannaire ar an Aontas Sóivéadach idir 1927 agus 1953. Ag an am sin, daoine a ceapadh a bhí mídhílis do Stailín, dhéantaí iad a bhaint as an ngrianghraf.

Uaireanta bíonn tionchar ag uillinn an ghrianghraif ar an radharc iomlán sa ghrianghraf, trí phíosa tábhachtach den fhianaise a chlúdach. Mar shampla, d'fhéadfadh grianghraf *leathanuilleach de pholaiteoir ag tabhairt óráid phoiblí, a léiriú nach raibh ag éisteacht leis/léi ach grúpa beag daoine; os a choinne sin, d'fhéadfadh nach mbeadh i

Póstaer de chuid an Chéad Chogadh Domhanda, a foilsíodh in 1915.

---

dála like, similar to • **ceannaghaidh** feature • **scríbhinn** caption • **leathanuilleach** wide-angle

*<u>seat gearruilleach</u> ach an tsraith thosaigh den lucht éisteachta. Níorbh ionann ar chor ar bith an teachtaireacht sa dá ghrianghraf. Déan machnamh ar na ceisteanna seo a leanas:

1. Cé a thóg an grianghraf agus cén cineál ócáide a bhí ar siúl?

2. An raibh *geáitseáil ar bun sular tógadh an grianghraf nó an grianghraf nádúrtha atá ann?

3. Ar tógadh an grianghraf chun an t-imeacht, nó na daoine ann, a léiriú ar dhea-bhealach, ar bhealach neodrach nó ar dhrochbhealach?

I gcás *<u>scannáin faisnéise</u> ní mór a fháil amach faoi neamhspleáchas, nó easpa neamhspleáchais, léiritheoirí an scannáin.

▲
Rinneadh leasú ar an dara grianghraf. An féidir leat dhá dhifríocht a aithint?

Táblaí agus Graif

Nuair a bhíonn tú ag léamh táblaí agus graf, ní foláir an t-eolas atá iontu a sheiceáil go fíorchúramach. Dearbhaigh nach bhfuil an t-eolas roghnaíoch. Mar shampla, dá mbeifeá ag déanamh staidéir ar chairt a léiríonn figiúirí dífhostaíochta i dtír ar leith, d'fhéadfadh an meánráta dífhostaíochta a bheith á léiriú ar bhealaí éagsúla – ag brath ar an méid blianta atá san áireamh sa tábla nó sa ghraf. Nuair a úsáideann tú cairteacha nó graif mar fhoinsí stairiúla, ní leor cur síos a dhéanamh ar an eolas atá iontu. Ní mór duit an t-eolas a úsáid chun comparáid a dhéanamh idir na figiúirí difriúla, agus na *treochtaí éagsúla a léiríonn athruithe, a aithint.

*Conclúid

Ná bí ag súil leis na freagraí ar fad atá uait a fháil as na foinsí fianaise. Ní hionann conclúid na staraithe éagsúla a léigh agus a d'fhéach ar na foinsí céanna. An chaoi a dtarlaíonn sin ná nach ionann an bhéim a leagann siad ar na gnéithe éagsúla den eolas *fíriciúil céanna. Uaireanta is féidir le staraithe a dtuairimí faoi phearsa nó imeacht staire a athbhreithniú nó a athrú, de réir mar a thagann fianaise nua chun solais. Agus tú ag déanamh staidéir ar an stair, ní foláir breathnú ar roinnt foinsí éagsúla chun tacú leis an eolas atá agat nó chun é a chinntiú, sula dtiocfaidh tú ar chonclúid. Ní mór duit a thuiscint nach rud buan atá i do chonclúid, dála chonclúid gach staraí.

---

seat gearruilleach short-angled shot • **geáitseáil** posing • **scannán faisnéise** documentary (film)
treocht trend • **conclúid** conclusion • **fíriciúil** factual

VIII

Deachtóireacht agus Daonlathas 1920-45

Réamhrá

Bhí cúrsaí polaitíochta trína chéile mar thoradh ar an gCéad Chogadh Domhanda, agus bhí tionchar mór aige sin ar *shocracht na hEorpa. Bhí impireachtaí na hOstaire agus na hUngáire, na Gearmáine agus Shár na Rúise (impireachtaí a bhí an-chumhachtach lá den saol) tite as a chéile de bharr an chogaidh, agus stáit níos lú agus níos laige tagtha ina n-áit. Roimh an gCéad Chogadh Domhanda, ba chlaonadh liobrálach a bhí sna rialtais, ach d'athraigh sin sa tréimhse idir na cogaí (1919-39) agus tháinig roinnt mhaith deachtóireachtaí ina áit. San Iodáil, sa Ghearmáin, sa Spáinn agus sa Phortaingéil, chomh maith lena lán tíortha in oirthear na hEorpa, chuir na deachtóirí deireadh le rialtais laga dhaonlathacha nach raibh in ann déileáil le fadhbanna crua polaitíochta agus eacnamaíochta.

In ainneoin na ndeacrachtaí a bhain leis an tréimhse idir na cogaí, tháinig fás agus forbairt ar an daonlathas sa Bhreatain, san Ollainn, sa Bheilg, san Eilvéis, sa Danmhairg, san Iorua agus sa tSualainn. Is tíortha iad sin a raibh struchtúir dhaonlathacha rialtais bunaithe go daingean iontu roimh an gCéad Chogadh Domhanda.

 Eochairchoincheap: An Daonlathas

Is é is daonlathas ann ná córas rialtais ina bhfuil an ceart ag gach duine na daoine a bheidh á rialú a roghnú trí vóta a chaitheamh ar a son sna toghcháin. Nuair a bhíonn córas daonlathach rialtais ann, is féidir a bheith cinnte dearfa go mbeidh toghcháin shaora chóra ann, chomh maith le saoirse cainte agus *saoirse comhlachais.

 Eochairchoincheap: An Deachtóireacht

Is é *príomh-shainchomhartha na deachtóireachta ná go mbíonn smacht ag duine amháin nó páirtí amháin ar an stát. Ní cheadaítear saoirse cainte agus bíonn cosc ar pháirtithe *freasúra. Cé go bhféadfadh toghcháin a bheith ann i ndeachtóireacht, is annamh a bhíonn siad saor nó cóir. Bíonn smacht ag an deachtóir ar ghnóthaí ar fad an stáit.

---

socracht stability • **saoirse comhlachais** freedom of association • **sainchomhartha** characteristic
freasúra opposition

Deachtóireachtaí a tháinig i gCumhacht san Eoraip sa Tréimhse idir na Cogaí

Tír	Deachtóir	Tír	Deachtóir
An tAontas Sóivéadach	*Stailín 1927-53*	An Iúgslaiv	*An Rí Alastar 1929-39*
An Iodáil	*Mussolini 1922-45*	An Rómáin	*An Rí Carol II 1938-45*
An Ghearmáin	*Hitler 1933-45*	An Bhulgáir	*An Rí Boris 1934-45*
An Spáinn	*Franco 1939-72*	An Albáin	*An Rí Zog I 1928-38*
An Phortaingéil	*Salazar 1932-68*	An Ghréig	*An Ginearál Metaxus 1936-40*
An Ostair	*Dollfuss 1933-34*	An Eastóin	*Konstantin Päts 1934-40*
An Ungáir	*An *tAimiréal Horthy 1920-45*	An Laitvia	*Karlis Ulmanis 1934-39*
An Pholainn	*An *Marascal Piludski 1926-35*	An Liotuáin	*Antanas Smetona 1934-39*

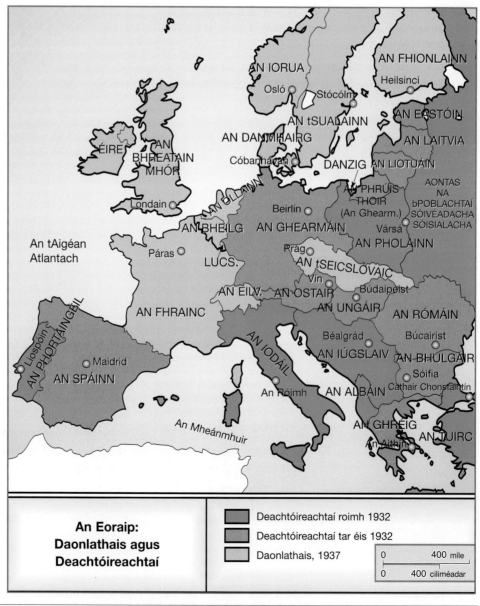

An Eoraip: Daonlathais agus Deachtóireachtaí

- Deachtóireachtaí roimh 1932
- Deachtóireachtaí tar éis 1932
- Daonlathais, 1937

0 ——— 400 míle
0 ——— 400 ciliméadar

aimiréal admiral • **marascal** marshal

Bunús agus Fás an Fhaisisteachais san Iodáil

Eochairchoincheap: An Faisisteachas

Tháinig an Faisisteachas chun cinn san Eoraip i rith na tréimhse idir na cogaí (1919-39). D'fhás sé mar thoradh ar dhroch-choinníollacha eacnamaíocha agus sóisialta, a bhí coitianta ina lán de thíortha na hEorpa sa tréimhse tar éis an Chéad Chogadh Domhanda.

Sa chiall is bunúsaí den fhocal, is é atá i gceist le Faisisteachas ná an ghluaiseacht a chuir Mussolini[#] (lch 5) chun cinn san Iodáil ó 1922 ar aghaidh. Sa chiall níos leithne den fhocal, tagraíonn sé do na páirtithe polaitíochta ina lán de thíortha na hEorpa a lean *idé-eolaíocht (creideamh) a bhí cosúil leis an idé-eolaíocht a lean Mussolini agus Hitler[#] (lch 20), cé go mbeadh difríochtaí áirithe eatarthu.

Leag na *riailréimeanna Faisisteacha béim ar leith ar an náisiúnachas agus ar chumhacht *absalóideach an stáit. Spreagadh an pobal chun a ndícheall a dhéanamh agus iad i mbun oibre, ní ar mhaithe leo féin, ach ar mhaithe leis an stát. Bhí deachtóir *carasmatach (a thaitin go mór leis an bpobal) i gceannas ar gach stát agus tacaíocht aige ó pháirtí polaitíochta amháin. Cuireadh *toirmeasc[+] ar pháirtithe freasúra, ar cheardchumainn agus ar thoghcháin shaora. Bhí na ceannairí Faisisteacha i gcoinne an daonlathais, an liobrálachais agus an Chumannachais[+] (lch 48), agus ba mhinic a bhí siad *frith-Sheimíteach[+] (i gcoinne na nGiúdach) freisin (lch 180). Thóg siad a riailréim trí mheascán de bholscaireacht[+] (lch 33) agus de *sceimhle.

Ó thaobh an gheilleagair de, ba mhinic a lean na Faisistithe prionsabal an náisiúnachais eacnamaíoch. Chosnaítí an geilleagar trí chánacha a

Na deachtóirí Faisisteacha Benito Mussolini agus Adolf Hitler.

An Náisiúnachas:
Dílseacht agus bród i leith náisiúin.

***Leordhóthanacht nó *Átarcacht:**
An cumas na nithe atá ag teastáil a chur ar fáil. I gcás tíre, is iondúil gurb é a chiallaíonn sé amhábhar a bheith ann le haghaidh na tionsclaíochta, agus bia, agus sa chaoi sin gan a bheith ag brath ar thír eile.

[#] = Eochairphearsa   [+]= Eochairchoincheap

idé-eolaíocht ideology • **riailréim** regime • **absalóideach** absolute • **carasmatach** charismatic
toirmeasc ban • **frith-Sheimíteach** anti-Semitic • **sceimhle** terror • **leordhóthanacht** self-sufficiency
átarcacht autarky

chur ar iompórtálacha, agus dhéantaí tréaniarracht an tír a dhéanamh leordhóthanach (átarcacht). Difríocht mhór, i bprionsabal, idir an Cumannachas agus an Faisisteachas is ea nach bhfuil an Faisisteachas i gcoinne úinéireacht ar shealúchas príobháideach ná ar ghnólacht, a fhad is atá sí ag cur le leas an stáit.

> *Ó thaobh an Fhaisisteachais, is *<u>beith absalóideach</u> é an Stát, agus is *<u>i gcoibhneas leis</u> atá an duine aonair agus an grúpa. Níl an duine ná an grúpa *'insamhlaithe' ach ina gcuid den stát…*
>
> *Is é an Stát Faisisteach a eagraíonn an náisiún, ach fágann sé a ndóthain scóipe ag na daoine; ní bhíonn mórán saoirse gan mhaith ná saoirse díobhálach ann, agus coinnítear na saoirsí a bhíonn riachtanach.*
>
> *Ní féidir gurb é an duine a dhéanfaidh an cinneadh sa chás sin, ach an Stát.*
>
> *Má bhíonn teagasc (creideamh) ar leith i ngach *ré, is léir dúinn ó na mílte comharthaí gurb é an Faisisteachas teagasc na ré atá ann i láthair na huaire.*
>
> As **The Doctrine of Fascism**, le Benito Mussolini, 1932.

Na Cúiseanna a bhí le fás an Fhaisisteachais san Eoraip

Boilsciú:
Ardú ar phraghas earraí agus seirbhísí i dtír, chomh maith le hísliú ar luach an airgid.

- Bhí tábhacht mhór le *tosca eacnamaíocha i bhfás na ndeachtóireachtaí san Eoraip sa tréimhse idir na cogaí. An *mhíshocracht mhór eacnamaíoch agus shóisialta a bhí ann, lagaigh sí saol polaitiúil na hEorpa. Scrios *boilsciú⁺ (lch 131), a bhí imithe ó smacht san Eoraip an luach a bhí ar *choigilteas. Bhí dífhostaíocht mhór ann, agus dá bharr sin bhí a lán daoine, go háirithe an mheánaicme, den tuairim nach raibh an rialtas a bhí ann ag an am ag freastal ar a gcuid riachtanas. Faoi 1920, bhí na praghsanna sa Bhreatain a thrí oiread níos airde ná mar a bhí roimh an gcogadh, a chúig oiread níos airde sa Ghearmáin, a 14,000 oiread níos airde san Ostair agus, creid é nó ná creid, a 23,000 oiread níos airde san Ungáir.

- Cúis eile a bhí le fás an Fhaisisteachais ná míshástacht le téarmaí na gconarthaí síochána a rinneadh tar éis an Chéad Chogadh Domhanda. B'fhíor sin go háirithe i gcás na Gearmáine agus na hIodáile. Bhí an milleán á chur ar na polaiteoirí mí-ámharacha mar gheall ar an mbealach láidir garbh ar caitheadh leis an nGearmáin i gConradh Versailles (1919), ach ní raibh an dara rogha ag na polaiteoirí sin ach glacadh le téarmaí an Chonradh – téarmaí a rinne *uirísliú orthu. Níor éirigh leis an Iodáil na nithe ar fad a gealladh di i gConradh London (1915) a bhaint amach (lch 7), agus chruthaigh sin *doicheall mór. Níor chruthaigh na conarthaí síochána stát a shásaigh gach *náisiúntacht. Mar shampla, rinneadh stát ollmhór den Pholainn, agus chruthaigh teorainn na Polainne deacrachtaí le roinnt de na tíortha a bhí in aice léi, i.e. an Liotuáin, an tSeicslóvaic, An Rúis, agus go háirithe an Ghearmáin.

- I ndiaidh don Chumannachas teacht chun cinn sa Rúis in 1917, bhí imní ag teacht ar mhuintir na hEorpa go leathnódh Réabhlóid na Rúise amach. Chuir an t-éirí amach

---

beith absalóideach absolute being • **i gcoibhneas le** relative to • **insamhlaithe** 'thinkable', imaginable
ré age • **toisc** factor • **míshocracht** instabiltiy • **boilsciú** inflation • **coigilteas** savings • **uirísliú** humilation
doicheall resentment • **náisiúntacht** nationality

Cumannach i mBeirlín, i Vín agus i mBúdaipeist sa bhliain 1919 leis an imní sin.
Bhí a lán daoine den tuairim gurbh fhearr an Faisisteachas ná an daonlathas mar
bhac i gcoinne an Chumannachais.

- Tháinig fás iontach ar an bhFaisisteachas i dtíortha nach raibh an daonlathas
  bunaithe go maith iontu. B'fhíor sin go háirithe i gcás Oirthear na hEorpa, áit ar fhás
  stáit nua tar éis do na seanstáit dul i léig. D'fhás na stáit nua sin as na
  seanimpireachtaí a bhí sa Ghearmáin, san Ostair is an Ungáir, agus sa Rúis tar éis
  Chonradh Síochána 1919. Thug náisiúnstáit nua na hOstaire, na hUngáire, na
  Polainne, na hIúgslaive, na Seicslóvaice agus na Stát Baltach córas daonlathach
  rialtais isteach tar éis dóibh a saoirse a bhaint amach in 1919. Toghadh rialtais laga
  *ilpháirtithe sa chuid is mó de na daonlathais nua. Ba ar éigean a mhair na rialtais sin
  téarma iomlán in oifig. Seachas sa tSeicslóvaic, riailréim *thiarnasach (ceannaire
  amháin, páirtí amháin) nó leath-Fhaisisteach a bhí i ngach stát in Oirthear na
  hEorpa faoin mbliain 1936.

- Ba iad an mheánaicme ba mhó a thacaigh leis an bhFaisisteachas, go háirithe i
  gceantair thuaithe. Mhothaigh an mheánaicme go raibh siad sáinnithe idir na
  hoibrithe (a bhí i gceardchumainn) ar thaobh amháin, agus aicme shaibhir
  chumhachtach ar an taobh eile. Chreid siad nach raibh an córas daonlathach ag dul
  chun leasa dóibh níos mó, agus mar gheall air sin bhí siad ar thóir malairt rialtais.

As na *tosca sin thuas a d'fhás Faisisteachas na hIodáile in 1922, agus an Naitsíochas sa
Ghearmáin in 1933.

An Faisisteachas san Iodáil

San Iodáil a bunaíodh an chéad deachtóireacht Fhaisisteach. Chruthaigh an Chéad
Chogadh Domhanda fadhbanna móra eacnamaíocha agus sóisialta don Iodáil, rud a
chruthaigh teannas nach raibh córas lag polaitíochta na hIodáile in ann déileáil leis. Bhí
deis ann, dá bhrí sin, do dhuine éigin – leithéid Mussolini – teacht isteach san *fholús
polaitiúil.

Eochairphearsa: Mussolini

San Iodáil, in 1883, a rugadh Mussolini, i réigiún ar a dtugtar Romagna. Mac le *gabha dubh Sóisialach
ba ea é. Bhí cáil ar réigiún Romagna mar gheall ar fhoréigean a bhain le cúrsaí talún. Cuireadh athair
agus seanathair Mussolini sa phríosún de bharr gurb í polaitíocht na heite clé (an Sóisialachas) a bhí acu.

Tús a Shaoil Pholaitiúil

Rinne Mussolini mar a rinne a athair agus chuaigh sé i bPáirtí Sóisialach na hIodáile. Chónaigh sé
san Eilvéis ar feadh roinnt blianta ionas nach ndéanfaí *coinscríobh air le haghaidh seirbhís mhíleata.
San Eilvéis dó, scríobh sé ailt do nuachtáin agus do mheáin na heite clé. D'fhill sé ar an Iodáil in
1905, áit a ndeachaigh sé i mbun oibre mar mhúinteoir *ionadach. Tar éis tamaillín thug sé cúl don

---

ilpháirtithe multi-party • **tiarnasach** authoritarian • **toisc** factor • **folús** vacuum • **gabha dubh** blacksmith
coinscríobh conscription • **ionadach** substitute

mhúinteoireacht agus aghaidh ar an iriseoireacht, agus fuair sé post ina eagarthóir ar an nuachtán seachtainiúil *Lotta di Classe* (*An Streachailt Aicmeach). Nuair a thacaigh Mussolini leis na *hantoiscigh i ndíospóireacht nimhneach ag comhdháil bhliantúil an Pháirtí in 1912, tharraing sé aird na ndaoine air féin. An díospóireacht sin, ba dhíospóireacht é idir Sóisialaithe bunreachtúla a bhí ag iarraidh athruithe a dhéanamh tríd an gcóras daon-lathach, agus réabhlóidithe a bhí ag iarraidh an Rialtas a *threascairt le foréigean. An bhliain chéanna sin chuaigh sé i mbun oibre ina eagarthóir ar an nuachtán Sóisialach *Avanti* (Ar Aghaidh), post a chuir a ainm in airde go tapa mar iriseoir aitheanta.

Mussolini ina shóisialaí óg.

Nuair a thosaigh an Chéad Chogadh Domhanda i mí Lúnasa na bliana 1914, scríobh sé faoin tábhacht a bhain le síocháin. Ach, níos faide anonn sa bhliain sin tháinig athrú iomlán meoin air, agus bhí sé ag iarraidh, ina chuid eagarfhocal, go ndéanfadh an Iodáil *idirghabháil ar thaobh na *gComhghuaillithe (an Bhreatain, an Fhrainc, agus an Rúis). Bhí sé chomh paiseanta céanna faoi sin agus a bhí sé roimhe sin faoin tsíocháin. Chreid sé mura mbeadh an Iodáil páirteach sa chogadh nach mbeadh sí páirteach in aon chor in athmhúnlú na hEorpa i gcomhaontú síochána ar bith a bheadh ann ina dhiaidh sin. De bharr na dtuairimí sin, cuireadh iallach air éirí as an bpáirtí in 1914. Sa bhliain 1915 bhunaigh sé a nuachtán féin *Il Popolo d'Italia* (Muintir na hIodáile). Bhí dhá *shluán ar leathanach tosaigh an nuachtáin: 'An fear a bhfuil iarann aige, tá arán aige' agus 'Déanann *beaignití réabhlóid de smaointe.'

Mussolini agus An Cogadh

Rinneadh Mussolini a *choinscríobh isteach in Arm na hIodáile i mí Mheán Fómhair na bliana 1915. Ní fiú trácht a dhéanamh air mar shaighdiúir i rith na tréimhse 1915-17, cé gur bhreá leis féin a bheith ag insint scéalta faoi bheith *'ag dul de dhroim trinse' chun ionsaí a dhéanamh ar na hOstaraigh, agus faoi *ghránáidí an namhad a phiocadh suas agus a chaitheamh ar ais leo. *Dála Hitler, *ardaíodh ina *cheannaire é. Ach, ní hionann is Hitler, níor bronnadh boinn riamh air as ucht crógachta. Tháinig a shaol san arm chun deiridh i mí Feabhra na bliana 1917 nuair a bhain gortú dó le linn cleachtadh oiliúna.

Tar éis an airm, d'fhill Mussolini ar a phost mar iriseoir. An *neamhord ar fad a bhí san Iodáil i ndiaidh an chogaidh, thug sé deis do Mussolini teacht i gcumhacht. Bhí fadhbanna ollmhóra le sárú ag an Iodáil. D'éirigh le Mussolini a bheith ar cheann de *phríomhchriticeoirí an rialtais trí na heagarfhocail a scríobh sé in *Il Popolo d'Italia*.

An Streachailt Aicmeach The Class Struggle • **antoisceach** extremist • **treascair** overthrow
idirghabháil intervention • **Comhghuaillithe** Allies • **sluán** slogan • **beaignit** bayonet
coinscríobh conscription • **ag dul de dhroim trinse** go over the top • **gránáid** grenade • **dála** like, similar to
ardaigh promote • **ceannaire** corporal • **neamhord** disorder • **criticeoir** critic

Fadhbanna i ndiaidh an Chogaidh

1. *Doicheall le Conradh Versailles

Chuaigh an Iodáil i mbun cogaíochta sa Chéad Chogadh Domhanda in 1915 faoi théarmaí Chonradh Londan. De réir an chonradh sin gealladh codanna den *Dalmáit agus de chríocha eile don Iodáil. Níor ghlac an tUachtarán Wilson, uachtarán Meiriceá ag an am, leis na héilimh sin ag Comhdháil Versailles in 1919. Mhaígh Wilson gur le stát nua-chruthaithe na hIúgslaive an Dalmáit. Mhéadaigh doicheall na hIodáile nuair a chuir Rialtas na hIodáile a n-éileamh ar an Dalmáit ar ceal go hoifigiúil faoi théarmaí Chonradh Rapallo in 1920. Bhí fearg an domhain ar náisiúnaithe Iodálacha, agus in 1920 ghlac an file Iodálach, Gabriele D'Annunzio, agus grúpa d'iarshaighdiúirí a raibh léinte dubha orthu, ina chuideachta, seilbh go sealadach ar chalafort Fiume san Iúgslaiv.

2. Fadhbanna Sóisialta agus Eacnamaíocha

Na laigí ar fad a bhí ar gheilleagar na hIodáile, ba léir iad nuair a tháinig an Chéad Chogadh Domhanda. Sna blianta 1914 go 1918 tháinig 250% d'ardú ar phraghsanna. Thit an tóin as luach an airgid *choigilte agus ní raibh an pá ar aon leibhéal leis an mboilsciú. Mar thoradh air sin chuaigh a lán oibrithe tionsclaíocha agus talmhaíochta ar stailc.

Le talmhaíocht a bhí breis is 50% de phobal oibre na hIodáile ag obair. *Gabháltas níos lú ná trí acra a bhí ag breis is 90% de na feirmeoirí; ní raibh a ndóthain talaimh ansin acu chun slí mhaireachtála a bhaint as. Le linn an chogaidh, gheall an Rialtas go gcuirfidís *clár dáilte talaimh i bhfeidhm, agus d'ardaigh sin dóchas *thuathánaigh na hIodáile. Níor cuireadh an clár i bhfeidhm i ndiaidh an chogaidh, agus leath *corraíl ar fud cheantair thuaithe na hIodáile. Chuaigh oibrithe feirme i nGleann na Pó ar stailc in 1920, agus d'fhág siad an fómhar ag lobhadh sna goirt. Chuir sé sin fearg mhór ar na húinéirí saibhre talún.

De bharr an chogaidh, mhéadaigh ar mhíshásamh an lucht oibre tionsclaíoch freisin. Laghdaigh luach airgeadra na hIodáile, agus cé gur bhuntáiste é sin i gcás easpórtáil earraí tionsclaíocha, agus chun saibhreas úinéirí na monarchana a mhéadú, ní raibh pá na n-oibrithe ar comhchéim leis an mboilsciú. In 1920 ghlac breis is 500,000 oibrí, a bhí ar stailc, seilbh ar na monarchana *cruach in Milano, agus iad ag éileamh pá níos fearr.

3. Teip an Daonlathais

Tugadh isteach an córas toghcháin ar a dtugtar *__An Ionadaíocht Chionmhar__ (*PR*) san Iodáil den chéad uair in 1919. Mar thoradh air sin tháinig a lán páirtithe beaga ar an bhfód, agus dá bharr sin bhí comhrialtais laga ann. Idir 1919 agus 1922 bhí cúig rialtas éagsúla ann, ach níor mhair aon cheann acu sách fada chun tabhairt faoi na fadhbanna eacnamaíocha, a bhí ag dul in olcas.

> **An Dalmáit:**
> Sa Chróit a bhí an Dalmáit, agus ba chuid den Impireacht Ostra-Ungárach í an Chróit go dtí 1919. Tar éis Chonradh Versailles, cuid den Iúgslaiv a bhí sa Chróit.

> ***An Ionadaíocht Chionmhar:**
> Córas vótála ina mbíonn ionadaithe ag gach páirtí polaitíochta sa pharlaimint de réir an líon daoine a chaitheann vóta ar a shon i dtoghchán.

---

doicheall resentment • **An Dalmáit** Dalmatia • **coigilte** saved • **gabháltas** holding
clár dáilte talaimh land distribution programme • **tuathánach** peasant • **corraíl** unrest
cruach steel • **An Ionadaíocht Chionmhar** Proportional Representation

Teacht chun cinn an Fhaisisteachais

As an bhfocal *fasces* a tháinig an focal 'Faisisteachas'. Ciallaíonn *fasces* beart slaitíní atá ceangailte de thua. Siombail d'údarás ba ea é sin sa tSean-Róimh. Baineadh leas as an téarma in 1919, áfach, chun cur síos a dhéanamh ar *dhronga éagsúla Iodálacha a bhí in aghaidh an Chumannachais. Sa bhliain 1919 bhunaigh Mussolini *fascio* in Milano. Chaitheadh baill Pháirtí Faisisteach Mussolini *éide ar leith, agus ba ón éide sin a tháinig a n-ainm, i.e. 'Na Léinte Dubha'. Níor éirigh leis an bPáirtí Faisisteach suíochán ar bith a bhaint in olltoghchán na bliana 1919, agus níor éirigh leo ach 2% den vóta a fháil in Milano. D'éirigh leis na Sóisialaithe a 40 oiread níos mó vótaí a fháil ná na Faisistithe. Bhí Mussolini ag smaoineamh ar chúl a thabhairt don pholaitíocht agus dul ag *buscáil. Bhí foireann shean-nuachtán Mussolini, *Avanti*, sásta nuair a theip ar Mussolini, agus scríobh siad *cuntas iarbháis searbhasach dó in eagarfhocal an nuachtáin. Seo a leanas a bhí scríofa san eagarfhocal: 'Fuarthas corp in Milano inniu agus é ag lobhadh. Is cosúil gurb é corp Benito Mussolini atá ann.'

Idir 1919 agus 1921 bhí na dálaí sóisialta agus eacnamaíocha fós ag dul chun donais. Saighdiúirí a ndearnadh *díshlógadh orthu, ní raibh siad in ann obair a fháil. De réir a chéile tháinig feabhas ar chúrsaí don Pháirtí Faisisteach. D'éirigh leis na Faisistithe 35 suíochán a bhuachan in olltoghchán na bliana 1921. Cé nach drochthoradh é sin, níor leor ar chor ar bith é chun *tromlach iomlán a fháil. Ní raibh rogha ar bith ag Mussolini ach machnamh a dhéanamh ar chúrsaí an athuair. Smaoinigh sé ar feadh tamaill go n-éireodh sé as a ghníomhaíocht láidir i gcoinne an tSóisialachais, ach *d'áitigh Faisistithe eile air gan é sin a dhéanamh.

De réir mar a lean an *chorraíl ar aghaidh i measc an phobail, bhí na *scuaid Fhaisisteacha ag méadú, mar go raibh daoine dífhostaithe, mic léinn, *tuathánaigh, agus daoine a bhí i bhfabhar athrú, ag dul iontu. Thosaigh an Eaglais Chaitliceach, go fiú, ag tacú le Mussolini; agus mar chúiteamh air sin gheall Mussolini go gcuirfeadh sé deireadh leis an díospóid a bhí ar siúl idir an Eaglais agus an Stát le fada an lá – ó aontú na hIodáile sa bhliain 1870 (lch 188).

Thosaigh an *agrari* (na húinéirí móra talún), na tionsclaithe agus na bainc, a bhí imníoch faoi chorraíl shóisialta agus leathnú an Chumannachais, ag *maoiniú an Pháirtí Fhaisistigh.

Rinne na Faisistithe an dul chun cinn a bhí de dhíth orthu in 1922 nuair a d'éirigh le Mussolini agus a scuaid Fhaisisteacha deireadh a chur le stailc náisiúnta, a bhí faoi smacht na Sóisialaithe. Thug na Faisistithe faoi ord a chur ar an saol, agus d'éirigh leo smacht a fháil ar na sráideanna in Milano, in Genova agus in Turino. Rinne na Faisistithe in Milano ionsaí ar oifigí shean-nuachtán Mussolini, *Avanti*. Chomh maith leis sin, ruaig siad na Sóisialaithe as halla an bhaile.

An Mháirseáil chuig an Róimh, Deireadh Fómhair 1922

Thosaigh a lán daoine ag cur suime san Fhaisisteachas mar go raibh ag éirí go maith leis, agus tháinig forbairt ollmhór ar an ngluaiseacht. Bunaíodh breis is 2,300 scuad Faisisteach ar fud na hIodáile. Faoi mhí Dheireadh Fómhair 1922, bhí comhairleoirí Mussolini á spreagadh chun *coup d'état* (dul i gcumhacht le fórsa) a dhéanamh trí mháirseáil a eagrú chuig an Róimh ó gach cearn den Iodáil. Ar an 24ú lá de Dheireadh Fómhair *thug Mussolini dúshlán an Rialtais fadhbanna na hIodáile a réiteach nó ligean do na Faisistithe iad a réiteach. Ar an 30ú lá de Dheireadh Fómhair thosaigh 30,000 Faisistí ag máirseáil chuig an Róimh. Bhí eagla ar Mussolini go ngabhfaí é agus mar

drong gang • **éide** uniform • **buscáil** busking • **cuntas iarbháis** obituary • **díshlógadh** demobilisation
tromlach majority • **áitigh** argue • **corraíl** unrest • **scuad** squad • **tuathánach** peasant
maoiniú finance, financing • **tabhair dúshlán** challenge

*Díshlógadh:
Trúpaí a scor ag deireadh cogaidh.

gheall air sin d'fhan sé gar do theorainn Thuaisceart na hIodáile. D'iarr an Príomh-Aire Liobrálach, Luigi Facta, ar an Rí ordú a thabhairt don arm gníomhú i gcoinne na bhFaisistithe, ach dhiúltaigh an Rí é sin a dhéanamh. Ina ionad sin, thug sé cuireadh do Mussolini teacht chuig cainteanna sa Róimh. Le linn na gcainteanna sin thairg an Rí post do Mussolini mar Aire Rialtais. Dhiúltaigh Mussolini dó sin agus é á rá nach nglacfadh sé le post ar an mbealach sin. De bhrí go raibh eagla ar an Rí go mbeadh trioblóid ann, ghéill sé agus d'iarr sé ar Mussolini a bheith ina Phríomh-Aire ar an Iodáil. D'fhág Mussolini an Róimh agus ghlac sé páirt an athuair sa mháirseáil *chaithréimeach lena bhannaí Faisisteacha. Ba í an mháirseáil sin a chuir tús leis an *miotas: 'An Mháirseáil chuig an Róimh'. De réir an mhiotais, ba mar gheall ar bhrú a tháinig Mussolini i gcumhacht, ach ní fíor sin. Is é a tharla i ndáiríre ná gur thug an Rí cuireadh do Mussolini a bheith ina Phríomh-Aire.

Mussolini (an tríú fear ón taobh clé) le linn na Máirseála chuig an Róimh.

An Chéad Rialtas ag Mussolini, 1922-24

Ní raibh ach trí aire Faisisteach i gcéad rialtas Mussolini. Ba ghá, áfach, go mbeadh Mussolini sásta leis na cinntí ar fad a dhéanfaí. Bhain Mussolini leas as an tréimhse idir 1922 agus 1924 chun an chumhacht a bhí aige a neartú.

In 1923 rinne sé dleathach a scuaid Fhaisisteacha, agus tugadh an *Míliste Faisisteach um Shlándáil Náisiúnta (*MVSN*) orthu. Níos faide anonn sa bhliain chéanna, thug sé dlí nua *toghchánach isteach, ar ar tugadh *Acerbo*. Faoin dlí sin bhí cead ag an bpáirtí a fuair an líon is mó vótaí, dhá thrian de na suíocháin sa pharlaimint a bheith acu. Glacadh go fonnmhar leis an dlí sin mar go gcuirfeadh sé deireadh leis an míshocracht uafásach pholaitiúil a bhí san Iodáil ón

AA. VV., Cento Anni a Roma 1870–1970 Fratelli Palombi editori, Roma.

Mussolini i gcúl cairr agus é ag fágáil an pháláis ríoga tar éis Príomh-Aire a dhéanamh de in 1922

uair ar cuireadh tús leis an ionadaíocht chionmhar tar éis an Chéad Chogadh Domhanda.

Le linn fheachtas toghcháin 1924 (an chéad fheachtas faoin gcóras nua) bhain na Faisistithe leas as foréigean agus bagairtí chun tionchar a imirt ar an vóta. Dá bhrí sin, níorbh ionadh ar bith é nuair a d'éirigh leis an bPáirtí Faisisteach 65% den vóta náisiúnta a bhuachan, rud a lig dóibh smacht a bheith acu ar an bparlaimint.

*Scaradh Aventine, 1924

D'éiligh an ceannaire sóisialach, Giacamo Matteotti, fiosrúchán faoin toghchán. D'fhoilsigh sé paimfléad dar theideal *Na Faisistithe – an Fhírinne*. Sa phaimfléad sin

---

caithréimeach triumphant • miotas myth • míliste militia
toghchánach electoral • scaradh secession

De bharr dhúnmharú Giacomo Matteotti (an dara duine ón taobh deas) in 1924, ba bheag nár thit an Faisisteachas as a chéile san Iodáil. Ba cheannaire sóisialach é Matteotti agus ba é a scríobh an paimfléad *Na Faisistithe – an Fhírinne*.

rinne sé cur síos ar an drochíde agus mí-úsáid ar fad a rinneadh i rith an fheachtais. Ina measc, ionsaithe ar nuachtáin *fhreasúracha, *pearsanú forleathan (vótáil faoi ainm bréige) agus bagairtí ar vótálaithe. Ní raibh an feachtas seachtain ar bun ag Matteotti nuair a d'fhuadaigh Léinte Dubha é i lár an lae agus dhúnmharaigh siad é go brúidiúil. Bhí an pobal den tuairim gurb é Mussolini ba chiontach leis sin agus d'éiligh siad go n-éireodh sé as a phost. Chuaigh meas an phobail ar Mussolini i léig thar oíche. Ina dhiaidh sin, d'admhaigh sé go gcaithfí as oifig go héasca é dá mbeadh iarracht ar *coup* déanta ag an bhfreasúra.

Shábháil roinnt tosca Mussolini. Ar an gcéad dul síos, tharraing páirtithe an fhreasúra as an bparlaimint mar agóid. Tugadh an t-ainm *Scaradh Aventine* air sin (as eachtra a tharla sa tSean-Róimh a tháinig an t-ainm, nuair a dhiúltaigh na gnáthdhaoine, na *plebes*, teacht anuas ó shléibhte Aventine, taobh amuigh den Róimh, go dtí gur fearr a chaithfeadh na Rómhánaigh shaibhre leo). Shábháil *Scaradh Aventine* Mussolini, mar gur chuir sé deireadh leis an aon bhealach dleathach a bhí ag an bhfreasúra tabhairt ar Mussolini éirí as a phost. Rud eile a shábháil Mussolini ba ea an bealach ar dhiúltaigh an Rí idirghabháil a dhéanamh. Is cosúil go raibh eagla ar an Rí go mbeadh a phost féin i mbaol, mar a cheap sé i rith na máirseála chuig an Róimh in 1922.

Ag dul i dtreo na Deachtóireachta

I ndiaidh eachtra Matteotti, chinn Mussolini go raibh an t-am tagtha chun smacht níos daingne a fháil ar pholaitíocht na hIodáile.

Sa bhliain 1925 thug sé óráid, agus den chéad uair riamh, ghlac sé freagracht iomlán as dul thar fóir na bhFaisistithe:

*Fógraím go nglacaimse féin, agus mise amháin, le freagracht pholaitiúil, mhorálta agus stairiúil as gach rud a tharla. Más cumann *coiriúil a bhí san Fhaisisteachas, nó más toradh ar thimpeallacht stairiúil, pholaitiúil nó mhorálta iad na gníomhartha foréigin ar fad, ormsa atá an fhreagracht ar fad as sin.*

I mí na Nollag 1925, chuir Mussolini deireadh leis an gceart a bhí ag an Rí airí rialtais a cheapadh agus a *bhriseadh as a bpost. Ó mhí Eanáir na bliana 1926 ar aghaidh, glacadh leis gur dlí a bhí i ngach *foraithne (acht) a shínigh Mussolini (mar **Il Duce** – *an ceannaire* – a bhí aithne air anois). Bhí cinsireacht dhocht ar an bpreas. Cuireadh a oiread sin bac dleathach ar nuachtáin phríobháideacha gur dhún siad. Scríbhneoirí agus scoláirí nach raibh ag cur luachanna Faisisteacha chun cinn, *díbríodh thar sáile iad.

---

freasúrach opposition • **pearsanú** impersonation • **coiriúil** criminal • **bris** dismiss
foraithne decree • **díbir** banish

Riar an Stáit Fhaisistigh

Dlí agus Ord

Níor cuireadh dlí agus ord i bhfeidhm ar an mbealach foréigneach céanna san Iodáil agus a rinneadh sa Ghearmáin faoi na Naitsithe (lch 30). In 1926 bunaíodh fórsa speisialta póilíní, an **OVRA** (*Opera Volontaria Repressione anti-Fascists* nó an Eagraíocht Dheonach chun an Frith-Fhaisisteachas a chur faoi chois) chun daoine a bhí i gcoinne an stáit a aimsiú agus chun déileáil leo. Bunaíodh **áitribh phionóis* (príosúin) le haghaidh príosúnaigh pholaitiúla ar Oileáin Lipari, ó thuaidh ón tSicil. I gcás coireanna beaga, baineadh leas as **confino**, nó díbirt chuig bailte iargúlta.

Dhéileáil Mussolini leis an Mafia sa tSicil, agus na *Neapolitan Camorra* (teaghlaigh eagraithe choiriúlachta), ar bhealach níos éifeachtaí ná rialtas ar bith eile de chuid an fichiú haois. Nuair a chuir na Faisistithe deireadh le toghcháin agus le córas an ghiúiré sna cúirteanna, tháinig laghdú ar chumhacht na **gceannasaithe coiriúlachta*. Le blianta fada bhí an Mafia ag bláthú i ndeisceart na hIodáile trí pholaiteoirí áitiúla a **choirbeadh*, agus bagairtí a dhéanamh ar fhinnéithe agus ar ghiúiréithe. Breis is 2,000 duine a raibh amhras fúthu gur bhain siad leis an Mafia, cuireadh i bpríosún iad idir 1926 agus 1939.

An Stát Corparáideach

Mhaígh Mussolini gur chuir sé rogha ar an gCumannachas agus ar an gCaipitleachas, araon, ar fáil nuair a bhunaigh sé 'An Stát Corparáideach'. Cé gur gríosaíodh an **fhiontraíocht* phríobháideach, d'fhéadfadh an Rialtas Faisisteach a **ladar a chur* sa gheilleagar dá mba mhaith leo. Bunaíodh bardais (comhairlí) ar leith chun na réimsí éagsúla den gheilleagar a riar. Bhí bardais ann le haghaidh thionscal na **cruach*, na talmhaíochta, múinteoirí agus mar sin de. Bhí ionadaíocht chothrom ag fostóirí agus oibrithe ar na bardais sin. Bhí triúr ball den Pháirtí Faisisteach ag feidhmiú mar **eadránaithe* (**idirghabhálaithe*).

Spreagadh baill gach bardas chun leas an stáit a chur chun tosaigh ar a leas féin. Réitigh na bardais aighnis faoi phá agus coinníollacha oibre. Ar an gcúis sin, cuireadh cosc ar cheardchumainn agus stailceanna. In 1938 cuireadh deireadh go hoifigiúil leis an bParlaimint agus cuireadh **Tionól de 22 Bardas ina háit.

*Bolscaireacht

Is é is bolscaireacht ann ná eolas a scaipeann páirtithe polaitíochta chun tionchar a imirt ar thuairimí an phobail. Is minic a bhíonn an t-eolas sin **áibhéileach nó bréagach. Díreach mar a rinne Hitler, bhunaigh Mussolini Aireacht Bolscaireachta. Ba é Achille Starace, rúnaí an Pháirtí Fhaisistigh, a bhí i gceannas ar an aireacht sin. Cuireadh cosc ar nuachtáin fhreasúracha agus cuireadh cinsireacht dhocht i bhfeidhm. Cuireadh Mussolini i láthair don phobal mar **eiseamláir **fhoirfe d'anam an Fhaisisteachais. Ba mhinic a léiríodh é mar fhear iontach spóirt. Bhíodh an solas in oifig Mussolini ar siúl i rith na hoíche ionas go gceapfadh daoine go raibh sé ag síorobair ar son na hIodáile.

Bhí smacht docht daingean ar an oideachas san Iodáil. Bhí ar gach múinteoir scoile a bheith ina mbaill den Pháirtí Faisisteach. Athscríobhadh téacsleabhair ionas go mbeadh

---

áitreabh pionóis penal settlement • **ceannasaí coiriúlachta** crime boss • **coirb** corrupt
fiontraíocht enterprise • **ladar a chur i** to intervene in • **cruach** steel • **eadránaí** arbitrator
idirghabhálaí mediator, go-between • **tionól** assembly • **bolscaireacht** propaganda
áibhéileach exaggerated • **eiseamláir** example • **foirfe** perfect

Mussolini ag léiriú a aclaí is a bhí sé.
Déan cur síos ar an gcúis arbh fhéidir breathnú ar an
ngrianghraf seo mar shampla de bholscaireacht san
Iodáil i ré na bhFaisistithe.

siad ag teacht le creideamh na bhFaisistithe.
Athscríobhadh an stair agus chuathas thar fóir go mór
maidir leis an ról a bhí ag Mussolini agus an Iodáil sa
Chéad Chogadh Domhanda. Bhí cartúin de
Mussolini, agus é ag cosaint an domhain ar gach
cineál oilc, i leabhair scéalta do pháistí, go fiú.

Gluaiseachtaí Óige

Bhí smacht ag an bPáirtí Faisisteach ar am saor na
bpáistí chomh maith. Bunaíodh eagraíocht i gcomhair
daoine óga in 1926 chun a gcuid gníomhaíochtaí a
chomhordú. Nuair a bhí na buachaillí idir ocht
mbliana agus ceithre bliana déag d'aois, bhídís ina
mbaill d'eagraíocht ar a dtugtaí *Balilla* (ainm a bhí ar
laoch Iodálach). Chuirtí oiliúint fhisiceach agus
mhorálta orthu san eagraíocht. Bhí cré (cineál paidir)
dá cuid féin ag an eagraíocht; seo a leanas í an chré:

*Creidim go láidir in ardéirim Mussolini, san Athair Naofa – an Faisisteachas, i
gcomaoin na mairtíreach, in iompú na nIodálach agus in aiséirí na hImpireachta.*

Fir óga á n-oiliúint sna
haonaid Fhaisisteacha
Balilla do pháistí san
Iodáil in 1939.

Nuair a bhaineadh na páistí ceithre bliana déag d'aois amach théidís ar aghaidh go dtí an
Avanguardisti, eagraíocht ina gcuirtí níos mó béime ar chleachtaí míleata. Nuair a bhídís
ocht mbliana déag d'aois théadh baill na n-eagraíochtaí óige isteach sa Pháirtí
Faisisteach. Duine ar mhian leis/léi post a fháil le riarachán an stáit, bhí air/uirthi a
bheith ina b(h)all den pháirtí.

Polasaí Eacnamaíoch an Stáit Fhaisistigh
Oibreacha Poiblí

Tugadh faoin dífhostaíocht le clár oibreacha poiblí. Rinneadh draenáil ar na *Riasca
Pointíneacha, ar imeall na Róimhe, a raibh an *mhaláire go tiubh iontu, agus rinneadh
*míntíriú ar an talamh. Tógadh stáisiúin *hidrileictreachais agus *autostrade* (mótarbhealaí)
chun cathracha móra na hIodáile a nascadh leis an gcósta. D'ordaigh Mussolini go
mbeadh an *autostrade* chomh díreach agus ab fhéidir, agus go mbeadh *lánaí malla orthu
ionas nach gcuirfí moill ar an trácht. Rinneadh *leictriú ar fhormhór ghréasán iarnróid na
hIodáile agus bhíodh Mussolini ag maíomh go mbíodh na traenacha in am. Rinneadh
laghdú ar an líon daoine a bhí dífhostaithe sa ghearrthéarma, nuair a bhí tionscadail den
chineál sin ar bun.

---

riasc marsh • **an mhaláire** malaria • **míntíriú** reclamation
hidrileictreachas hydroelectricity • **lána mall** slow lane • **leictrigh** electrify

An *Átarcacht agus an Cath ar son an Arbhair

Chreid Mussolini gur chóir go mbeadh an Iodáil *leordhóthanach (*átarcacht*) maidir le táirgeadh bia riachtanach. Mar gheall air sin, thosaigh sé 'Cath ar son an Arbhair'. Tugadh deontais do na feirmeoirí chun cruithneacht a fhás, in ionad torthaí agus *ológ. Cé gur tháinig méadú ollmhór ar tháirgeadh arbhair, bhí muintir dheisceart na hIodáile thíos leis mar gurbh oiriúnaí an talamh agus an aeráid ansin chun torthaí *citris agus ológa a fhás.

An Cath ar son an *Lira*

Sa bhliain 1925 shocraigh Mussolini airgeadra na hIodáile, an *lira*, ar ráta *saorga ard de 90 *lira* in aghaidh an phuint steirling. Fuair sé iasachtaí móra airgid ó Mheiriceá chun é sin a dhéanamh. Bhí air na hiasachtaí sin a thabhairt ar ais sa bhliain 1929 tar éis Chliseadh Wall Street (lch 135) mar gur laghdaigh luach an *lira* go tubaisteach dá bharr. Ghearr Mussolini rátaí pá ina leath ar mhaithe le luach an *lira* a fheabhsú arís, ach laghdaigh an caighdeán maireachtála go mór agus d'ardaigh an dífhostaíocht.

Bhí Mussolini go mór i bhfabhar níos mó airgid a chaitheamh ar chúrsaí míleata, rud a chuir le deacrachtaí eacnamaíocha na hIodáile. Faoi lár na dtríochaidí bhí breis is trian den ioncam náisiúnta á chaitheamh ar fhorleathnú míleata. An bhearna idir ceantar tionsclaíoch an tuaiscirt agus ceantar bocht talmhaíochta an deiscirt, bhí sí ag éirí níos mó agus níos mó le linn réimeas Mussolini.

▲
Mussolini ina sheasamh ar tharracóir a bhí tar éis talamh a *míntíríodh as na Riasca Pointíneacha a threabhadh.

An Cath ar son an Ráta *Beireatais

In 1927 d'fhógair Mussolini gur chóir go mbeadh daonra na hIodáile ardaithe ó 40 milliún go dtí 60 milliún faoin mbliain 1950. Bhí sé den tuairim gurbh é sin an t-aon bhealach a bheadh ag na hIodálaigh chun iad féin a chosaint ar 90 milliún Gearmánach agus 200 milliún Slavach (cine de chuid Oirthear na hEorpa).

Tosaíodh ar chánacha a ghearradh ar bhaitsiléirí, rud a spreag an pósadh. Tugadh ordú do cuideachtaí príobháideacha agus don státseirbhís *leithcheal a dhéanamh ar *bhaitsiléirí, agus fir a raibh clann acu a fhostú. In ainneoin dhícheall Mussolini, lean ráta beireatais na hIodáile ag laghdú.

Nóta!

Pléifear, i gCaibidil 14, an caidreamh idir an Eaglais agus an stát san Iodáil.

átarcacht autarky • leordhóthanach self-sufficient • ológ olive
citreas citrus • saorga artificial • míntírigh reclaim • beireatas birth
leithcheal discrimination • baitsiléir bachelor

Polasaí Eachtrach

Ba é an cuspóir a bhí ag polasaí eachtrach Mussolini ná talamh agus stádas a ghnóthú don Iodáil. Dúirt sé arís is arís eile nach stát *sásaithe a bhí san Iodáil ach 'náisiún a bhí *cíocrach ar thóir talún'. Chreid sé gur theastaigh arm agus cabhlach láidir ón Iodáil, ach go raibh 'aerfhórsa mór millteach' ag teastáil freisin. Bhí bac ar chuspóirí pholasaí eachtrach na hIodáile, áfach, mar gheall nach raibh mórán acmhainní nádúrtha sa tír (gual agus ola, mar shampla). Ach, níor chuir sé sin stop le Mussolini ó bheith ag úsáid bolscaireachta chun a chur ina luí ar a lán de thíortha cumhachtacha na Eorpa gur tír láidir a bhí san Iodáil.

An *Caidreamh le Gearmáin na Naitsithe, 1933-35

Ar dtús, mhothaigh Mussolini faoi bhagairt nuair a bhí Hitler ag dul chun cinn. Bhí plean ag Hitler in 1933 chun lucht labhartha na Gearmáinise ar fud na hEorpa a aontú, agus chuir sin codanna de Thuaisceart na hIodáile i mbaol; ba chuid den Impireacht Ostra-Ungárach a bhí ann roimhe sin, agus bhí breis is 200,000 cainteoir Gearmáinise ann.

Nuair a dhúnmharaigh Naitsithe san Ostair a bPríomh-Aire, Engelbert Dollfuss (náisiúnaí Ostarach a bhí i gcoinne aontú leis an nGearmáin), sa bhliain 1934, chuir Mussolini 40,000 trúpa chuig an teorainn chun nach mbeadh *coup d'etat* ansin. Ní raibh Hitler réidh le haghaidh cogadh ag an am sin agus chúlaigh sé. Sa bhliain 1934 thug Hitler cuairt ar an Iodáil agus é mar aidhm aige an caidreamh léi a fheabhsú. Ní dheachaigh Hitler i gcion ar Mussolini, agus dúirt Mussolini faoi gur *gamal beag seafóideach' agus 'manach cainteach' a bhí ann.

Sa bhliain 1935, bhuail an Iodáil, an Bhreatain agus an Fhrainc le chéile in Stresa i dTuaisceart na hIodáile, chun a n-imní a chur in iúl faoi phleananna atharmála Hitler (lch 88). Bhunaigh siad '**Fronta Stresa**' agus rith siad *comhrún ag cáineadh ghníomhaíochtaí Hitler.

Cogadh na hAibisíne (na hAetóipe), 1935-36

*<u>Cor nua</u> i bpolasaí eachtrach Mussolini ba ea Cogadh na hAibisíne. Bhí deireadh anois leis an taidhleoir síochánta, agus thosaigh an Iodáil ag gluaiseacht go mall i dtreo *comhaontais le Gearmáin na Naitsithe.

Theastaigh ó Mussolini **Impireacht Rómhánach** nua a chruthú. Uair amháin, mhaígh sé go n-athródh sé an Mheánmhuir ina loch Iodálach. Mar gheall air sin bhí sé den tuairim gurb é a bhí i ngabháil na hAibisíne ná céim i dtreo smacht a fháil ar Thuaisceart na hAfraice. Chomh maith leis sin, ba dhíoltas é ar bhualadh *uiríslítheach na hIodáile ansin in 1896. Ní timpiste ar bith a bhí ann go ndearnadh ionradh na bliana 1935 ag an

---

sásaithe satiated • **cíocrach** greedy • **caidreamh** relations • **gamal** fool • **comhrún** joint resolution
cor nua turning point • **comhaontas** alliance • **uiríslítheach** humiliating

am céanna is a bhí cúlú eacnamaíoch san Iodáil. Bhainfeadh bua thar lear an aird ó fhadhbanna eacnamaíocha sa bhaile.

Thuig Mussolini nach mbeadh an Bhreatain agus an Fhrainc sásta a *ladar a chur i scéal na hAibisíne, mar go raibh siad róghnóthach leis an bplean a bhí ag Hitler atharmáil a dhéanamh ar an nGearmáin. Thug Anthony Eden, Rúnaí Gnóthaí Eachtracha na Breataine, cuairt ar an Róimh agus *d'achainigh sé ar Mussolini gan ionradh a dhéanamh. Níor éist duine ná deoraí leis, agus rinne an Iodáil an t-ionradh i mí Dheireadh Fómhair 1935. Baineadh úsáid as buamadóirí troma agus gás nimhiúil in aghaidh threibheanna na hAibisíne. Chuir sé sin *déistin ar an domhan, agus tháinig brú ar dhaonlathais an iarthair gníomhú.

Rinne Haile Selassie, Impire na hAibisíne, achainí ar Chonradh na Náisiún cabhrú leis. Eagraíocht ba ea Conradh na Náisiún a bunaíodh in Genova sa bhliain 1920 chun cabhrú le haighnis idirnáisiúnta a réiteach ar bhealach síochánta. Dhearbhaigh an Conradh gurbh í an Iodáil an t-ionsaitheoir, ach theip orthu aontú ar phlean gníomhaíochta. Ar dtús, mhol an Bhreatain agus an Fhrainc gur cheart an Aibisín a roinnt idir an Iodáil agus an Aibisín, ach nuair nár aontaigh daoine leis sin, shocraigh siad gur cheart *smachtbhannaí eacnamaíocha (cosc ar thrádáil earraí ar leith) a chur i bhfeidhm. Ach, ní raibh nithe riachtanacha, mar shampla gual, iarann ná ola san áireamh sna smachtbhannaí, agus ba bheag an tionchar – má b'ann do thionchar ar bith – a bhí acu ar an Iodáil. Bhí pobal na hIodáile nimhneach in aghaidh na smachtbhannaí. Cé nach mórán smachtbhannaí a cuireadh i bhfeidhm, thosaigh an Iodáil ag brath ar an nGearmáin maidir le comhaontuithe trádála.

Faoin am ar tháinig mí na Bealtaine 1936 bhí an *concas curtha i gcrích, agus b'impireacht a bhí san Iodáil an athuair, rud a líon croíthe na nIodálach le gliondar.

*Ais na Róimhe-Beirlín, 1936

Tháinig a thuilleadh feabhais ar an gcaidreamh idir an Iodáil agus an Ghearmáin nuair a chabhraigh siad beirt le fórsaí *eite deise Franco i g**Cogadh Cathartha na Spáinne** sa bhliain 1936. Bhí Mussolini ag súil go gcabhródh bua Franco sa Spáinn leis féin a thionchar a leathadh ar fud réigiún na Meánmhara. Bhí sé den tuairim freisin go gcabhródh bua thar sáile lena stádas sa bhaile a ardú, agus aird na ndaoine a bhaint d'fhadhbanna sa bhaile. Ach, i ndáiríre, a mhalairt de thoradh a bhí ar an gcogadh. Fuair saighdiúirí na Iodáile an cogadh an-chrua, agus bhí a gcuid *oirbheartaíochta agus a gcuid arm as dáta. Ba é an toradh a bhí air sin go raibh ar Mussolini éirí níos cairdiúla le Hitler, mar go raibh sé ag brath níos mó agus níos mó ar riailréim na Naitsithe mar thaca.

I mí na Samhna 1936 shínigh an tAire Gnóthaí Eachtracha, an *Cunta Ciano (ar *chliamhain de chuid Mussolini é) an chéad cheann de scata conarthaí le Hitler.

Cén dearcadh atá ag an gcartúnaí ar Ais na Róimhe-Beirlín agus ar an gcaidreamh idir Mussolini agus Hitler?

---

ladar a chur i to intervene in • **achainigh** plead • **déistin** disgust • **smachtbhanna** sanction
concas conquest • **ais** axis • **eite dheas** right wing • **oirbheartaíocht** tactics
cunta count • **cliamhain** son-in-law

Dhearbhaigh 'Ais na Róimhe-Beirlín' go raibh an chumhacht san Eoraip ag brath ar ais a bhí idir an Róimh agus Beirlín. B'áibhéil é an ráiteas sin.

I mí Mheán Fómhair 1937, shínigh an Iodáil, an Ghearmáin agus an tSeapáin *'an Comhaontú Frith-Chumannachais'. Ba é an aidhm a bhí ag an gcomhaontú sin ná *Aontas na bPoblachtaí Sóivéadacha Sóisialacha a scriosadh agus deireadh a chur le scaipeadh an Chumannachais.

*Comhaontú na Cruach, 1939

Ar deireadh, i mí na Bealtaine 1939, shínigh an Iodáil agus an Ghearmáin conradh míleata. Chiallaigh 'Comhaontú na Cruach' go dtabharfadh gach páirtí cabhair dá chéile i gcogadh ar bith a bheadh ann ina dhiaidh sin. Ligeadh do Mussolini ceapadh nach mbeadh cogadh ar bith ann go ceann trí bliana ar a laghad.

Mussolini, Hitler agus an Cunta Ciano ag plé straitéise ag comhdháil i mí Dheireadh Fómhair 1940. Déan cur síos ar an meon a cheapann tusa a bhí acu ag an gcruinniú, ón eolas atá sa ghrianghraf.

I mí Lúnasa 1939, thug Aire Gnóthaí Eachtracha na Gearmáine, Joachim von Ribbentrop, le fios don Iodáil gur gearr go mbeadh cogadh ann. Bhí ionadh an domhain ar Mussolini, mar nach raibh an Iodáil réidh le haghaidh cogadh ar chor ar bith. D'fhógair sé do Hitler nach mbeadh ar a chumas páirt a ghlacadh i gcogadh mura dtabharfadh na Gearmánaigh ábhair riachtanacha chogaidh don Iodáil. Bhí an liosta chomh fada sin go raibh sé dodhéanta gach rud a chur ar fáil, agus dá bhrí sin d'éirigh leis an Iodáil an cogadh a sheachaint. Seo é an liosta: seacht milliún tonna ola, sé mhilliún tonna guail, dhá mhilliún tonna cruach, milliún tonna adhmaid, 17,000 feithicil mhíleata agus 150 gunna *frith-aerárthaí. Ghlac Hitler leis nach mbeadh sé in ann freastal ar an Iodáil, agus i ndeireadh na dála, níor iarr sé ach tacaíocht pholaitiúil Mussolini.

An Iodáil ag dul sa Chogadh, 1940

I ndiaidh do Hitler ionradh a dhéanamh ar an mBeilg, an Ísiltír agus an Fhrainc sa bhliain 1940, agus gur éirigh go maith leis, d'athraigh Mussolini a intinn agus chuaigh sé sa chogadh i dteannta Hitler (lch 106). Níor éirigh go maith leis an gcogadh ón tús, agus buaileadh na hIodálaigh go dona sa Ghréig agus i dTuaisceart na hAfraice. De bharr bhaint Mussolini leis an gcogadh, chuirfí as cumhacht é agus chuirfí chun báis é sa bhliain 1945 (lch 113).

Measúnú

Meascán de chur i gcéill, de bholscaireacht agus de *ghaisce a bhí i riailréim Mussolini. I ndáiríre níor éirigh chomh maith sin leis ar chor ar bith. Bhí a riailréim bunaithe ar mhiotas láidreacht agus uaisleacht na hIodáile. Nuair a theip air a chuid aidhmeanna a bhaint amach sa bhaile, rinne sé iarracht aird a tharraingt de na nithe nár éirigh leis a

An Comhaontú Frith-Chumannachais Anti-Communist Pact
Aontas na bPoblachtaí Sóivéadacha Sóisialacha (APSS) Union of Soviet Socialist Republics (USSR)
Comhaontú na Cruach Pact of Steel • **frith-aerárthaí** anti-aircraft • **gaisce** bravado

bhaint, le polasaí eachtrach *ionsaitheach agus *forleathnaitheach. Thit Faisisteachas na hIodáile as a chéile in 1943 mar thoradh ar an bpolasaí sin.

Cé gur éirigh go maith le polasaithe eacnamaíocha Mussolini sa ghearrthéarma, agus gur éirigh leis síocháin a dhéanamh leis an Eaglais Chaitliceach (lch 188-89), rinneadh *áibhéil mhór, le bolscaireacht, ar thairbhe na bpolasaithe. In ainneoin na poiblíochta ar fad a rinneadh faoin míntíriú talún, ní raibh ach thart ar an deichiú cuid den chlár curtha i gcrích faoi 1939.

Tuairim an Staraí

*Ní duine mór le rá a bhí in Mussolini ó dhúchas, ná níor thug an saol deis dó duine mór le rá a dhéanamh de féin. Is amhlaidh a bhí air a bhealach achrannach féin a dhéanamh, bunaithe ar a *uaillmhian agus ar a chuid buanna. D'éirigh chomh maith sin leis go raibh sé i gceannas ar an Iodáil mar dheachtóir ar feadh 20 bliain. D'éirigh leis níos mó de mheas an phobail a tharraingt air féin ná mar a d'éirigh le duine ar bith eile i stair na hIodáile a dhéanamh. Ach, i mbarr a réime, bhí drochthionchar ag an bplámás air a rinne a chompánaigh leis (d'fháiltigh sé féin roimh an bplámás nó d'ordaigh sé uathu é). Thug sin air tabhairt faoi cheannas a fháil ar an domhan. Ach ní raibh na hacmhainní aige chun é sin a dhéanamh – na hacmhainní ábhartha a bheadh ag tír shaibhir – ná na cáilíochtaí pearsanta riachtanacha intinne ná an *mianach. Faoin mbliain 1945 – an bhliain a cuireadh chun báis é – ba é a bhí san Iodáil ná tír a bhí scriosta mar thoradh ar bhua míleata agus cogadh cathartha. Faoin am sin, agus d'admhaigh sé féin é seo, bhí sé ar an duine ba mhó a raibh an ghráin ag muintir na hIodáile air. Uair amháin, tugadh *rómholadh do Mussolini, ach anois bhíothas ag cur milleáin air go ndearna sé níos mó dochair don Iodáil ná mar a rinne aon duine eile riamh.*

As ***Mussolini*** le Denis Mack Smith, 1987.

---

ionsaitheach aggressive • **forleathnaitheach** expansionist • **áibhéil** exaggeration • **uaillmhian** ambition • **mianach** quality, substance • **rómholadh** excessive praise

An Gnáthleibhéal

Féach ar an gcartún agus freagair na ceisteanna seo:

1. Cén fáth nach raibh an Bhreatain agus an Fhrainc toilteanach troid i gcoinne na hIodáile faoin Aibisín in 1935?

2. Sa chartún seo, an bhfuil Mussolini ag tabhairt aird ar bith ar an *rabhadh?

3. An t-ionradh a rinne Mussolini ar an Aibisín, cén tionchar a bhí aige sin ar an treo a ndeachaigh polasaí eachtrach na hIodáile ina dhiaidh sin?

Scríobh paragraf faoi cheann amháin acu seo a leanas:

1. Dlí agus ord in Iodáil na bhFaisistithe.

2. Polasaithe eacnamaíocha Mussolini.

3. Polasaí eachtrach Mussolini.

THE AWFUL WARNING.

FRANCE AND ENGLAND (together ?).

"WE DON'T WANT YOU TO FIGHT, BUT, BY JINGO, IF YOU DO, WE SHALL PROBABLY ISSUE A JOINT MEMORANDUM SUGGESTING A MILD DISAPPROVAL OF YOU."

An tArdleibhéal

1. Déan cur síos ar fhorbairt an Fhaisisteachais san Iodáil.

2. Déan measúnú ar an gcaoi ar chruthaigh Mussolini mar cheann ar an Iodáil, ag cur gnóthaí inmheánacha agus seachtracha san áireamh.

3. 'Dúradh gur chruthaigh *riail Mussolini buntáistí suntasacha don Iodáil.' É sin a phlé.

---

rabhadh warning • **riail** rule

Ceisteanna bunaithe ar Dhoiciméid
An tArdleibhéal agus an Gnáthleibhéal

Déan staidéar ar an doiciméad thíos. Is é atá ann ná sliocht as *foraithne Mussolini ag ordú do na Faisistithe máirseáil chuig an Róimh, ar an 26 Deireadh Fómhair 1922:

'A Fhaisistithe! A Iodálacha!'

*Níor chóir don Arm – *cúltaca agus cosaint an náisiúin – páirt a ghlacadh sa *streachailt seo. Ní théann an Faisisteachas... i gcoinne na bpóilíní, ach i gcoinne aicme pholaitiúil atá ina *meatacháin, agus atá amaideach, aicme nach raibh in ann, le ceithre bliana, rialtas a chur ar fáil don náisiún. Caithfidh go bhfuil a fhios acusan arb iad an aicme tháirgeachta iad, nach bhfuil an Faisisteachas ach ag iarraidh ord agus smacht a chur ar an náisiún, agus an láidreacht a fhorbairt a athbheoidh an dul chun cinn agus an *rath (saibhreas). Níor chóir go mbeadh aon eagla ar na daoine a oibríonn sna páirceanna agus sna monarchana, ná ar na daoine a oibríonn ar na hiarnróid nó sna hoifigí, roimh an Rialtas Faisisteach. Cosnófar cearta na ndaoine sin. Beimid flaithiúil lenár naimhde neamharmáilte, go fiú. Scaoilfidh claíomh an Fhaisisteachais na snaidhmeanna *iomadúla atá ina *gcuing agus ina n-ualach ar an Iodáil. Iarraimid ar Dhia agus ar na cúig mhíle duine atá básaithe, a bheith ina bhfinnéithe againn nach bhfuil ach rud amháin uainn, agus nach bhfuil ach paisean amháin ionainn – is é sin, an fonn agus an paisean chun sábháilteacht agus cáil a bhaint amach dár dtír.*

A Fhaisistithe na hIodáile ar fad! Cuirigí bhur n-anam agus bhur neart chun cinn, mar a rinne na Rómhánaigh! Ní mór dúinn buachan! Beidh an bua againn. An Iodáil abú! Go maire an Faisisteachas go brách!

1. Conas a d'éirigh le Mussolini teacht i gcumhacht na bhFaisistithe a chosaint?
2. De réir na foraithne thuas, cén fáth nár ghá do na hIodálaigh a bheith faiteach roimh an bhFaisisteachas?
3. Cé na gealltanais a thug Mussolini a mheallfadh cuid mhór de mhuintir na hIodáile?
4. *Maítear san fhoraithne gur theip ar chóras polaitiúil na hIodáile rialtas a thabhairt don náisiún i rith na mblianta 1918 go dtí 1922. Ón méid eolais atá agat ar stair na hIodáile, déan cur síos ar chruinneas an ráitis sin? (an tArdleibhéal amháin)

---

foraithne proclamation • **cúltaca** reserve • **streachailt** struggle • **meatachán** coward
rath prosperity • **iomadúil** numerous • **cuing** yoke, tie • **maígh** claim

Eochairphearsa: Adolf Hitler

I mbaile Brannau, laistigh de theorainn na hOstaire, a rugadh Adolf Hitler, in 1889. Ba den mheánaicme a thuismitheoirí. Oifigeach custaim ba ea a athair agus bhí súil aige go rachadh a mhac sa státseirbhís chomh maith. Ach, tar éis bhás a athair, d'fhág Hitler an scoil nuair a bhí sé 16 bliain d'aois, gan cháilíocht.

I mí Mheán Fómhair na bliana 1907 bhog Hitler go Vín, ach níor éirigh leis áit a fháil in *Acadamh na Mínealaíon mar nach raibh cáilíochtaí aige. Thuill sé airgead trí chártaí poist de radharcanna de Vín – a phéinteáil sé féin – a dhíol.

Le linn dó a bheith i Vín a thosaigh Hitler ag forbairt a chuid teoiricí polaitiúla agus *ciníocha. San iris *Ostara*, a d'fhoilsíodh Lanz von Liebenfels, léigh Hitler faoi 'laochra fionna a raibh súile gorma acu', agus faoin tábhacht a bhain le *glaineacht chiníoch'. Ón méid a léigh sé dá raibh scríofa ag an Náisiúnaí Gearmánach, Georg von Schonerer, ghlac sé leis an teoiric gur

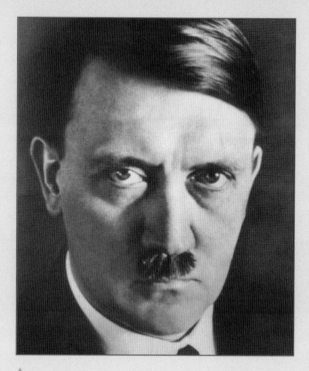

▲ Adolf Hitler (1889-1945), ceannaire na Naitsithe

chóir na daoine ar fad a labhair Gearmáinis a bheith aontaithe le chéile in aon tír amháin. Is dócha gur thart ar an am sin a léigh Hitler scríbhinní an scríbhneora *fhrith-Sheimítigh, Houston Stewart Chamberlain.

I mí na Bealtaine 1913 bhog Hitler go München sa Bhaváir, chun seirbhís mhíleata san Ostair a sheachaint. Chuir póilíní München iallach air filleadh ar Vín. Ach nuair a d'fhill sé ar an Ostair dúradh nach raibh an tsláinte sách maith aige chun a bheith san arm, agus tugadh cead dó dul ar ais go München. Nuair a thosaigh an Chéad Chogadh Domhanda i mí Lúnasa 1914, chuaigh Hitler in arm na Gearmáine. Bhí sé ag troid ar an bhFronta Thiar, agus tugadh ardú céime dó go ndearnadh *ceannaire de. Ghlac Hitler páirt in Ionsaí Ludendorff i mí Aibreáin 1918, agus bronnadh an Chros Iarainn (An Chéad Ghrád) air as ucht a chrógacht.

Nuair a tháinig deireadh leis an gcogadh i mí na Samhna 1918, bhí Hitler san ospidéal ag teacht chuige féin mar thoradh ar ionsaí gáis. Bhí déistin air nuair a ghéill an Ghearmáin.

Tar éis an chogaidh, tugadh post do Hitler in *eite faisnéise an airm chun eolas a bhailiú faoi ghníomhaíochtaí páirtí beag de chuid na heite deise, an *DAP* (*Deutsche Arbeiterpartei* nó Páirtí Oibrithe na Gearmáine).

Acadamh na Mínealaíon Academy of Fine Arts • **ciníoch** racial • **glaineacht chiníoch** racial hygiene
frith-Sheimíteach anti-Semitic • **ceannaire** corporal • **eite faisnéise** intelligence wing

Bunús an Pháirtí Naitsíoch, 1919

Sa Bhaváir, tar éis an chogaidh, a bunaíodh Páirtí Oibrithe na Gearmáine. Ba é Anton Drexler a bhunaigh an páirtí mar pháirtí radacach de chuid na heite deise. Ar dtús, ba mar *spiaire rialtais a chuaigh Hitler ag obair leis an bpáirtí, ach ba ghearr gur chreid sé féin in *idé-eolaíocht an pháirtí. Faoin mbliain 1923 bhí Hitler ina cheannaire ar an bPáirtí. D'athraigh sé ainm an pháirtí go Páirtí Náisiúnach Sóisialach Oibrithe na Gearmáine (An Páirtí Naitsíoch – is leagan gearr den fhocal Gearmáinise *Nationalsozialismus* é an focal *Nazi*). Ghlac siad an *svaistíce mar shiombail.

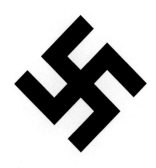

An svaistíce, siombail an Pháirtí Naitsíoch.

D'éirigh le Hitler dul i bhfeidhm ar an bpobal leis na hóráidí teasaí a thug sé ag cur milleáin ar na Giúdaigh, ar an daonlathas agus ar na Cumannaithe as ucht fhadhbanna na Gearmáine. Faoi cheannaireacht Ernst Röhm, cruthaíodh *díorma cosanta ar ar tugadh an *SA* (*Sturmabteilung* – is é sin an Ghearmáinis ar *Bhuíon an Ruathair'). Scaip gluaiseacht seo na léinte donna cruinnithe den eite chlé agus rinne siad ionsaí ar Chumannaithe agus ar dhaoine a bhí i gcoinne na Naitsithe.

Poblacht Weimar, 1919-33

Sa bhliain 1918 bunaíodh Rialtas Sealadach sa Ghearmáin tar éis gur buadh ar arm na Gearmáine sa Chéad Chogadh Domhanda. I mí na Samhna 1918, chomhaontaigh an Rialtas sin le sos cogaidh agus le haistarraingt arm na Gearmáine. Cuireadh brú ar an *Kaiser* a choróin a thabhairt suas. Poblacht Weimar a thugtar ar thréimhse staire na Gearmáine idir 1919 agus 1933. As cathair Weimar a tháinig an t-ainm, cathair inar tháinig tionól náisiúnta le chéile chun bunreacht a chur le chéile don *tír bhuailte. Daonlathas faoi cheannas uachtaráin, nó poblacht, a tháinig as sin. Dar lena lán Gearmánach gur de bharr gur buadh ar an nGearmáin a bunaíodh Poblacht Weimar, agus bhí tionchar aige sin ar thodhchaí Phoblacht Weimar.

> **Tabhairt suas:**
> An chaoi a dtugann rí nó banríon suas an choróin.

Ón tús, bhí go leor fadhbanna ag Poblacht Weimar. I measc na bhfadhbanna sin bhí roinnt mhaith éirithe amach, fadhbanna eacnamaíocha, agus deighiltí móra idir ghrúpaí éagsúla sa tsochaí. Na páirtithe polaitiúla a bhí dílis do Phoblacht Weimar, ní raibh siad sách láidir ná aontaithe chun feidhmiú in ionad na *n-antoisceach, mar shampla, antoiscigh an Pháirtí Naitsíoch, a bhí ag iarraidh deireadh ar fad a chur le Poblacht Weimar.

An Daonlathas i dTrioblóid

Bhí a lán géarchéimeanna polaitiúla agus eacnamaíocha le sárú ag Poblacht Weimar le linn na chéad cheithre bliana a bhí sí ar an bhfód. Sa bhliain 1919, rinne na *"Spartacaigh', a bhí faoi stiúir Rosa Luxemburg agus Karl Liebknecht, iarracht an Rialtas a *threascairt agus poblacht Shóisialach a bhunú sa Ghearmáin.

An bhliain dár gcionn rinne an eite dheas iarracht ar *coup* a dhéanamh i mBeirlín. Ba é Wolfgang Kapp, a chaith seal ina státseirbhíseach roimhe sin, a bhí i gceannas ar an *coup*, agus tugadh an t-ainm *Putsch* **Kapp** (iarracht ar rialtas a threascairt le foréigean) ar an *coup*. Léirigh an eachtra sin nárbh fhéidir brath ar an Arm chun stop a chur le réabhlóid, mar gur ghlac ceannairí míleata páirt sa *Putsch*, nó dhiúltaigh siad urchair a scaoileadh le seanchomrádaithe leo.

Cé gur theip ar an dá iarracht sin, bhí antoiscigh ag fanacht le deis eile.

---

spiaire spy • **idé-eolaíocht** ideology • **svaistíce** swastika • **díorma** band
Buíon an Ruathair Assault Division (Stormtroopers, *SA*) • **tír bhuailte** defeated country
antoisceach extremist • **Spartacach** Spartacist • **treascair** overthrow

Miotas Dolchstoss
(An *Buille Fill)

Chuir Arm na Gearmáine leis an miotas gur thug polaiteoirí Weimar *buille fill don Arm. Thagraíodh ceannaire an airm, Paul von Hindenburg, do na polaiteoirí a shínigh an sos cogaidh i mí na Samhna 1918 mar 'Choirpigh na Samhna'. Mhaígh sé nár buaileadh an t-arm, ach gurbh amhlaidh a rinne na polaiteoirí a ghlac leis an tsíocháin, feall air. Leath fuath go tapa do na polaiteoirí sin, arbh iad a shínigh Conradh Versailles freisin. Sa bhliain 1921, *feallmharaíodh Matthias Erzberger, duine a shínigh an sos cogaidh. Sa bhliain 1922 *lámhachadh Walther Rathenau, Aire Gnóthaí Eachtracha na Gearmáine, taobh amuigh den *Reichstag* (Parlaimint na Gearmáine) i mBeirlín tar éis dó a rá go gcaithfí glacadh le téarmaí Chonradh Versailles.

▲ Saighdiúirí Gearmánacha i seilbh Cheanncheathrú an Rialtais i mBeirlín le linn **Putsch Kapp** sa bhliain 1920.

Cliseadh an Gheilleagair

Ba é an baol ba mhó do dhaonlathas na Gearmáine sna laethanta tosaigh de Phoblacht Weimar ná ceist an **chúitimh** as an damáiste a rinneadh sa Chéad Chogadh Domhanda. Bunaíodh *Coimisiún an Chúitimh faoi Chonradh Versailles, agus sa bhliain 1921 shocraigh siad gur £6,600 milliún (c. €8,400 milliún) a bheadh le híoc ag an nGearmáin. Bhí sé le haisíoc i *dtráthchodanna bliantúla de £100 milliún sa bhliain. Rinne an Ghearmáin agóid, á rá nach bhféadfaidís an méid sin a aisíoc. Nuair a theip ar an nGearmáin an tráthchuid a íoc i mí Eanáir 1923, d'ordaigh Príomh-Aire na Fraince, Raymond Poincaré, do thrúpaí de chuid na Fraince seilbh a ghlacadh ar réigiún tionsclaíoch na Rúire sa Ghearmáin chun íocaíocht a fháil trí iarann, cruach agus gual a thógáil as (lch 84). Rinne na Gearmánaigh *frithbheartaíocht shíochánta le stailc agus trí dhiúltú comhoibriú leis na Francaigh. Ghabh na Francaigh an t-uafás daoine agus díbríodh breis is 147,000 oibrí Gearmánach as an Rúir.

Bhí tionchar millteanach ag druidim thionsclaíocht na Rúire ar luach an *mhairg Ghearmánaigh. Thosaigh an banc náisiúnta (*Reichsbank*) ag clóbhualadh airgead páipéir chun na hoibrithe a bhí ar stailc a íoc. Tháinig *boilsciú, nárbh fhéidir a choinneáil faoi smacht, mar thoradh air sin. D'ardaigh praghsanna agus níorbh fhiú faic airgeadra na Gearmáine (lch 150).

An boilsciú ollmhór a tharla sa Ghearmáin in 1923, chruthaigh sé olc mór sa tír, go háirithe i measc na meánaicme, mar nárbh fhiú faic an t-airgead ar fad a bhí coigilte acu, ná a bpinsean. Bhain Adolf Hitler agus a Pháirtí Naitsíoch leas as an bhfearg mhór sin, agus as an easpa muiníne sa daonlathas. Gheall Hitler go mbeadh obair ann do dhaoine dífhostaithe, agus *socracht don mheánaicme. Sa bhliain 1923 rinne Hitler iarracht teacht i gcumhacht; *Putsch* **München** a tugadh ar an iarracht sin.

---

buille fill stab in the back • **feallmharaigh** assassinate • **lámhach** shoot
Coimisiún an Chúitimh Reparations Commission • **tráthchuid** instalment
frithbheartaíocht shíochánta passive resistance • **marg** mark • **boilsciú** inflation • **socracht** stability

Putsch München

Nuair a mháirseáil na Francaigh isteach sa Rúir in 1923, mhaígh Hitler nár chóir an cúiteamh a íoc agus go gcaithfí an ruaig a chur ar na Francaigh as an Rúir. Rinne sé iarracht dul i gcumhacht le foréigean tar éis cruinniú i halla beorach in München ar an 8ú lá de Shamhain, 1923. Le tacaíocht **Ludendorff**, polaiteoir *coimeádach arbh iarghinearál airm agus laoch cogaidh é, d'fhógair Hitler é féin ina Uachtarán ar an nGearmáin. Phleanáil sé máirseáil chuig Beirlín, ar an tslí chéanna ar mháirseáil Mussolini chuig an Róimh bliain roimhe sin (lch 8). Ach theip ar phlean Hitler nuair a theip ar mhuinín duine dá chuid ceannasaithe agus gur sceith sé an plean don Rialtas.

Stopadh gan trioblóid an *coup* a bhí beartaithe agus gabhadh Hitler. Bhain sé leas as a *thriail mar bholscaireacht don Pháirtí Naitsíoch. Gearradh téarma cúig bliana sa phríosún air ach laghdaíodh an téarma éadrom sin go téarma naoi mí, rud a léiríonn go raibh *bá ag na breithiúna lena chúis.

▲ Saighdiúirí Francacha ag forghabháil na Rúire in 1923. Chuir pobal Gearmánach na Rúire feachtas frithbheartaíochta síochánta ar bun ina n-aghaidh.

D'fhoghlaim sé ceacht luachmhar as an gcaoi ar theip air. Thuig sé nach n-éireodh leis teacht i gcumhacht le foréigean, ach go n-éireodh trí bhuntáiste a bhaint as laige an daonlathais agus Bhunreacht Weimar. Bhí a fhios aige freisin go mbeadh tacaíocht na *dtionsclaithe ag teastáil uaidh chun airgead a chur ar fáil don Pháirtí Naitsíoch, chomh maith le meas an Airm, mar go bhféadfadh an t-arm stop a chur leis teacht i gcumhacht.

---

*Nuair a rachaidh mé i mbun oibre arís beidh orm polasaí nua a bheith agam. In ionad a bheith ag iarraidh cumhacht a bhaint trí *chomhcheilg armáilte (plean), caithfimid, in aghaidh ár dtola, a bheith páirteach sa* Reichstag *agus dul i gcoinne na n-ionadaithe Caitliceacha agus Marxacha atá ann. Go fiú má thógann sé níos mó ama orainn buachan orthu le vótaí ná le piléir, ar a laghad is ar an mbunreacht sin acusan a bheidh an toradh bunaithe! Luath nó mall beidh *tromlach againn agus ina dhiaidh sin beidh an Ghearmáin againn.*

Hitler ag labhairt le cara a thug cuairt air i bpríosún Landsberg, 1924.

---

coimeádach conserative • **triail** trial • **bá** sympathy • **tionsclaí** industrialist
comhcheilg armáilte armed conspiracy • **tromlach** majority

Eochairchoincheap: *Herrenvolk*

Smaoineamh a bhí ag scríbhneoirí éagsúla Eorpacha, agus a d'fhorbair na Naitsithe, ba ea *Herrenvolk* (**'An *Máistirchine'**). Chreid siad gur chuid de chine a bhí níos fearr ná gach cine eile ba ea na Gearmánaigh agus ciníocha eile thuaisceart na hEorpa (*Airianach). Dar le Hitler, ba ó na hAirianaigh a tháinig an cultúr is airde ar domhan, agus bhí i ndán dóibh go mbeidís i gceannas ar 'dhaoine den dara grád'.

Le linn dó a bheith sa phríosún, scríobh Hitler a *dhírbheathaisnéis, **Mein Kampf** (Mo *Streachailtse). Sa leabhar sin tá cur síos soiléir ar smaointe Hitler faoin 'máistirchine', a ghráin ar na Giúdaigh, agus na pleananna a bhí aige chun Gearmáin níos mó a chruthú. Bhí ar intinn aige stát láidir Airianach a chruthú. Bhí sé den tuairim go raibh *comhcheilg ar bun ag na Giúdaigh chun *íonacht na nGearmánach a mhilleadh trí iad a chur ag *crosphórú le ciníocha nach raibh chomh maith leo. Ba mhian leis na daoine ar fad a labhair Gearmáinis a aontú le chéile faoi cheannaire amháin. Ní san Afraic ná san Áise a dhéanfaí an forleathnú, mar a rinneadh roimh 1914, ach soir, trí sclábhaithe a dhéanamh de 'na fodhaoine Slavacha'. Tugadh *Lebensraum*[+] (lch 87) nó 'spás áitrithe' ar fhorleathnú soir na Gearmáine, laistigh den Eoraip.

Gustav Stresemann (1878-1929), 'An Gearmánach maith'.

Tréimhse Stresemann, 1923-29

Is minic a thugtar ré órga Phoblacht Weimar ar na blianta 1923-29. Tréimhse sách rathúil a bhí ann don Ghearmáin agus d'éirigh léi í féin a shaoradh as a *haonaránú polaitiúil. Ba thoradh é sin, cuid mhór, ar scileanna Gustav Stresemann. Bhí Stresemann ina Sheansailéir (taoiseach) ar an nGearmáin ar feadh cúpla mí in 1923, ach lean sé ar aghaidh mar Aire Gnóthaí Eachtracha i gcomhrialtais dhifriúla, go dtí gur cailleadh é in 1929.

Ba mhian le Stresemann íomhá a chruthú de féin mar 'An Gearmánach maith', a bhí ar a dhícheall ag iarraidh téarmaí Chonradh Versailles a chomhlíonadh. Ar an mbealach sin, bhí sé ag súil nach mbeadh scanradh ar an bhFrainc ná ar an mBreatain dá molfadh an Ghearmáin *athbhreithniú a dhéanamh ar an gConradh.

*Téarnamh an Gheilleagair

Thug Stresemann an chéad chéim chun an geilleagar a fheabhsú, in 1923, nuair a ghríosaigh sé oibrithe na Rúire chun deireadh a chur lena bhfrithbheartaíocht shíochánta. In Aibreán na bliana 1924, leag an baincéir Meiriceánach Charles G. Dawes amach sceideal níos réasúnta le haghaidh chúiteamh na Gearmáine. Sa bhliain chéanna thug Stáit Aontaithe Mheiriceá (SAM) an chéad iasacht, de scata iasachtaí, don Ghearmáin chun cabhrú leis an Rialtas le luach an *mhairg Ghearmánaigh a thabhairt ar ais. Sna cúig bliana ina dhiaidh sin bhí an geilleagar ag fás.

In 1929 mhol bord idirnáisiúnta, a bhí faoi stiúir an bhaincéara Mheiriceánaigh Owen D. Young, gur cheart athbhreithniú eile a dhéanamh ar an gcúiteamh. D'éirigh le Plean

máistirchine master race • **Airianach** Aryan • **dírbheathaisnéis** autobiography • **streachailt** struggle
comhcheilg conspiracy • **íonacht** purity • **crosphórú** cross-breeding • **aonaránú** isolation
athbhreithniú revision • **téarnamh** recovery • **marg** mark

Young an tsuim a laghdú *de thrí cheathrú, agus thug sé cead íocaíochtaí a dhéanamh go dtí 1988.

Tacaíocht do na Naitsithe ag Laghdú

Sa bhliain 1924, 24 suíochán a bhí ag an bPáirtí Naitsíoch sa *Reichstag*. Ach, faoin mbliain 1928 bhí sin laghdaithe go 12. Tharla sé sin mar thoradh díreach ar 'bhlianta rathúla Stresemann'. In olltoghchán na bliana 1928 níor éirigh leis an bPáirtí Naitsíoch ach 2·6% den vóta a bhaint. Is i mbailte beaga tuaithe in iarthuaisceart na Gearmáine ba mhó a bhí tacaíocht ag an bPáirtí ag an am sin.

Cliseadh Dhaonlathas na Gearmáine

Nuair a tháinig *an Spealadh Mór+ (lch 136), mar thoradh ar *Chliseadh Wall Street i Meiriceá sa bhliain 1929, scriosadh athbheochan eacnamaíoch na Gearmáine. Tharraing Meiriceá na hiasachtaí ar ais, agus thit an tóin as an éileamh a bhí ar easpórtálacha na Gearmáine. D'ardaigh an dífhostaíocht go géar ó 1·3 milliún in 1929 go dtí 6 mhilliún faoin mbliain 1932. D'éirigh an Seansailéir Hermann Müller as a phost mar gheall air sin. Nuair a d'éirigh Müller as, thosaigh deireadh ag teacht leis an daonlathas parlaiminteach i bPoblacht Weimar.

Ó 1919 ní raibh tromlach ag páirtí ar bith, as féin, sa *Reichstag*. Ach, suas go dtí 1930, chomhoibrigh trí cinn de na páirtithe poblachtacha – an Lárpháirtí Caitliceach, an Páirtí Sóisialta Daonlathach agus Páirtí an Phobail – le chéile chun comhrialtais a chur le chéile. Thit an comhaontas a bhí idir na páirtithe sin as a chéile nuair a rinneadh Seansailéir de Heinrich Brüning, ceannaire an Lárpháirtí Chaitlicigh, in 1930. Rinne sé iarracht an geilleagar a *chobhsú trí ghearradh siar go dian ar an gcaiteachas poiblí. Dhiúltaigh an Páirtí Sóisialta Daonlathach dó sin, rud a thug ar Brüning dul i muinín *cumhacht éigeandála, faoi **Airteagal 48** den Bhunreacht. Thug na dlíthe éigeandála deis dó gearradh siar ar an gcaiteachas poiblí trí phá a ísliú, praghsanna a ísliú agus *sochar dífhostaíochta a ghearradh.

B'fhéidir go n-oibreodh *bearta éigeandála Brüning dá dtabharfaí seans dóibh. Ach ní raibh an scil pholaitiúil aige ba ghá chun bearta diana dá leithéid a chur i láthair pobail a bhí feargach.

De bharr nár thaitin na polasaithe sin leis an bpobal ar chor ar bith, mhéadaigh ar an tacaíocht do pháirtithe antoisceacha de chuid na heite deise agus na heite clé, araon. Tháinig méadú an-tapa ar vóta an Pháirtí Chumannaigh agus an Pháirtí Naitsíoch sna toghcháin ó 1930 ar aghaidh.

	Bealtaine 1928	Meán Fómhair 1930	Iúil 1932	Samhain 1932	Márta 1933
Cumannaithe	54	77	89	100	81
Naitsithe	12	107	230	196	288

Gheall Hitler go gcuirfeadh sé stop leis an 'Taoide Dhearg' (Tugadh 'na Deargaigh' ar na Cumannaithe mar gur dath dearg a bhí ar a mbratach). Thug tionsclaithe mór le rá

An Eite Chlé: Téarma polaitiúil chun cur síos a dhéanamh ar dhaoine a thacaíonn le páirtithe sóisialacha agus páirtithe cumannacha.

An Eite Dheas: Téarma polaitiúil chun cur síos a dhéanamh ar dhaoine a thacaíonn le páirtithe *coimeádacha. Tá an Faisisteachas amuigh ar fad ar eite dheas na gníomhaíocht a polaitiúla.

---

de thrí cheathrú by three-quarters • **An Spealadh Mór** The Great Depression
Cliseadh Wall Street The Wall Street Crash
cobhsaigh stabilise • **cumhacht éigeandála** emergency power
sochar dífhostaíochta unemployment benefit • **beart** measure • **coimeádach** conservative

25

Gearmánacha, mar shampla Fritz Thyssen agus Emil Kirdorf, suimeanna móra airgid don Pháirtí Naitsíoch mar go raibh eagla orthu go nglacfadh na Cumannaithe seilbh ar an tír.

Toghchán na hUachtaránachta, 1932

Sa bhliain 1932, *chinn Hitler meon na ndaoine a thástáil trí pháirt a ghlacadh i gcomórtas na huachtaránachta, ag dul i gcoinne an uachtaráin a bhí ann, Paul von Hindenburg, ar laoch cogaidh a bhí ann. Cé gur bhuaigh Hindenburg gan stró, fuair Hitler 13 mhilliún vóta.

*'Comh-aireacht na *mßarún', 1932

Cúpla seachtain tar éis thoghchán na huachtaránachta, cuireadh iallach ar Brüning, a raibh an leasainm **'Seansailéir an Ocrais'** air faoi sin, éirí as a phost. Cheap an tUachtarán, Hindenburg, rialtas sealadach faoi stiúir Franz von Papen ar an 1 Meitheamh 1932. Ba é Papen iarcheannaire an Lárpháirtí Chaitlicigh. Bhí dream mór *uaslathaithe, nár bhain le páirtí ar bith, i gcomh-aireacht Papen, agus ba bheag ar fad tacaíocht a fuair siad ón ngnáthphobal, a thug 'Comh-aireacht na mBarún' orthu. Nuair a theip ar Papen tacaíocht a fháil dá pholasaithe sa *Reichstag*, rinne sé an pharlaimint a scor, agus chuir olltoghchán ar siúl i mí Iúil 1932. Tubaiste do Papen ba ea torthaí an toghcháin. An páirtí beag de chuid na heite deise, i.e. An Páirtí Náisiúnach, a raibh sé ag tacú leis ag an am sin, níor bhain sé ach 44 suíochán, agus chuaigh na Naitsithe an-ghar do thromlach iomlán a bhaint, le 230 suíochán (37% den vóta).

Faoin am sin bhí polaitíocht na Gearmáine ag imeacht ó smacht. Bhí cogadh cathartha ag teacht sa Ghearmáin. In 1931, *d'áirigh na póilíní áitiúla sa Phrúis, réigiún in oirthear na Gearmáine, gur maraíodh breis is 300 duine i ndúnmharuithe polaitiúla. Ó lár mhí an Mheithimh go lár mhí Iúil na bliana 1932, bhí 461 *círéib pholaitiúil ann. Bhí círéibeacha sa *Reichstag*, go fiú. Ar an 25 Bealtaine 1932, bhí troid fhíochmhar idir na Naitsithe agus na Cumannaithe sa pharlaimint.

Lean an *chorraíl pholaitiúil ar aghaidh i rith fhómhar na bliana 1932. Reáchtáladh toghchán nua i mí na Samhna. Aisteach go leor, laghdaigh an tacaíocht don Pháirtí Naitsíoch, agus níor éirigh leo ach 196 suíochán a bhaint.

▲
Adolf Hitler agus an tUachtarán Paul von Hindenburg. Thug an tUachtarán cuireadh do Hitler rialtas a chur le chéile ar an 30 Eanáir 1933.

Hitler ina Sheansailéir, 1933

Ba é Kurt von Schleicher, ginearál airm, a bhí ina sheansailéir ó mhí na Nollag 1932 go dtí mí Eanáir 1933. Bhí fearg ar Papen gur briseadh as a phost é agus chuaigh sé ag caint le Hitler ag an bpointe sin. Go luath i mí Eanáir 1933 tháinig siad ar chomhaontú go mbeadh Hitler ina Sheansailéir agus Papen ina Leas-Seansailéir. Bhí seanaithne ag Papen ar Hindenburg agus *d'áitigh sé air Schleicher a bhriseadh as a phost

---

cinn decide • **comh-aireacht** cabinet • **barún** baron • **uaslathaí** aristocrat • **áirigh** estimate
círéib riot • **corraíl** unrest • **áitigh** persuade

agus Hitler a chur ina áit. Ghéill an tUachtarán dó ar deireadh, agus ceapadh Hitler ina Sheansailéir ar an nGearmáin ar an 30 Eanáir 1933. Chuir Papen ina luí ar Hindenburg go gcoinneodh sé féin smacht ar Hitler agus ar na Naitsithe, á rá: 'Muidne a d'fhostaigh é. Taobh istigh de dhá mhí beidh sé sáinnithe chomh maith sa chúinne againn go ligfidh sé gíog.' Léamh eile ar an scéal a rinne Josef Goebbels[#], ball tábhachtach den Pháirtí Naitsíoch, á rá: 'Tá ár sprioc sroichte againn. Tá réabhlóid na Gearmáine ag tosú.'

Bhí an ceart ag Goebbels. Faoi lár na bliana 1934 bhí gach pioc de dhaonlathas na Gearmáine scriosta ag na Naitsithe.

? Ceisteanna

An Gnáthleibhéal

Déan staidéar ar an gcartún agus ansin freagair na ceisteanna thíos. In *Daily Mail* na Breataine, i mí Eanáir 1923 a foilsíodh é, agus is cur síos é ar *fhorghabháil na Fraince ar an Rúir.

Exclusive picture from the 'Valley of the Tomb of the Kings'

1. Cad atá á thógáil ag na Francaigh as Gleann na Rúire?

2. Cé atá á léiriú mar 'Ríthe an Ghuail' sa chartún?

3. Cén dearcadh atá ag 'Ríthe an Ghuail' faoi fhorghabháil na Fraince ar an Rúir?

4. Cén fáth ar cheap na Francaigh gur ghá forghabháil a dhéanamh ar an Rúir i mí Eanáir 1923?

5. Cén tionchar a bhí ag an bhforghabháil ar an Rúir ar theacht chun cinn Hitler agus an Pháirtí Naitsíoch?

Scríobh paragraf faoi cheann amháin acu seo a leanas:

1. Tús shaol polaitiúil Hitler.

2. An chaoi ar éirigh le Hitler cumhacht a bhaint.

3. *Herrenvolk* ('An Máistirchine')

An tArdleibhéal

1. Déan cur síos ar na tosca ba chúis le teacht chun cinn Hitler agus an Pháirtí Naitsíoch sa Ghearmáin sa tréimhse 1923 go 1933.

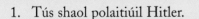

forghabháil occupation

3   An Stát Naitsíoch

Bunú Deachtóireachta, Eanáir–Márta 1933

Nuair a ceapadh Hitler ina Sheansailéir ar an nGearmáin i mí Eanáir 1933, bhí sé ina cheannaire ar chomh-aireacht de 12 dhuine. Ní raibh ach beirt Naitsí eile i measc an dáréag sin, i.e. Herman Goering, *Aire Gnóthaí Baile na Prúise, agus Wilhelm Frick, Aire Gnóthaí Baile na Gearmáine. Ba é an aidhm ghearrthéarmach a bhí ag Hitler ná cumhacht a bhaint amach don Pháirtí Naitsíoch, as féin. A luaithe a bhí sé i gcumhacht, d'fhógair sé go mbeadh toghchán nua ann ar an 5 Márta 1933.

Céimeanna i dtreo Deachtóireachta

1. Smacht a Fháil ar na Póilíní

Liostáil Herman Goering na mílte Naitsí san Fhórsa Póilíneachta. I mí Feabhra 1933 dhírigh an Fórsa Póilíneachta sin – a bhí lán le Naitsithe – feachtas foréigin agus *imeaglaithe ar pháirtithe an fhreasúra.

2. Tine sa *Reichstag*, 27 Feabhra 1933

Tháinig deis chun cinn, ar an 27 Feabhra 1933, chun ionsaí fíochmhar a dhéanamh ar an bPáirtí Cumannach. Chuir Cumannaí as an Ísiltír, Marius van der Lubbe, an *Reichstag* i mBeirlín trí thine. Bhain Hitler leas as sin le hionsaí a dhéanamh ar na Cumannaithe, á rá gur chomhartha é go mbeadh réabhlóid Chumannach ann. Gabhadh os cionn 4,000 Cumannaí agus Sóisialaí, agus mar gheall air sin bhí deacrachtaí acu dul san iomaíocht sa toghchán a bhí ag teacht.

▲ Parlaimint na Gearmáine, An *Reichstag*, agus é trí thine ar an 27 Feabhra 1933.

3. An Toghchán, 5 Márta, 1933

Cé go raibh amhras faoi na Naitsithe de bharr a gcuid bagairtí agus *sceimhle, d'éirigh leo 92 suíochán sa bhreis a bhaint sa pharlaimint. Cé gur tháinig laghdú de bhreis is milliún ar an vóta Cumannach, theip ar na Naitsithe tromlach iomlán a fháil, agus bhí orthu tacaíocht a fháil ó Papen agus ón bPáirtí Náisiúnach beag. Thug an tacaíocht sin tromlach beag de 52% don Pháirtí Naitsíoch.

4. *An tAcht Údaraithe, 23 Márta 1933

A luaithe a bhí na Naitsithe i gcumhacht, thosaigh siad ar pholasaí tréan *bulaíochta, agus eagla a chruthú. Theastaigh ó Hitler go n-aistreodh an *Reichstag* an chumhacht iomlán chuige féin ar feadh tréimhse ceithre bliana ionas go mbeadh sé in ann bonn socair a chur

---

Aire Gnóthaí Baile Minister for the Interior • **imeaglú** intimidation • **sceimhle** terror
An tAcht Údaraithe Enabling Act • **bulaíocht** bullying

faoin nGearmáin arís. Bheadh tromlach de dhá thrian de dhíth air chun é sin a dhéanamh. Nuair a tháinig an *Reichstag* le chéile in áras ceoldrámaíochta i mBeirlín ar an 23 Márta 1933, bhí na gailearaithe poiblí ann lán, ag Hitler, le *tacaithe Naitsíocha agus iad ag screadach. Níor tháinig formhór pholaiteoirí na heite clé ann. Ba é an Páirtí Sóisialta Daonlathach an t-aon pháirtí a raibh sé de mhisneach acu seasamh i gcoinne Hitler. Vótáil na páirtithe eile ar fad i bhfabhar an Acht Údaraithe (23 Márta 1933), rud a chuir deireadh, go bunúsach, le Poblacht Weimar, trí chead a thabhairt do Hitler rialú, gan pharlaimint, ar feadh tréimhse ceithre bliana.

Eochairchoincheap: An *tOllsmachtachas

Is é atá san ollsmachtachas ná córas polaitiúil nach mbíonn ann ach páirtí polaitíochta amháin. Bíonn smacht ag an bPáirtí sin ar gach ní. Ní chuirtear suas le freasúra ná tuairimí contrártha ar bith. Bhunaigh Mussolini, Hitler agus Stailín rialtas mar sin sa tréimhse idir na cogaí domhanda.

Bhain Hitler leas as an gcumhacht a bhí aige mar thoradh ar an Acht Údaraithe, chun riailréim ollsmachtach a bhunú sa Ghearmáin. Bheadh smacht ag an stát ar gach gné de shaol an tsaoránaigh. Bhí tábhacht ollmhór leis an stát, agus ba ag freastal ar an stát a bhí an duine. Is é a mhalairt sin a bhíonn sa daonlathas; sa daonlathas, is é an stát a bhíonn ag freastal ar na ndaoine.

Gleichschaltung (Comhordú)

Ein Reich, Ein Volk, Ein Führer ('Impireacht Amháin, Cine Amháin, Ceannaire Amháin')

Tar éis 1933, lean Hitler polasaí *Gleichschaltung* (comhordú), is é sin, a oiread gnéithe den saol is a d'fhéadfaí, a thabhairt faoi smacht an Pháirtí Naitsíoch. Ó 1933 ar aghaidh, tugadh **An Tríú** *Reich* (Impireacht), go hoifigiúil, ar an nGearmáin. Ba í an Impireacht Naofa Rómhánach an Chéad *Reich* a bhí ann, ó 960 go dtí gur chuir Napoléon deireadh léi sa bhliain 1806. Ba é Bismarck a bhunaigh an Dara *Reich* sa bhliain 1871, agus mhair sí sin go dtí deireadh an Chéad Chogadh Domhanda sa bhliain 1918. Nuair a tháinig Hitler i gcumhacht sa bhliain 1933, dúirt sé go mbeadh an Tríú *Reich* ann go ceann míle bliain!

▲ Herman Goering (ar clé), ardcheannasaí an **Luftwaffe** (Aerfhórsa), agus Heinrich Himmler, ceannasaí an SS.

---

tacaí supporter • **ollsmachtachas** totalitarianism

*Is é an rud is mó atá an riailréim nua ag iarraidh a dhéanamh ná *aonfhoirmeacht a chruthú i ngach gné de shaol na Gearmáine; 'Gleichschaltung' (téarma as tionscal an leictreachais) a thugtar air sin.*

Tá deireadh, beagnach, curtha leis na stáit fheidearálacha mar stáit náisiúnta dá gcuid féin. Tá Giúdaigh agus Marxaigh caite amach as poist oifigiúla. Tá siad caite amach freisin as na bardais, as na cúigí, as eagraíochtaí sóisialta; as na gairmeacha, as na ceirdeanna, as an spórt agus as an gcóras oideachas, ar fad. Tá bunús dleathach curtha faoin nglantachán sin le roinnt dlíthe.

As litir ó John Rumbold, Ambasadóir na Breataine i mBeirlín, chuig Sir John Simon, 26 Aibreán 1933.

Lárú an Rialtais

Cuireadh cosc ar cheardchumainn i mí Bealtaine na bliana 1933, agus ina n-áit cuireadh ***Fronta Saothair na Naitsithe**, faoi cheannaireacht an Dr Robert Ley. In 1934 chruthaigh sé dlí chun an lucht oibre náisiúnta a *rialáil, agus cheap sé *Iontaobhaithe an Lucht Oibre' chun cúram a dhéanamh do chearta na n-oibrithe.

I mí Eanáir 1934 cuireadh deireadh leis an nGearmáin mar stát feidearálach nuair a cuireadh deireadh leis na *Länder*, nó na tionóil réigiúnacha. Rinneadh daoine nár Naitsithe iad a ruaigeadh as an gcóras dlí, agus bunaíodh cúirteanna nua: Cúirteanna Pobail na Naitsithe. Cuireadh póilíní an stáit faoi smacht na Naitsithe freisin nuair a ceapadh Heinrich Himmler, ceannaire an *SS* (féach thíos) ina cheannaire nua ar na póilíní.

*Stát Póilíní

Ionas go mbeidís in ann smacht a choinneáil ar mhuintir na Gearmáine, bhunaigh na Naitsithe *gníomhaireachtaí speisialta póilíní chun déileáil le daoine a labhair amach i gcoinne na riailréime. Baineadh leas as dhá eagraíocht *sceimhlithe, an *SS* (*Schutzstaffel* nó *An Scuad Cosanta), agus an **Gestapo** (*Geheime Staatspolizei* nó Póilíní Rúnda an Stáit) chun daoine a bhí ag cur i gcoinne riailréim na Naitsithe a aimsiú agus a chiúnú.

Bunaíodh an Scuad Cosanta (An **SS**) in 1925 chun gardaí cosanta pearsanta a chur ar fáil do Hitler. Faoi cheannaireacht Heinrich Himmler, d'fhorbair sé ina eagraíocht den scoth ina raibh 240,000 ball faoi 1939. In 1933 bhunaigh Himmler aonad san *SS*, ***Ord Bhlaosc an Bháis'**. Stiúir an t-aonad sin 18 *sluachampa géibhinn inar coinníodh príosúnaigh pholaitiúla. Osclaíodh an chéad sluachampa géibhinn i bhfoirgneamh ar sheanmhonarcha *muinisin a bhí ann tráth, in Dachau, sa Bhaváir, i mí an Mhárta 1933.

Himmler a bhí i gceannas ar *Gestapo* na *sceimhle freisin ón mbliain 1934 ar aghaidh. Bhí lámh an *Gestapo* sáite i ngach gné den saol príobháideach agus poiblí, ar mhaithe le daoine a bhí ag cur i gcoinne riailréim na Naitsithe a aimsiú. Freagrach d'orduithe Hitler amháin a bhí an *SS* agus an *Gestapo* ach ní raibh siad freagrach don dlí sibhialta.

---

aonfhoirmeacht uniformity • **Fronta Saothair na Naitsithe** Nazi Labour Front • **rialáil** regulate
Iontaobhaithe an Lucht Oibre Trustees of Labour • **stát póilíní** police state • **gníomhaireacht** agency
sceimhliú terrorization • **An Scuad Cosanta** Protective Squad
Ord Bhlaosc an Bháis Order of the Death's Head • **sluachampa géibhinn** concentration camp
muinisean munitions • **sceimhle** terror

Oíche na 'Sceana Fada', 29 Meitheamh 1934

Faoin mbliain 1934 bhí imní mhór ar Hitler faoi neart na buíne cosanta a bhí faoi cheannas Ernst Röhm, an *SA* (lch 21). Nuair a theip ar Hitler clár leasuithe sóisialta a chur i bhfeidhm, thosaigh cúrsaí ag dul chun donais idir Hitler agus ceannaire an *SA*. Chreid an *SA* sa **Dara Réabhlóid**, a thabharfadh athruithe radacacha sóisialta. Ní raibh Hitler sásta é sin a dhéanamh mar go gcuirfeadh na tionsclaithe a thug tacaíocht airgid do na Naitsithe agus iad ag fás, ina choinne, chomh maith le hoifigigh Arm na Gearmáine. Bhí imní ar na hoifigigh *ardchéimíochta go raibh sé ar intinn ag an *SA* smacht a fháil ar cheannaireacht Arm na Gearmáine. Chomh maith leis sin, ní chuirfeadh Hitler suas le harm príobháideach a bhí dílis do Röhm.

Bhí Hitler cliste agus tháinig sé ar shocrú leis an Arm: chuirfeadh an *SS* agus Arm na Gearmáine deireadh le Röhm agus leis an *SA*, agus mar chúiteamh, ní chuirfeadh an tArm i gcoinne phlean Hitler chun deireadh a chur le hoifig an Uachtaráin tar éis bhás Hindenburg. Ar an 30 Meitheamh, 1934, i rith 'Oíche

Ernst Röhm (ar clé), ceannaire an *SA*, i dteannta Franz von Papen. Theastaigh ón *SA* go mbeadh 'An Dara Réabhlóid' ann, rud a chruthaigh teannas idir iad agus Hitler. Dúnmharaíodh Röhm agus ceannairí eile de chuid an *SA* i mí an Mheithimh 1934.

na Sceana Fada', tarraingíodh Röhm agus ceannairí eile de chuid an *SA* as an leaba, agus dúnmharaíodh iad. Maraíodh thart ar 400 ball den *SA*. An lá ina dhiaidh sin d'eagraigh Hitler *comhdháil nuachta agus mhínigh sé do mhuintir na Gearmáine go raibh sé ar intinn ag an *SA coup* Cumannach a dhéanamh. Ghlac formhór phobal na Gearmáine leis sin, mar go raibh siad sásta cuid de shaoirse an daonlathais a thabhairt suas ar mhaithe le feabhas a theacht ar chúrsaí eacnamaíochta.

An tArm

D'imigh an bhagairt dheireanach do Hitler nuair a fuair an tUachtarán Hindenburg bás sa bhliain 1934. Díreach mar a aontaíodh leis an Arm, níor toghadh Uachtarán nua. Rinne Hitler post an tSeansailéara agus post an Uachtaráin a nascadh le chéile faoi ainm nua, **Der Führer** (An Ceannaire). Thug sé sin smacht do Hitler ar an Arm, mar gurbh é an tUachtarán *Ardcheannasaí an Airm. Ón am sin amach, thug gach saighdiúir *mionn umhlaíochta, gan choinníollacha, do Hitler.

Oideachas

Leag curaclam na Naitsithe béim mhór ar thrí phríomhábhar: an Stair, an Bhitheolaíocht agus an Chorpoiliúint. Athscríobhadh an stair ionas go mbeadh sí ar aon dul le hidé-eolaíocht na Naitsithe. Bhíodh na ceachtanna dírithe ar bhunús an Pháirtí Naitsíoch agus ar stair an Chine Airianaigh. Sna ranganna bitheolaíochta leagtaí béim ar an tábhacht a

Na hAirianaigh: Téarma a d'úsáideadh na Naitsithe chun cur síos a dhéanamh ar dhaoine geala neamh-Ghiúdacha, fionna a raibh súile gorma acu. Bhí na Naitsithe den tuairim gurbh iad sin na 'fíor-Ghearmánaigh'.

---

ardchéimíocht high rank • **comhdháil nuachta** press conference • **Ardcheannasaí** Commander in Chief
mionn umhlaíochta oath of obedience

bhain le *híonacht chiníoch. Bhí an tuairim ann gur céim thábhachtach ba ea an chorpoiliúint chun an *Herrenvolk* (An Máistirchine) a atógáil. Cuireadh deireadh le teagasc an reiligiúin de réir a chéile, agus ón mbliain 1935 ar aghaidh bhí rogha ann maidir le freastal ar phaidreacha scoile. Bhíodh ar na múinteoirí ar fad freastal ar chúrsaí oiliúna a d'eagraíodh an Páirtí Naitsíoch. Faoi 1936 bhí thart ar 32% de na múinteoirí ar fad ina mbaill den Pháirtí.

*Moltar do mhúinteoirí a gcuid daltaí a chur ar an eolas faoi fhadhbanna ciníocha – a *gcineál, na cúiseanna a bhíonn leo, agus na torthaí a bhíonn orthu. Moltar do mhúinteoirí an tábhacht a bhaineann le cine a chur ina luí ar na daltaí, bród a chothú iontu mar go mbaineann siad leis an gcine Gearmánach, agus a chur ina luí orthu gur chóir dóibh comhoibriú chun *íonú an chine Ghearmánaigh a thabhairt i gcrích.*

Ordú ó Aire Oideachais an *Reich*, an Dr Rust, Eanáir 1935.

Ní raibh cothromaíocht ar bith idir an dá ghnéas i gcóras oideachais na Naitsithe. Ní raibh ach 10% den líon iomlán áiteanna sna hollscoileanna ar fáil do chailíní. D'éirigh sé níos deacra ag cailíní dul ar aghaidh le hardoideachas mar gur leag a lán de na scoileanna do chailíní béim ar ábhair mar chócaireacht agus fuáil, seachas ar eolaíocht agus teicneolaíocht. Bhí sé sin ar fad ag teacht le dearcadh Hitler i leith na mban: *Kinder, Kirche und Küche* (Páistí, Séipéal agus Cistin).

Bunaíodh *scoileanna den scoth ar tugadh *NAPOLA* (*An Foras Náisiúnta Oideachais Pholaitiúil*) orthu, nó Scoileanna Adolf Hitler; bunaíodh iad chun daoine a bheadh ina mbaill den Pháirtí níos déanaí, agus a mbeadh ardoideachas orthu, a ullmhú.

▲ Ógra Hitler ag léiriú a gcuid scileanna *séamafóir.

Gluaiseachtaí Óige

Sa chliabhán a thosaíonn an cath ar son na hintinne.

Hitler

Chreid Hitler gur cheart do na Gearmánaigh clann mhór a bheith acu ionas go mbeadh níos mó Gearmánach ann ná *fochiníocha Oirthear na hEorpa. Bhí todhchaí an Tríú *Reich*, a ndúirt Hitler fúithi go mbeadh sí ann go ceann 1,000 bliain, ag brath ar an óige. Bunaíodh '**Ógra Hitler**' sa bhliain 1926. Dhá bhliain ina dhiaidh sin bunaíodh eagraíocht eile dá leithéid, ***Bund Deutscher Mädel*** (*Léig Iníonacha na Gearmáine), i gcomhair cailíní. Cailíní agus buachaillí níos óige, idir 10 agus 14 bliana d'aois, d'fhéadfaidís-sean dul sa *Jungvolk* agus sa *Jungmädel*. Na buachaillí a bhí ag dul sa *Jungvolk*, bhí orthu scrúdú *túsghabhála a dhéanamh ina raibh orthu 12 mhéadar a rith i 12 shoicind. Chomh maith leis sin, bhí orthu siúlóid dhá lá a dhéanamh, agus a gcuid scileanna *séamafóir

---

íonacht chiníoch racial purity • **cineál** nature • **íonú** purification • **scoil den scoth** elite school
An Foras Náisiúnta Oideachais Pholaitiúil National Political Educational Establishment
fochine inferior race • **Léig Iníonacha na Gearmáine** League of German Maidens
túsghabháil initiation • **séamafór** semaphore

(*comharthaíocht leis na lámha nó le bratacha) a léiriú, agus druileanna arm a dhéanamh. Nuair a théidís ar aghaidh chun ballraíocht iomlán a bhaint amach in Ógra Hitler, b'ócáid mhór bhróid é nuair a bhronntaí *miodóg Ógra Hitler orthu. Inscríofa ar an miodóg bhíodh an mana '**Fuil agus Onóir**'.

Mar a bhí sa chóras oideachais, bhí *gnéasachas i ngluaiseachtaí óige na Naitsithe. Nuair a bhíodh na buachaillí gnóthach ag déanamh cleachtaí míleata, scileanna obair tí a bhíodh á múineadh do na cailíní.

Faoi dheireadh na bliana 1934, bhí 3·5 milliún ball in Ógra Hitler. Cé gur páistí an lucht oibre a bhí in Ógra Hitler ar dtús, de réir a chéile ba iad mic na meánaicme agus na nGearmánach saibhir a tháinig in uachtar ann. I rith an chogaidh léirigh Ógra Hitler a ndílseacht do Hitler trí throid go deireadh le Beirlín a chosaint i mí Aibreáin 1945 (lch 118).

Eochairchoincheap: Bolscaireacht

Is é atá sa bholscaireacht ná eolas, ar minic é áibhéileach nó bréagach, a scaiptear i measc an phobail ar chúis ar leith; is minic gur chun *teagasc nó creideamh ar leith a chraobhscaoileadh a scaiptear í. I rith na mblianta idir na cogaí, 1919-39, ba é a bhí i gceist le bolscaireacht ná eolas a bhíodh á scaipeadh ag na páirtithe polaitíochta chun tionchar a bheith acu ar an bpobal. An leas cliste a bhain Josef Goebbels, *sár-eolaí bolscaireachta, as an mbolscaireacht, ba mhór a chuidigh sé le Hitler teacht i gcumhacht.

Ina leabhar *Mein Kampf*, d'áitigh Hitler go bhféadfadh an Páirtí Naitsíoch tacaíocht a bhailiú chucu féin, agus iad féin a neartú, trí leas cliste a bhaint as an mbolscaireacht.

Má táthar le bolscaireacht éifeachtach a dhéanamh, ní mór í a bhunú ar chúpla bunriachtanas, agus í a chur in iúl i gcúpla frása simplí. An t-aon bhealach chun smaoineamh a ghreanadh ar chuimhne slua ná é a athrá arís is arís eile.

As **Mein Kampf** le Adolf Hitler, 1924.

Eochairphearsa: Josef Goebbels

Ba é Josef Goebbels príomhbholscaire an Pháirtí Naitsíoch. Thosaigh a mheas ar Hitler ag fás le linn *Putsch* München sa bhliain 1923, agus in 1926 ceapadh é ina cheannaire ar an bPáirtí Naitsíoch i mBeirlín. Bhunaigh sé a nuachtán féin, dar theideal **Der Angriff** (An tIonsaí), sa bhliain 1927, agus sa nuachtán sin chuir sé a chuid tuairimí Naitsíocha, agus a fhuath do na Giúdaigh in iúl. Ba é Goebbels a chuir tús leis an mbeannacht '**Heil Hitler**' (go maire Hitler), arbh é an gnáthbhealach é chun beannú do bhaill an pháirtí.

---

comharthaíocht signalling • **miodóg** dagger
gnéasachas sexism • **teagasc** doctrine • **sár-eolaí** master

Nuair a ceapadh Hitler ina Sheansailéir in 1933, chuaigh Goebbels sa chomh-aireacht ina cheannaire ar aireacht nuabhunaithe, i.e. **Aireacht Eolais agus Bolscaireachta an** *Reich*. Bunaíodh seacht rannóg chun rialú a dhéanamh ar gach gné den saol cultúrtha: Rannóg an *Reich* um Mínealaíona, um Cheol, um Amharclannaíocht, um Litríocht, um an bPreas, um an Raidió agus um Scannáin.

Ní raibh an oiread sin tábhachta ag baint le Goebbels ón uair a d'éirigh le Hitler cumhacht a dhaingniú dó féin ó 1934 amach. Ach mhéadaigh ar thábhacht Goebbels an athuair i

Josef Goebbels (1897-1945), príomhbholscaire an Pháirtí Naitsíoch.

dtreo dheireadh an chogaidh nuair ba ghá a chur ina luí ar na Gearmánaigh gur ghá go leanfaidís ar aghaidh ag troid. D'fhan sé dílis do Hitler go dtí an deireadh. An lá i ndiaidh do Hitler lámh a chur ina bhás féin, ar an 1 Bealtaine, thug Goebbels nimh dá theaghlach ar fad, agus ansin lámhach sé é féin.

Gnéithe de Bholscaireacht na Naitsithe

1. Cás-staidéar: *Slógaí Nürnberg

Foinse A

Is gá cruinnithe ollmhóra ina mbeidh slua ollmhór daoine, mar go láidríonn agus go spreagann siad sin an chuid is mó de dhaoine. Má théann fear ag cruinniú den chineál sin, agus amhras agus drogall air, fágann sé é agus é neartaithe laistigh; ball de chomhluadar a bhíonn ann ina dhiaidh.

As ***Mein Kampf*** le Adolf Hitler, 1924.

Bunús Shlógaí Nürnberg

Ba i mí Eanáir agus Lúnasa na bliana 1923 a bhí na chéad Slógaí in Nürnberg, agus tháinig thart ar 20,000 breathnóir i láthair. Ar dtús bhídís á reáchtáil i gcomhar le grúpaí eile de chuid na heite deise, mar shampla *Léig an Chatha. Ó 1926 ar aghaidh, ba nós bliantúil de chuid na Naitsithe a bhí iontu, agus tugadh *Parteitage*, nó Laethanta an Pháirtí orthu. B'iondúil gur i mí Mheán Fómhair a bhídís ar siúl, ag an am céanna le Comhdháil bhliantúil an Pháirtí Naitsíoch. Ón mbliain 1934 ar aghaidh, d'fhoilsítí irisí bliantúla ina mbíodh na príomhóráidí, le freastal orthu siúd nach raibh in ann teacht chuig na slógaí.

Baineadh leas an-mhaith as Slógaí bliantúla Mheán Fómhair an Pháirtí in Nürnberg chun bolscaireacht na Naitsithe a scaipeadh. Thugadh Hitler suas le 20 óráid, agus d'fhreastalaíodh sé ar *inlíochtaí airm, le linn na féile, a mhaireadh ar feadh seachtaine. Chuirtí '**Bratach na Fola**' [a bhí ar iompar ag an *Führer* le linn *Putsch* München in 1923 (lch 23)] *ar foluain le linn shearmanais *mhionnaithe na n-earcach nua isteach i mBuíon an Ruathair (*SA*) agus sa Scuad Cosanta (*SS*). Fuil Andreas Bauriedl a bhí ar an mbratach;

Slógadh Nürnberg Nürnberg Rally • **Léig an Chatha** Battle League • **inlíocht airm** army manoeuvre
ar foluain flying • **mionnaigh** swear-in

duine de na 16 fhear a maraíodh i rith an *Putsch* ba ea Andreas Bauriedl. Bhí ról lárnach ag Eagraíocht na mBan Naitsíoch, chomh maith leis *an bhFronta Saothair (Ceardchumann na Naitsithe) sna slógaí sin freisin. *Ar an meán, bhíodh thart ar leathmhilliún duine páirteach i Slógaí Nürnberg gach bliain, ó 1933 go dtí 1938.

Óráidí agus Téamaí

Bhí téama ag gach slógadh. Is féidir forbairt pholasaithe an Pháirtí Naitsíoch a *rianú trí na hóráidí a tugadh ag na slógaí sin a léamh.

Sa bhliain 1933 bhain Hitler leas as an slógadh chun Arm na Gearmáine a mholadh. In óráid a thug sé ag Slógadh Nürnberg ar an 23 Meán Fómhair 1933, dhearbhaigh sé don Arm nach raibh Ernst Röhm agus Buíon an Ruathair (*SA*) ag déanamh iarracht smacht a fháil ar cheannaireacht an Airm:

Searmanas 'Bhratach na Fola'.

Foinse B:

Ar an lá seo, ní mór cuimhneamh go háirithe ar an ról a bhí ag ár nArm. Is léir dúinn ar fad mura mbeadh an t-arm ag tacú linn i rith na réabhlóide, nach mbeimis anseo inniu. Dearbhaímid don Arm nach ndéanfaimid dearmad air sin go deo, gurb iadsan, dar linne, atá ag leanúint de thraidisiún ár sean-airm ghlórmhair, agus go dtacóimid le hiomlán ár gcroí agus ár gcumhachta le díograis an Airm seo go deo.

Sa bhliain 1934 mhair an slógadh ar feadh seachtain iomlán agus rinne sé ceiliúradh ar theacht i gcumhacht Hitler. Roghnaíodh Albert Speer, ailtire Hitler, chun feidhmiú mar bhainisteoir stáitse don *ghlóir-réim (seó) in Nürnberg. Thóg Speer struchtúr cloiche a bhí 1,300 troigh ar fad agus 80 troigh ar leithead, agus é cosúil le haltóir ollmhór, i bpáirc Zeppelin. Bhí iolar ollmhór, a raibh 100 troigh i *réise a dhá sciathán, agus svaistíce ag a chosa, ar crochadh os cionn an ardáin. Rinne Leni Riefenstahl[#] (lch 41) scannán, *Triumph des Willens* (*Bua na Tola*) faoin nglóir-réim. Bhí sé ar cheann de na scannáin bholscaireachta ba chumhachtaí a rinneadh riamh; agus bhain an banstiúrthóir, Riefenstahl, leas as sluaite agus iad ag ligean *gártha molta astu, as *máirseáil bheacht, as bannaí míleata agus as óráid deiridh Hitler, chun Hitler agus riailréim na Naitsithe a *ghlóiriú.

Comhdháil an Pháirtí Naitsíoch in Nürnberg sa bhliain 1934.

An Fronta Saothair Labour Front • **ar an meán** on average • **rianaigh** trace • **glóir-réim** pageant
réise span • **gáir mholta** cheer • **máirseáil bheacht** precision marching • **glóirigh** glorify

Léiriú cruinn ar mheon an tslógaidh ba ea caint Adolf Wagner, an Gobharnóir *Cúige as an mBaváir, nuair a dúirt sé leis an slua:

Foinse C

An cineál saoil a bheidh sa Ghearmáin go ceann míle bliain, tá sé socraithe. …Ní bheidh réabhlóid ar bith eile sa Ghearmáin go ceann míle bliain!

Ba ag an slógadh sin freisin a thug an Dr Gerhard Wagner óráid dar teideal 'An Cine agus Sláinte an Náisiúin'. San óráid sin, rinne sé iarracht an clár *eotanáise (marú seandaoine agus daoine nach bhfuil in ann aire a thabhairt dóibh féin) a bhí le cur i bhfeidhm ag na Naitsithe, a chosaint.

Na *foraitheanta ciníocha (**Dlíthe Nürnberg**, lch 180) a rinne Hitler, fógraíodh iad i rith Shlógadh 1935. Thug Hitler a phríomhóráid ag Slógadh na bliana 1935 ar an 11 Meán Fómhair. Thosaigh sé amach ag caint ar fhorbairt chultúrtha, ach gan mhoill, ba ag ionsaí na nGiúdach a bhí sé:

Foinse D

Gadaithe is ea na Giúdaigh. Gach rud atá ag an nGiúdach, is rud é a goideadh. Is fir oibre eachtrannacha a thógann a chuid teampall, eachtrannaigh a chruthaíonn rudaí dó, a oibríonn ar a shon, agus a dhoirteann a gcuid fola ar a shon. Níl ealaín dá chuid féin ag an nGiúdach: is amhlaidh a ghoid sé ó dhaoine eile í, nó a bhreathnaigh sé ar dhaoine eile i mbun oibre agus a rinne sé aithris orthu. Ní thig leis slí bheatha ar bith a choinneáil rófhada. Sin difríocht amháin idir é agus an tAirianach.

Ar an 13 Meán Fómhair d'ordaigh Hitler go gcuirfí dlí le chéile taobh istigh de 48 uair an chloig, dlí ar ar tugadh '**An Dlí le Fuil agus Onóir na Gearmáine a Chosaint**'. B'fhearr aithne ar na dlíthe sin mar 'Dhlíthe Nürnberg', agus bhain siad saoránacht Ghearmánach de na Giúdaigh, agus chuir cosc ar phósadh idir Giúdaigh agus Airianaigh.

Pléadh olc an Chumannachas, agus an gá a bhí ann go mbeadh an Ghearmáin leordhóthanach ó thaobh an gheilleagair de, ag slógadh 1936. Thug Hitler óráid láidir fhrith-Chumannach:

Foinse E

*Dá mbeadh cine ar leith in Iarthar nó i Lár na hEorpa le teacht faoi smacht an Bhoilséiveachais (an Cumannachas), leathfadh an nimh sin, agus scriosfadh sí an tsibhialtacht is sine agus is deise ar domhan. Tá an Ghearmáin, tríd an *gcoinbhleacht seo a tharraingt uirthi féin, ag comhlíonadh misean fíor-Eorpach, mar a rinne sí go minic cheana ina stair.*

Ar an teannas a bhí i ngnóthaí idirnáisiúnta a dhírigh Slógadh 1938 (an slógadh deireanach). Ba é an teideal a bhí ar an slógadh ná 'An Chéad Slógadh Páirtí den Mhór-

---

cúige province • **an eotanáis** euthanasia • **foraithne chiníoch** racial decree • **coinbhleacht** conflict

Ghearmáin', agus rinne sé ceiliúradh ar aontú na Gearmáine leis an Ostair in 1938 chomh maith. I mí Mheán Fómhair a bhí an slógadh ar siúl, ag an am céanna is a bhí *'Géarchéim München' (lch 93) ann. Bhain Goering leas as an ócáid chun an tSeicslóvaic a cháineadh mar gheall ar an mbealach ar chaith siad le Gearmánaigh *na Súidéatlainne. Grúpa *eitneach de chainteoirí Gearmáinise, a bhí san Impireacht Ostra-Ungárach leis na céadta bliain, ba ea Gearmánaigh na Súidéatlainne. Nuair a roinneadh an Impireacht tar éis an Chéad Chogadh Domhanda, sa tSeicslóvaic nuabhunaithe a bhí siad.

Foinse F

*Tá giota beag suarach den Eoraip ag cur isteach ar an gcine daonna. Tá an cine suarach *pigmíoch seo (na Seicigh) ag déanamh *cos ar bolg ar chine cultúrtha, agus laistiar de tá Moscó agus an diabhal síoraí Giúdach.*

Bhain Hitler leas as óráid dheireanach an tslógaidh chun teachtaireacht láidir a chur chuig rialtas na Seicslóvaice. Thug sé *rabhadh dóibh mura dtabharfaidís a gcearta do Ghearmánaigh na Súidéatlainne go mbeadh ar na Naitsithe gníomhú chun a chinntiú go dtabharfaidís.

Ar an 15 Lúnasa 1939, chuir Hitler Slógadh Nürnberg ar ceal go rúnda; bhí sé le bheith ar siúl sa chéad seachtain de mhí Mheán Fómhair. In ionad a bheith ag máirseáil in Nürnberg, bheadh Arm Hitler ag déanamh *ionraidh ar an bPolainn. Bhí íoróin ag baint le téama an tslógaidh a bhí le bheith ar siúl i mí Mheán Fómhair, 1939; ba é an téama ná 'Slógadh an Pháirtí ar son na Síochána'.

Cuntais ó Fhinnéithe

Bhíodh bród agus áthas mór ar Hitler gach bliain nuair a bhíodh sé ag labhairt leis na sluaite i *staid Nürnberg. Bhaineadh sé leas an-éifeachtach as óráidí bríomhara, máirseáil, bratacha, suaitheantais agus ceol chun an *mórtas náisiúnta a láidriú. Seo cur síos ag William L. Shirer, tuairisceoir nuachta, agus staraí, as Meiriceá, ar radharc amháin sa bhliain 1935:

Foinse G

*Ní hionadh ar bith é go raibh Hitler muiníneach nuair a tháinig Comhdháil an Pháirtí Naitsíoch le chéile in Nürnberg ar an 4 Meán Fómhair. Chonaic mé é an mhaidin arna mhárach ag *céimniú síos pasáiste láir Halla Luitpold agus é breac le bratacha, ar nós impire caithréimeach, agus an banna ag *gleadhradh 'Máirseáil Badenweiler', agus 30,000 lámh ardaithe sa *chúirtéis Naitsíoch.*

Chuir Hitler fáilte roimh thurasóirí, iriseoirí agus *taidhleoirí eachtrannacha chuig Slógaí Nürnberg. Chreid sé go mbeadh a gcuid tuairiscí ina mbolscaireacht ag an bPáirtí Naitsíoch, agus go léireoidís don domhan neart agus *diongbháilteacht an stáit Naitsíoch. Ba chuairteoir den chineál sin, ar Shlógaí Nürnberg, ba ea Virginia Cowles, as an mBreatain.

---

géarchéim crisis • **An tSúidéatlainn** Sudetenland • **eitneach** ethnic • **pigmíoch** pygmy
cos ar bolg oppression • **rabhadh** warning • **ionradh** invasion • **staid** stadium • **mórtas** pride
céimnigh stride • **gleadhair** blare • **cúirtéis** salute • **taidhleoir** diplomat • **diongbháilteacht** determination

An léirsiú a rinneadh, bhí sé ar cheann de na léirsithe ab iontaí dá bhfaca mé riamh. Nuair a bhí Hitler ag dul suas go dtí a bhosca sa Phríomhsheastán, rinne na daoine *gártha molta agus bualadh bos fada; ansin thug sé comhartha do na ceannairí polaitíochta teacht isteach. Tháinig céad míle ceannaire isteach an taobh eile den *airéine. Sa solas airgeadúil , ba chosúil iad le tuile uisce a bheadh ag sileadh isteach sa bhabhla. Bhí bratach Naitsíoch ag gach duine acu, agus nuair a bhailigh siad ar fad le chéile, bhí an babhla cosúil le farraige lonrach de svaistící.

Ansin, thosaigh Hitler ag labhairt. Ní raibh focal as an slua, ach lean rithim seasmhach na ndrumaí. Ghearr glór Hitler tríd an oíche, agus *gach re seal lig an slua gáir mhór mholta astu. Thosaigh roinnt den slua ag luascadh anonn agus anall agus ag canadh 'Sieg Heil' arís agus arís eile i dtaom *rámhaille. D'fhéach mé ar na daoine a bhí mórthimpeall orm, agus bhí na deora ag sileadh síos ar a leicne. Bhí na drumaí níos airde anois agus go tobann tháinig eagla orm. Ar feadh soicind ní raibh mé cinnte nár bhrionglóid a bhí ann; b'fhéidir gur i lár *dhufair na hAfraice a bhíomar ó cheart.

Ar deireadh thiar thall bhí deireadh leis. D'fhág Hitler an bosca agus chuaigh isteach ina charr. A luaithe a stop sé ag caint d'imigh an draíocht. B'in é an rud ba shuntasaí ar fad, mar nuair a d'fhág sé an seastán agus nuair a chuaigh sé isteach sa charr, ba dhuine beag leamh gan tábhacht a bhí ann. Bhí ort a mheabhrú duit féin gurbh é sin an fear a raibh aird an domhain air; gur aigesean amháin a bhí gach cumhacht.

As **Looking for Trouble** le Virginia Cowles, 1941.

D'fhreastal Sir Neville Henderson, Ambasadóir na Breataine chun na Gearmáine idir 1937 agus 1939, ar Shlógadh 1937 agus 1938. Seo a chur síos ar atmaisféar Shlógaí Nürnberg:

Bhíodh teacht Hitler lán le *drámatacht; ba é an chaoi a dtugtaí le fios go mbíodh sé ag teacht ná nuair a chastaí breis is 300 *solas cuardaigh, a bhí thart ar imeall na staide, i dtreo na spéire. An solas cineál gorm astu sin, bhuaileadh sé le chéile na mílte troigh thuas sa spéir agus chruthaídís cineál díon cearnógach, agus dá mbeadh scamall ann, bhíodh cuma níos réalaíche air. Bhíodh an toradh *sollúnta agus álainn, agus ba chosúil é le bheith taobh istigh d'ardeaglais a bhí déanta as oighear.

Chaith mé sé bliana i *gCathair Pheadair roimh an gcogadh, sna laethanta ina raibh *seanbhailé na Rúise i mbarr a réime, agus ní fhaca mé bailé riamh a bhí chomh *taibhseach álainn leis. Tá *dúchas an tréada go smior sa Ghearmánach, agus bíonn sé lánsásta nuair a bhíonn *éide á caitheamh aige, é ag máirseáil go cruinncheart agus é ag canadh curfá; agus tá a lánfhios ag réabhlóid na Naitsithe conas dul i bhfeidhm ar an dúchas sin.

As **Failure of a Mission, Berlin 1937-39** le Neville Henderson, 1940.

An tuairisc seo a leanas a bhí sa *Niederelbisches Tageblatt* (Nuachtán Laethúil Cheantar *na hEilbe Íochtaraí), is cur síos í ar ghlaoch rolla cheannairí na ngrúpaí áitiúla den Pháirtí – *maoir pholaitiúla – ag Slógadh 1936:

---

gártha molta cheering, ovation • **airéine** arena • **gach re seal** every now and then • **rámhaille** delirium
dufair jungle • **drámatacht** dramatic quality • **solas cuardaigh** search light • **sollúnta** solemn
Cathair Pheadair St Petersburg • **bailé** ballet • **taibhseach** grandiose • **dúchas an tréada** herd instinct
éide uniform • **An Eilbe** The Elbe • **maor** warden

Foinse J

Bhíomar i láthair ag a lán máirseálacha móra thar bráid, agus searmanais mhóra. Ach ní raibh ceann ar bith acu a chuir a oiread gliondair orainn, agus a bhí chomh hinspioráideach ag an am céanna, agus a bhí glaoch rolla an 140,000 maor polaitiúil inné. Labhair an Führer leo san oíche, i bPáirc Zeppelin, a bhí chomh geal leis an lá ag na *tuilsoilse a bhí ann. Tá sé beagnach dodhéanta cur síos a dhéanamh ar mheon agus neart na hócáide... *Búir a bhí i bhfad uait, tagann sí níos gaire duit agus éiríonn sí níos airde. Tá an Führer ann! Tugann an Dr Ley, Ceannaire Eagrúcháin an Reich, tuairisc dó faoi na fir atá ag seasamh in ord paráide. Agus ansin, iontas mór – iontas amháin i measc na n-iontas ar fad: de réir mar a dhéanann Adolf Hitler a bhealach isteach i bPáirc Zeppelin, lasann 150 tuilsolas de chuid an Aerfhórsa. Tá siad ar fud na cearnóige ar fad, agus gearrann siad an dorchadas, ag cruthú ceannbhrat solais sa dorchadas... Tá an pháirc leathan mar a bheadh ardeaglais ghotach déanta as solas. *Corcairghorm atá na tuilsoilse, agus idir a gcón solais tá an oíche ag leathadh... 25,000 bratach – sin 25,000 grúpa áitiúil, ceantair agus monarchan as gach cearn den náisiún, bailithe timpeall ar a mbrat féin. Gach duine atá ag iompar brataí, tá sé réidh le bás a fháil, más gá, chun an bhratach sin a chosaint. Níl duine ina measc nach í an bhratach sin an t-ordú deireanach agus an dualgas is airde... Tá ócáid *dheabhóideach na Gluaiseachta ar siúl anseo, agus í á cosaint ar an dorchadas lasmuigh ag loch mór solais.

Tuairisc as **Niederelbisches Tageblatt**, (Nuachtán Laethúil Cheantar na hEilbe Íochtaraí), 12 Nollaig 1936.

An Halla Mór

Sa bhliain 1934 thosaigh an t-ailtire Albert Speer ag obair ar dhearadh an halla mhóir in Nürnberg. Halla comhdhála ina mbeadh 60,000 suíochán, agus staid ina mbeadh 405,000 suíochán, a bhí pleanáilte. Bhí an staid deartha sa chaoi go mbeadh achar 11,100,000 slat chiúbach inti (ní raibh ach 9,886,800 slat chiúbach sa Staid Oilimpeach, a tógadh i mBeirlín in 1936). Chun *ardnós an Tríú Reich a léiriú, bhí na foirgnimh le tógáil as marmar agus eibhear. Bhainfí leas as soilse tóirse, tuilsoilse, agus go fiú soilse cumhachtacha cuardaigh *frith-aerárthaí chun an staid a shoilsiú san oíche. Leagadh cloch choirnéil na staide le linn Shlógadh Nürnberg 1937.

Sa sliocht thíos, tá cur síos ag Albert Speer ar na pleananna ollmhóra a bhí aige don halla mór:

Albert Speer, ailtire Hitler.

Foinse K

Sa taobh theas den ollionad a bheadh an Pháirc Mháirseála; ní hamháin gur tagairt do dhia an chogaidh, Mars, a bhí san ainm, ach ba thagairt é freisin don mhí ar chuir Hitler tús leis an *gcoinscríobh. Taobh istigh den limistéar mór millteach sin, bheadh achar a bheadh 3,400 faoi 2,300 troigh, fágtha ar leataobh, ionas go mbeadh an t-arm in ann *inlíochtaí beaga a chleachtadh ann. Bheadh *ardáin, a bheadh 48 troigh ar airde, timpeall ar an áit ar fad, agus áit suí iontu le haghaidh 160,000 *breathnóir. Bheadh fiche ceathair túr, a bheadh os cionn 300 troigh ar airde, i measc na n-ardán sin. Bheadh stáitse sa lár le haghaidh aíonna speisialta, agus bhí dealbh de bhean le bheith ar a mhullach. In 64 AD, thóg Nero *deilbh ollmhór sa Róimh, a bhí 119 troigh ar airde. Tá Dealbh na Saoirse i Nua-Eabhrac 152 troigh ar airde; bhí an dealbh seo againne le bheith 46 troigh níos airde ná sin.

ar lean.

---

tuilsolas floodlight • **búir** roar • **corcairghorm** violet • **deabhóideach** devotional • **ardnós** grandeur
frith-aerárthaí anti-aircraft • **coinscríobh** conscription • **inlíocht** manoeuvre • **ardán** stand
breathnóir spectator • **deilbh** figure

Gan dabht ar bith, bheadh an staid ar an struchtúr ba mhó sa limistéar, agus ar cheann de na staideanna ba mhó riamh. Meastacháin a rinneadh, léirigh siad nár mhór do na hardáin a bheith breis is 300 troigh ar airde dá mbeidís le glacadh leis an líon breathnóirí a bheadh ann. Ní bheadh staid *ubhchruthach feiliúnach ar chor ar bith, mar go gcruthódh 'babhla' mar sin fadhbanna teasa, chomh maith le míshuaimhneas intinne. Dá bhrí sin, shocraigh mé ar staid a bheadh ar chruth an chrú capaill, mar a bhí san Aithin.

As Inside the Third Reich le Albert Speer, 1970.

I mí Feabhra 1939, rinne Hitler iarracht an costas ard (meastachán £250,000,000,000) ar an staid ollmhór in Nürnberg, a mhíniú, in óráid a thug sé do na hoibrithe tógála:

Foinse L

Cén fáth 'an ceann is mó' i gcónaí? Déanaim é sin chun a fhéinmheas a thabhairt ar ais do gach Gearmánach. In iliomad réimsí den saol, is mian liom a rá leis an duine: Ní *fodhaoine muid; a mhalairt atá fíor: táimidne ar comhchéim go hiomlán le gach náisiún eile.

Dar le Hitler freisin, cuimhneachán ar éachtaí na Naitsithe a bheadh i staid ollmhór, agus chaomhnófaí an staid ar feadh na nglún, go díreach mar a rinneadh le fothraigh na Sean-Róimhe san Iodáil, agus fothraigh na Sean-Ghréige san Aithin.

Foinse M

Bhíodh Hitler ag rá gurb é an cuspóir a bhí lena fhoirgneamh ná chun a ré féin agus a meon a chur ar aghaidh chuig an todhchaí (na glúine atá le teacht). Bhíodh sé ag rá, go fealsúnach, nár mhair (i ndeireadh na dála) mar chuimhneachán ar *mhór-réanna (tréimhsí) na staire ach a n-ailtireacht ollmhór.

   Cad a bhí fágtha d'impirí na Róimhe? Cad a chuirfeadh i gcuimhne dúinn iad anois murach gur mhair a gcuid foirgneamh? Beidh tréimhsí laga i stair gach náisiún, a dúirt sé; ach is cuma cé chomh hainnis is a bhíonn acu, beidh a gcuid ailtireacht ann le glóire na seanlaethanta a chur i gcuimhne dóibh. Mar shampla, sa lá atá inniu ann, tig le Mussolini foirgnimh Impireacht na Róimhe a lua mar shiombail de spiorad *laochta na Róimhe.

As Inside the Third Reich le Albert Speer, 1970.

Lean an obair ar an staid ar aghaidh i rith an chogaidh, ar luas níos moille, mar nach raibh a oiread céanna oibrithe agus amhábhar ann. Sa bhliain 1942 baineadh na *<u>crainn</u> ollmhóra <u>tógála</u> a bhí in Nürnberg agus cuireadh chuig sluachampa géibhinn Auschwitz sa Pholainn iad. Bhí monarcha ollmhór ceimiceán á tógáil ag an gcuideachta IG Farben in Auschwitz; sclábhaithe a bhí sna hoibrithe tógála. Fágadh an staid neamhchríochnaithe mar a bhí sí, ar feadh na mblianta i ndiaidh dheireadh an chogaidh, ar mhaithe le dul thar fóir an stáit Naitsíoch a chur i gcuimhne do dhaoine.

---

ubhchruthach oval • **fodhaoine** lesser people • **mór-ré** great epoch
laochta heroic • **crann tógála** crane

Trialacha Nürnberg

I ndiaidh scriosadh an Tríú *Reich* sa Dara Cogadh Domhanda, shuigh binse fiosruithe idirnáisiúnta míleata in Nürnberg ó Shamhain 1945 go dtí Meán Fómhair 1946, chun na príomh-Naitsithe a thriail as *coireanna cogaidh. Ba é an chúis ar roghnaíodh Nürnberg le haghaidh na dtrialacha, mar gur ansin a bhíodh na slógaí móra ag an bPáirtí Naitsíoch. Bhí *na Comhghuaillithe ag súil go gcuirfeadh Trialacha Nürnberg críoch le ceann de na tréimhsí ab fhuiltí agus ba scriosaí i stair na Gearmáine. Gearradh 20 bliain sa phríosún ar Albert Speer ag deireadh Thrialacha Nürnberg i mí Mheán Fómhair 1946.

2. Scannánaíocht

Bhí an-suim ag Goebbels i dtionscal scannánaíochta na Gearmáine. Bhí ar Rannóg Cultúir an *Reich* *faomhadh a dhéanamh ar gach scannán a bhí le craoladh sa Ghearmáin. Scannáin nach raibh ag teacht le dearcadh na Naitsithe, cuireadh cosc orthu. I measc na scannán ar cuireadh cosc orthu bhí *PrizeFighter and the Lady* le *MGM*, mar gurbh é an dornálaí Giúdach, Max Baer, an réalta a bhí ann, agus *Tarzan and his Mate*, mar go raibh an 'dearcadh mícheart' ann.

I mí Aibreáin 1933 thug Goebbels isteach an ***Arierparagraph*** (*An Clásal Airianach), a chuir cosc ar Ghiúdaigh i dtionscal na scannánaíochta. Mar thoradh ar an gcosc sin, d'fhág a lán de léiritheoirí agus aisteoirí mór le rá de chuid na Gearmáine, an Ghearmáin.'

Eochairphearsa: Leni Riefenstahl

Cé go raibh scannáin Ghearmánacha á ndéanamh fós i nGearmáin na Naitsithe, ba bheag scannán fíormhaith a rinneadh, seachas na scannáin a rinne Leni Riefenstahl. Ba í an chéad bhanléiritheoir í a bhain clú amach di féin go hidirnáisiúnta, ach níor éirigh léi éalú riamh ón gceangal a bhí aici le scannáin thábhachtacha bholscaireachta na Naitsithe. In 1933 a rinne sí a céad scannán – ***Sieg des Glaubens*** (***Bua an Chreidimh***) – ar iarratas ó Goebbels. Bhí deacrachtaí móra ag Riefenstahl le Goebbels mar pháirtí oibre. Chlis na néaróga uirthi mar go mbíodh Goebbels ag síorchur isteach uirthi agus an scannán á dhéanamh aici.

Leni Riefenstahl (1902-2003), stiúrthóir scannán, agus í ag déanamh ***Lá na Saoirse*** in 1935.

Sa bhliain 1934 d'éirigh le Hitler Riefenstahl a mhealladh chun dul i mbun oibre don Pháirtí Naitsíoch arís. Ina dhiaidh sin rinne sí péire de na *scannáin faisnéise is fearr a rinneadh riamh (cé nach é gach duine a aontaíonn leis sin): ***Triumph des Willens*** (***Bua na Tola***) (1934), a rinne comóradh ar theacht i gcumhacht na Naitsithe, agus ***Olympia***, cuntas ar na Cluichí Oilimpeacha i mBeirlín in 1936. Cé gur thug Hitler tacaíocht di, bhí teannas idir í féin agus an *cliarlathas Naitsíoch i gcónaí.

---

coir chogaidh war crime • **Na Comhghuaillithe** The Allies • **faomhadh** approval
An Clásal Airianach The Aryan Clause • **scannán faisnéise** documentary film • **cliarlathas** hierarchy

Seo a leanas a dúirt Albert Speer, ailtire agus *cara rúin Hitler, fúithi:

Ba í Leni Riefenstahl an t-aon bhean a bhí páirteach go hoifigiúil sna himeachtaí, agus ba mhinic a bhí argóintí aici le heagraithe an Pháirtí, agus bhí siadsan go mór ina haghaidh. Ó thús, bhí na Naitsithe *frithfheimineach, agus ba ar éigean a bhí siad in ann cur suas leis an mbean mhuiníneach seo, go háirithe mar go raibh a fhios aici conas domhan sin na bhfear a ionramháil ar a son féin. Cuireadh *uisce faoi thalamh ar siúl agus tugadh scéalta maslacha chuig Hess (Rudolf Hess, *Tánaiste Hitler). Ach tar éis di a céad scannán a dhéanamh faoi shlógadh an Pháirtí, tháinig deireadh leis na hionsaithe; chuir an scannán sin deireadh le hamhras na daoine sin a bhí amhrasach faoina scil mar stiúrthóir.

As **Inside the Third Reich** le Albert Speer, 1970.

Ómós do na saighdiúirí a bhí páirteach sa Chéad Chogadh Domhanda ba *lárthéama don scannán iontach a rinne Leni Riefenstahl faoi Shlógadh Nürnberg na bliana 1934. Sa scannán sin, shiúil Hitler suas an pasáiste mar a dhéanfadh sagart, agus na mílte de lucht tacaíochta dílis Naitsíoch ina seasamh go ciúin *ar aire ar an dá thaobh. Tá ciúnas iomlán sa scannán agus Hitler ag leagan *bláthfhleasc ar uaigh an tsaighdiúra *anaithnid. Sa chéad radharc eile tá Hitler ag seanmóireacht as *puilpid, agus é timpeallaithe le bratacha svaistíceacha faoi spéir ghlan.

Eisíodh dara scannán mór faisnéise Riefenstahl, *Olympia*, ina dhá chuid: *Fest der Völker* (Féile na Náisiún) agus *Fest der Schönheit* (Féile na hÁilleachta).

I ndiaidh an Dara Cogadh Domhanda cuireadh Riefenstahl sa phríosún ar feadh tréimhse ghairid, sula gcuirfí ar a triail í faoin bpáirt a bhí aici i mbolscaireacht na Naitsithe. Tar éis a gabháil in Tyrol san Ostair in 1945, tugadh chuig ionad de chuid Arm na Stát Aontaithe in Dachau na Gearmáine í. Taispeánadh pictiúir di ansin a tógadh sna sluachampaí géibhinn. Shéan sí go láidir gur bhain sí leas as *giofóga as sluachampa géibhinn Maxglan mar aisteoirí breise ina scannán *Tiefland* (Ísealchríoch) in 1940. Níor cruthaíodh an chúis riamh, agus saoradh í. Cé gur glacadh leis i ndeireadh na dála nár bhall den Pháirtí Naitsíoch a bhí inti, dar lena lán daoine gur *thacaí de chuid an Pháirtí a bhí inti; mar gheall air sin coinníodh amach as tionscal na scannánaíochta í go ceann 20 bliain i ndiaidh an chogaidh.

Cailleadh í ar an 9 Meán Fómhair, 2003, i mbaile beag cois locha Pöcking sa Bhaváir. Bhí sí 101 bliain d'aois.

Is í an ealaín agus an cruthú *eithne mo bheatha, agus tógadh uaim iad. *Liodán de ráflaí agus de *chúisimh a bhí i mo shaol, agus bhí orm mo bhealach a radadh tríothu. Níor ligeadh cead dom cruthú ar feadh fiche bliain; ní raibh faic i mo shaol. Bhí mé marbh. Leni Riefenstahl.

---

cara rúin confidant • **frithfheimineach** anti-feminist • **uisce faoi thalamh** intrigue • **Tánaiste** Deputy
lárthéama central theme • **ar aire** at attention • **bláthfhleasc** wreath • **anaithnid** unknown • **puilpid** pulpit
giofóg gypsy • **tacaí** supporter • **eithne** core • **liodán** litany • **cúiseamh** accusation

3. An Preas agus an Raidió

Bhí dualgas ar eagarthóirí nuachtáin i mBeirlín freastal ar chruinnithe laethúla san *Aireacht Bolscaireachta, áit a n-insítí dóibh na nithe a bhí ceadaithe a chur i gcló agus na nithe nach raibh ceadaithe a chur i gcló. Dar le Dlí Preasa an *Reich* (Deireadh Fómhair 1934), 'ní mór do gach eagarthóir nuachtáin *saoránacht Ghearmánach a bheith aige, a bheith de shliocht Airianach, agus gan a bheith pósta le Giúdach.' Nuachtáin nár aontaigh leis na Naitsithe, dúnadh iad. I measc na nuachtán laethúil cáiliúil a dúnadh síos bhí *Berliner Tageblatt* (Irisleabhar Bheirlín).

Bhí Goebbels den tuairim go raibh an-tábhacht le craoltóireacht raidió chun bolscaireacht a dhéanamh. Sa bhliain 1933, ag taispeántas raidió, chuir sé *'**Glacadóir na nDaoine'** (glacadóir saor raidió) os comhair na ndaoine. Costas íseal a bhí air, sa tslí go mbeadh an pobal mór ag éisteacht leis an raidió.

I rith an Dara Cogadh Domhanda, d'fhorbair Goebbels seirbhís chraoltóireachta a bhí dírithe ar naimhde na Gearmáine. Ba é William Joyce an craoltóir ba cháiliúla a bhí aige, nó 'Lord Haw-Haw' mar ab fhearr aithne air i Sasana (lch 177).

Dearcadh Staraí ar an Stát Naitsíoch

Bhí a lán nithe faoin nGearmáin nua a chuaigh i bhfeidhm, a chuir mearbhall, agus a chuir imní, ar an eachtrannach. Is cosúil nár chuir sé isteach nó amach ar fhormhór mór na nGearmánach gur baineadh a saoirse phearsanta díobh, nó go raibh a saol agus a gcuid oibre faoi smacht níos daingne ná mar a bhí taithí acu air riamh roimhe sin (agus bhí seantaithí ag na Gearmánaigh ar an smacht).

Cinnte, bhí an Gestapo *agus an sluachampa géibhinn ann le scanradh a chur ar dhaoine nár aontaigh leis na Naitsithe. Ach sna blianta tosaigh, níor chuir sceimhle na Naitsithe isteach ar mhórán Gearmánach; bhíodh ionadh ar chuairteoir nua chun na tíre nár mhothaigh na Gearmánaigh go raibh siad á gcoinneáil faoi smacht ag deachtóireacht bhrúidiúil. A mhalairt a bhí ann, b'amhlaidh a bhí siad ag tacú leis an deachtóireacht go fonnmhar. Ar bhealach éigin thug sí dóchas agus muinín nua dóibh, chomh maith le hiontaoibh dhochreidte i dtodhchaí a dtíre.*

As ***The Rise and Fall of the Third Reich: A History of Nazi Germany*** le William L. Shirer, 1991.

An Aireacht Bolscaireachta Propaganda Ministry • **saoránacht** citizenship • **glacadóir** receiver

An Gnáthleibhéal

Déan staidéar ar an gcartún agus ansin freagair na ceisteanna thíos. In 1936 a foilsíodh an cartún seo, agus é á rá nach raibh mórán de thréithe an 'Chine Airianaigh' ag ceannairí na Naitsithe.

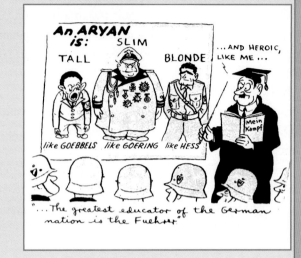

1. De réir an chartúin, céard iad na tréithe fisiceacha ba cheart a bheith ag ball den 'Chine Airianach'?

2. Cé hé an múinteoir sa chartún?

3. De réir an chartúin, cé hé an teagascóir is fearr atá ag na Gearmánaigh?

4. Cén post a bhí ag Goebbels sa Pháirtí Naitsíoch?

5. 'Is beag an baol go bhfoilseofaí an cartún seo sa Ghearmáin.' An aontaíonn tú leis an ráiteas sin? Cuir cúiseanna le do fhreagra.

Scríobh cuntas gairid faoi cheann acu seo a leanas:

1. An bholscaireacht i nGearmáin na Naitsithe.

2. Leni Riefenstahl.

3. Slógaí Nürnberg.

An tArdleibhéal

1. 'I rith na tréimhse idir 1933 agus 1939, rinne Hitler agus na Naitsithe stát *ollsmachtach *aonpháirtí den Ghearmáin.' É sin a phlé.

2. 'Coinníodh riailréim na Naitsithe ar bun trí úsáid chliste a bhaint as bolscaireacht éifeachtach.' É sin a phlé.

---

ollsmachtach totalitarian • **aonpháirtí** one-party

Ceisteanna bunaithe ar Dhoiciméid
An tArdleibhéal agus an Gnáthleibhéal

Ceisteanna bunaithe ar Chás-staidéar: 'Slógaí Nürnberg'

Déan staidéar ar Fhoinsí A-M ar leathanaigh 34 go 40, agus ansin freagair na ceisteanna thíos.

Triail Tuisceana

1. Dar le Hitler, i bhfoinse A, cad iad na buntáistí a bhaineann le cruinnithe ollmhóra a reáchtáil?

2. Déan cur síos ar iarracht Hitler a chur ina luí ar Arm na Gearmáine go raibh sé ag tacú leo, san óráid a thug sé ag Slógadh Nürnberg in 1933 (Foinse B).

3. De réir an Ghobharnóir Cúige, Adolf Wagner (Foinse C), cé chomh fada a mhairfeadh riailréim na Naitsithe?

4. I bhfoinse D, cén chaoi a léiríonn Hitler a fhuath do na Giúdaigh?

5. De réir Hitler, cén toradh a bheadh ag leathadh an Chumannachais ar Iarthar na hEorpa (Foinse E)?

6. Cad a cheap Herman Goering faoin tSeicslóvaic (Foinse F)?

7. Léigh cuntas na bhfinnéithe faoi Shlógaí Nürnberg (Foinsí H, I, J agus K). Déan cur síos gairid ar an bhfáilte a cuireadh roimh Hitler ag na slógaí sin.

8. De réir tuairisce in *Niederelbisches Tageblatt*, cé mhéad grúpa ceantair a d'fhreastail ar Shlógadh Nürnberg sa bhliain 1936 (Foinse J)?

9. Tar éis duit Foinsí H, I agus J a léamh, déan cur síos ar an úsáid a baineadh as bratacha agus solas ag Slógaí Nürnberg.

10. In intinn Henderson (Foinse I), cén ghné den charachtar Gearmánach ar baineadh leas aisti sa réabhlóid Naitsíoch, maidir le slógaí mar a bhí in Nürnberg a eagrú?

11. Cén fhianaise atá i bhFoinse K nach raibh teorainn ar bith airgid ar thógáil na mórstaide in Nürnberg?

12. Cén fhianaise atá i bhFoinse K go raibh Albert Speer faoi thionchar ailtireacht na Sean-Róimhe agus na Sean-Ghréige sa dearadh a rinne sé le haghaidh na staide in Nürnberg?

13. Cén chúis a thug Hitler maidir leis an airgead mór a bhí á chaitheamh ar staid ollmhór a thógáil in Nürnberg (Foinse L)?

14. De réir Hitler i bhFoinse M, cén leas a bhainfeadh na glúine de Ghearmánaigh ina dhiaidh sin as na foirgnimh in Nürnberg?

Comparáid

1. Cé chomh mór is a bhí Hitler (Foinse A) agus Sir Neville Henderson (Foinse I) ar aon tuairim maidir le leas na gcruinnithe ollmhóra?

2. Saoránach ón mBreatain a scríobh Foinse H nuair a bhí sé ina chónaí sa Ghearmáin; as nuachtán Gearmánach a tháinig Foinse J. Cén ceann acu is iontaofa, dar leat? Cuir cúiseanna le do fhreagra.

3. An aontaíonn na finnéithe i bhFoinsí H, I agus J gur imeacht iontach a bhí i Slógadh Nürnberg?

4. De réir Fhoinse I, cén chomparáid atá idir Slógadh Nürnberg agus Bailé Rúiseach i gCathair Pheadair?

5. Na cuntais fianaise ó shaoránaigh ón mBreatain i bhFoinsí H agus I, an dóigh leat go raibh siad chomh fabhrach do Shlógadh Nürnberg agus a bhí an cuntas sa nuachtán Gearmánach i bhFoinse J? Mínigh do fhreagra.

*Léirmheas

1. Cén fáth nach measfaí gur chuntas iomlán iontaofa ar na himeachtaí an tuairisc nuachtáin i bhFoinse J? Mínigh do fhreagra.

2. An bhfuil, dar leat, aon chlaonadh nó bolscaireacht i bhFoinse J?

3. Déan tagairt do na samplaí de *chiníochas, de chlaonadh agus de bholscaireacht atá i bhFoinsí D, E agus F.

4. Scríobh Albert Speer Foinse M le linn dó a bheith ag caitheamh 20 bliain i bpríosún Spandau i mBeirlín tar éis an Dara Cogadh Domhanda. An gceapann tú go bhfuil an cuntas a scríobh sé cóir agus cruinn? Mínigh do fhreagra.

5. Ón bhfianaise atá le fáil sna cuntais a thug na finnéithe (Foinsí G, H, I agus J), an gceapann tú nach raibh i Slógaí Nürnberg ach bolscaireacht ar son an Naitsíochais, nó an raibh aidhm eile leo? Mínigh do fhreagra.

Comhthéacsú

1. Cén bunús a bhí le Slógaí Nürnberg?

2. Cén tionchar a bhí ag Dlíthe Nürnberg, a fógraíodh ag slógadh na bliana 1935, ar Ghiúdaigh na Gearmáine?

3. An féidir forbairt pholasaí inmheánach agus eachtrach na Naitsithe a *rianú trí staidéar a dhéanamh ar shleachta as óráidí a tugadh ag Slógaí Nürnberg?

4. Seachas Slógaí Nürnberg, déan cur síos ar bhealach amháin eile a bhí ag na Naitsithe chun bolscaireacht a dhéanamh.

5. Cén fáth ar cheap *na Comhghuaillithe gur áit fheiliúnach é Nürnberg chun coirpigh cogaidh Naitsíocha a thriail ann, ag deireadh an Dara Cogadh Domhanda?

6. An aontaíonn tú leis an áit a roghnaigh siad? Mínigh do fhreagra.

---

léirmheas criticism • **ciníochas** racism • **rianaigh** trace • **Na Comhghuaillithe** The Allies

4 An Stát Cumannach: Leinín i gCumhacht

Réamhrá

I rith bhlianta tosaigh an fichiú haois, ba bheag forbairt a bhí déanta ar an Rúis. An *Sár Nioclás II – ceannaire *uathlathach – a bhí i gceannas. Teaghlach Nioclás II, na Romanovs, a rialaigh an Rúis le breis is 300 bliain. Cé go raibh Parlaimint Rúiseach *(Duma)* ann ón mbliain 1905, ní raibh cumhacht aici i ndáiríre.

Nuair a thosaigh an Chéad Chogadh Domhanda in 1914, bhí fíorthacaíocht ag an Sár mar gur leath an tírghrá ar fud na Rúise. Ina ainneoin sin, ba bhotún ollmhór ag an Sár é é féin a dhul i gceannas ar fhórsaí armáilte na Rúise sa bhliain 1915.

Go bunúsach, bhí todhchaí na Romanov mar rialtóirí na Rúise ag brath ar bhua nó teip Arm na Rúise sa chogadh. Cé gur throid na Rúisigh go cróga, ní raibh trealamh maith acu; uaireanta ní bhíodh ach uirlisí adhmaid feirmeoireachta acu agus iad ag dul chun troda. De réir mar a bhí líon na Rúiseach a bhí á marú, ag ardú bhí meas an phobail ar an Sár agus ar a theaghlach ag laghdú. Briseadh an Sár agus a theaghlach as cumhacht i mí Feabhra 1917 i réabhlóid a raibh tacaíocht leathan aici.

Tháinig Rialtas *Sealadach in ionad Riailréim an tSáir, agus bhí rún acu a bheith i gcumhacht go dtí go mbeadh toghchán ann. Níor thaitin sé leis an bpobal gur lean an Rialtas Sealadach ar aghaidh leis an gcogadh, agus nár thosaigh siad ar *chóras na talún a leasú. Chuir réabhlóid i mí Dheireadh Fómhair na bliana 1917 an Rialtas Sealadach as cumhacht, agus as sin tháinig Leinín[#] i gcumhacht agus bunaíodh an chéad tír Chumannach ar domhan.

*Uathlathaí:
Duine a bhfuil cumhacht iomlán aige nó aici.

Eochairphearsa: Leinín

Rugadh Vladimir Ilyich Ulyanov (Leinín) sa bhliain 1870 in Simbrisk sa Rúis. Leis an meánaicme a bhain a thuismitheoirí. B'inspioráid ag Leinín dearthair níos sine ná é, a cuireadh chun báis sa bhliain 1887 mar go ndearna sé iarracht an Sár Alastar III a *fheallmharú; d'éirigh sé an-pháirteach go deo i ngníomhaíochtaí réabhlóideacha rúnda. Bhain sé céim dhlí amach in 1893 in Ollscoil Chathair Pheadair. Cuireadh ar deoraíocht chuig an tSibéir é ón mbliain 1897 go 1900, agus b'ansin a scríobh sé a chéad mhórfhoilseachán, *The Development of Capitalism in Russia*. Nuair a saoradh é sa bhliain 1900, chuaigh sé go dtí an Eilvéis, áit ar bhunaigh sé an nuachtán Sóisialach *Iskra* (Spréach), agus a raibh sé ina eagarthóir air.

D'fhoilsigh Leinín an *tráchtas ba thábhachtaí dá chuid sa bhliain 1902, ar ar tugadh *What is to be Done?* Sa leabhar sin a bhí a chuid tuairimí faoin gcaoi a gcuirfí réabhlóid Shóisialach na n-oibrithe i gcrích. D'áitigh sé gur cheart d'*élite* beag *tiomanta dul i gceannas ar an *bprólatáireacht (aicme an lucht oibre) agus iad a threorú chuig réabhlóid Shóisialach.

Chreid Sóisialaithe eile go gcaithfeadh réabhlóid mheánaicmeach a bheith sa Rúis sula dtiocfadh réabhlóid lucht oibre a n-éireodh léi.

Sár Tsar • **uathlathach** autocratic • **uathlathaí** autocrat • **sealadach** provisional • **leasú chóras na talún** land reform • **feallmharaigh** assassinate • **tráchtas** treatise • **tiomanta** dedicated • **prólatáireacht** proletariat

Níor aontaigh Leinín leis an tuairim sin, agus tháinig scoilt ag Comhdháil an Pháirtí Shóisialta Dhaonlathaigh i Londain sa bhliain 1903. Scoilt an Páirtí ina dhá chuid: na Boilséivigh (an tromlach), agus na Meinséivigh (an mionlach). Chuaigh Leinín i gceannas ar na Boilséivigh.

D'fhill Leinín ar an Rúis ar feadh tamaillín in 1905. Bhí air dul ar imirce arís, áfach, de bharr nach raibh leasuithe tagtha i bhfeidhm de bharr nár éirigh le Réabhlóid 1905 i gcoinne riailréim an tSáir. Lean Leinín air ag forbairt agus ag foilsiú a chuid teoiricí polaitíochta thar lear. San fhoilseachán, *Imperialism, the Highest Stage of Capitalism* (1916), chuir sé an milleán ar an impiriúlachas gur thosaigh an cogadh. San Eoraip, is é a bhí san impiriúlachas ná seilbh ar

Leinín (1870-1924) i Moscó ag labhairt le lucht tacaíochta ar an gcéad *chuimhneachán ar Réabhlóid na Rúise 1917.

*choilíneachtaí Afracacha agus Áiseacha. Bhí Leinín de shíor ag áitiú go gcuirfí deireadh leis an gcogadh, rud a thug ar na Gearmánaigh an bealach a réiteach dó le filleadh ar an Rúis i mí Aibreáin na bliana 1917. Bhí na Gearmánaigh ag súil go n-éireodh le Leinín an Rúis a tharraingt as an gcogadh.

Sna *April Theses*, dúirt sé gur cheart deireadh a chur leis an gcogadh, agus an talamh a thabhairt do na tuathánaigh, agus an chumhacht ar fad do na *sóivéidí (coistí d'oibrithe). Chuaigh na hargóintí sin i bhfeidhm ar an mórphobal. Díbríodh Leinín ar deoraíocht an athuair nuair a theip ar *coup* i mí Iúil 1917. Chuaigh sé go dtí an Fhionlainn, áit ar scríobh sé *State and Revolution*, ina ndúirt sé gur deachtóireacht pháirtí a d'fheil sa Rúis. Bhí difríocht idir deachtóireacht pháirtí agus gnáthdheachtóireacht, mar gurbh iad an páirtí a bheadh i gceannas, ní duine amháin.

D'fhill Leinín ar an Rúis i mí Dheireadh Fómhair na bliana 1917 agus chuir sé tús le réabhlóid ar éirigh léi. Idir 1917–24 bhí ar Leinín agus na Boilséivigh a réabhlóid a chosaint ó ionsaithe ón taobh istigh den Rúis Shóivéadach, chomh maith le hionsaithe ón taobh amuigh. I rith na mblianta sin, leag siad síos an bonn freisin le haghaidh Aontas na bPoblachtaí Sóivéadacha Sóisialacha (APSS), an chéad stát Cumannach ar domhan.

Eochairchoincheap: An Cumannachas

Is é is Cumannachas ann ná an teagasc polaitiúil a d'fhorbair Karl Marx agus Friedrich Engels, scríbhneoirí polaitíochta de chuid an naoú haois déag. Is é a bhíonn i sochaí Chumannach ná sochaí ina mbíonn an ghníomhaíocht eacnamaíoch ar fad á stiúradh ag an bpobal agus ní ag daoine aonair. Ba chóir na *bealaí táirgeachta agus saibhris ar fad a bheith ag an bpobal. Níl aon úinéireacht phríobháideach ann. Is é an stát a bhíonn i gceannas ar thalamh, ar mhonarchana, ar bhainc, etc., ar son leas na ndaoine.

Bíonn páirtithe Cumannacha ann freisin, mar shampla Páirtí Cumannach na Rúise, a ghlac le teoiricí Marx agus a rinne iarracht iad a chur i bhfeidhm ina dtír féin.

---

cuimhneachán commemoration • **coilíneacht** colony • **sóivéid** soviet
bealaí táirgeachta means of production

An Deachtóireacht Chumannach

Ba é aidhm Leinín ná eagar nua polaitíochta a chruthú sa Rúis. Bhí 'deachtóireacht na prólatáireachta (an lucht oibre)' le cur in ionad an Daonlathais.

Ó d'éirigh le Réabhlóid Bhoilséiveach Leinín i mí Dheireadh Fómhair 1917, thug sé faoi rialtas a chur le chéile. Ar an 15 Samhain 1917, reáchtáladh toghcháin chun *Tionól Bunreachta (Parlaimint) nua a bhunú. As an 707 *teachta a toghadh, ba bhaill de na Réabhlóidithe Sóisialacha 380 acu agus ba bhaill de na Boilséivigh 175 acu. Sna bailte agus sna cathracha tionsclaíocha a fuair an Páirtí Boilséiveach a dtacaíocht; ba pháirtí tuaithe, ar an gcuid ba mhó de, na Réabhlóidithe Sóisialacha, agus b'fheirmeoirí bochta a thug tacaíocht dóibh. Dhiúltaigh Leinín glacadh le toradh an toghcháin agus *scoir sé an Tionól ar an 6 Eanáir 1918. Cúpla lá ina dhiaidh sin, fógraíodh gurb iad Comhdháil na Sóivéidí (ionadaithe ó shóivéidí cathrach agus sráidbhaile) an chumhacht ab airde sa Rúis.

> ***Frithréabhlóidí:**
> Duine atá i gcoinne na réabhlóide is déanaí.

An Bunreacht

Aontaíodh ar bhunreacht nua i mí Iúil 1918. Bhunaigh sé an Rúis mar Phoblacht Shóivéadach Fheidearálach Shóisialach. *Dílsíodh an chumhacht ar fad i gComhdháil Shóivéidí na hUile-Rúise. Thogh an Chomhdháil sin Coiste Feidhmiúcháin de thart ar 200 ball, agus ansin cheap an Coiste sin *Comhairle Choimeasáir na bPobal (Airí Rialtais). An Páirtí Boilséiveach (an Páirtí Cumannach a bhí air anois) a bhí i gceannas ar an gComhairle, rud a d'fhág smacht acu ar an Rúis.

Ón am sin ar aghaidh ní raibh ach páirtí amháin le bheith ann, i.e. an Páirtí Cumannach. Ba fhrithréabhlóidithe na páirtithe eile ar fad, dar leo. Ag an *Politburo* (lárchoiste an Pháirtí Chumannaigh) a bhí an fhíorchumhacht pholaitiúil anois.

An *Cheka*

Bunaíodh an chéad eagraíocht slándála de chuid an stáit Shóivéadaigh, an *Vecheka* (An Coimisiún Urghnách Uile-Rúise chun Frithréabhlóid agus Sabaitéireacht a Throid), nó an *Cheka*, mar ab fhearr aithne air, i mí na Nollag 1917. Ba é Felix Dzerzhinsky a bhí i gceannas ar an bhfórsa nua rúnda póilíneachta sin. Ba é tasc an *Cheka* ná aon duine a cháin an Páirtí Cumannach a aimsiú agus a scriosadh. Bhí frithréabhlóidithe, eagarthóirí nuachtán agus liobrálaithe thíos leis an *Cheka*. Na *seansrianta a bhí ar na daoine le linn riailréim an tSáir, leanadh díobh, agus tugadh a lán srianta nua isteach. Chuir an *Cheka* breis is 140,000 duine chun báis idir 1918 agus 1922; *'an Sceimhle Dhearg'* a tugadh air sin.

▲
Felix Dzerzhinsky (1877-1926), ceannaire Phóilíní Rúnda an *Cheka*.

---

tionól bunreachta constituent assembly • **teachta** deputy • **scoir** dissolve
frithréabhlóidí counter-revolutionary • **dílsigh** vest • **Comhairle Choimeasáir na bPobal** Council of
Peoples' Commissars • **srian** restriction • **An Sceimhle Dhearg** The Red Terror

Leasuithe Leinín

I mblianta tosaigh riail na gCumannaithe, d'eisigh Leinín sraith *d'fhoraitheanta leasúcháin (dlíthe) chun an Rúis a athrú ina sochaí Chumannach:

- Tugadh isteach lá oibre ocht n-uaire an chloig le haghaidh oibrithe tionsclaíocha. Thogh na hoibrithe coistí monarchan ag a raibh an-chumhacht ar fad.

- Chuir *'Foraithne Talún' Leinín deireadh le húinéireacht phríobháideach ar thalamh. *Athdháileadh an talamh gan cúiteamh ar bith a thabhairt do dhaoine.

- Tugadh an vóta do mhná agus tugadh *ráthaíocht go mbeadh *cothroime inscní ann.

- Tugadh isteach an saoroideachas don uile dhuine, agus cuireadh tús le feachtas mór chun dul i ngleic leis an *neamhlitearthacht i measc daoine fásta.

- Cuireadh deireadh leis na *céimíochtaí agus na *teidil ar fad.

- Rinneadh éigeantach an pósadh sibhialta.

In ainneoin na leasuithe sin, a rinne roinnt níos fearr ar an saibhreas sa Rúis, bhí méadú ag teacht fós ar an líon daoine a bhí ag cur in aghaidh an Chumannachais.

▲ Trotscaí (ar clé) taobh le traein *armúrtha. Chinntigh a cheannaireacht chliste ar an Arm Dearg gur ag na Cumannaithe a bhí an bua i gCogadh Cathartha na Rúise, 1918-20.

Cur in aghaidh an Chumannachais

De bharr gur le lámh láidir a tháinig na Cumannaithe i gcumhacht, agus nach raibh siad sásta glacadh le toradh thoghchán na bliana 1917, thosaigh daoine ag cur in aghaidh na deachtóireachta Cumannaí taobh istigh den Rúis. Idir na blianta 1918-20 bhí cogadh cathartha nimhneach sa Rúis. Bhí na 'Rúisigh Bhána' ag iarraidh an Páirtí Cumannach a chur as cumhacht; bhí baill de na Réabhlóidithe Sóisialacha, liobrálaithe agus grúpaí náisiúnacha (a raibh mar aidhm acu briseadh leis an Rúis), agus iar-oifigigh de chuid Arm an tSáir, sna 'Rúisigh Bhána'. Ach, bhí a lán deighilte, easaontais, agus easpa comhordaithe i measc cheannairí 'na *mBánach'. Níor throid siad riamh ina n-aonad, mar go raibh a *agenda* féin ag gach ceannaire. Bhí cuid acu ag iarraidh an Sár a thabhairt ar ais, agus cuid eile acu ag iarraidh go mbeadh an Tionól Bunreachta ann arís.

Os a choinne sin, bhí 'an tArm Dearg' (fórsaí an Rialtais) aontaithe faoi cheannaireacht Leon Trotscaí. Faoi lár 1920 bhí an líon ball san Arm Dearg méadaithe go 3·5 milliún duine. Ba mhór an cuidiú *ginias oirbheartaíochta Throtscaí i mbua an Airm Dheirg sa Chogadh Cathartha ag deireadh 1920.

---

foraithne leasúcháin reforming decree • **foraithne talún** decree on land • **athdháil** redistribute **ráthaíocht** guarantee • **cothroime inscní** gender equality • **neamhlitearthacht** illiteracy • **céimíocht** rank **teideal** title • **Bánach** White (Russian) • **armúrtha** armoured • **ginias oirbheartaíochta** tactical genius

Deacrachtaí Eacnamaíocha

Faoin mbliain 1921, bhí an tóin ar tí titim as geilleagar na Rúise, mar gheall ar an gCogadh Cathartha, agus ar pholasaí '**Cumannachas Cogaidh**' Leinín. Téarma é 'Cumannachas Cogaidh' chun cur síos a dhéanamh ar *bhearta éigeandála eacnamaíochta a thug Leinín isteach le linn an Chogaidh Chathartha (lch 159). I gceantair thuaithe, bhí an grán ar fad le tabhairt don stát. Chuaigh fórsaí an Rialtais isteach i mbailte chun barra agus beostoc a thógáil, agus uaireanta ba bheag a d'fhág siad ina ndiaidh chun freastal ar riachtanais na dtuathánach féin. B'fhuath leis na tuathánaigh na bearta sin, agus laghdaigh siad ar an méid a bhí siad a chur, agus chuir a gcuid *barr i bhfolach. Chuir siad go láidir in aghaidh iarrachtaí an Airm Dheirg agus an *Cheka* bia a thógáil le lámh láidir. Tháinig gorta mar thoradh air sin, agus bhí cúrsaí níos measa fós de bharr *triomach mór i rith na tréimhse 1920-21. Theith daoine as an tuath ar thóir bia sna cathracha. Bhí *corraíl ar fud na háite, agus ba i *mbunáit chabhlaigh Kronstadt ba mheasa an chorraíl, i mí an Mhárta 1921.

Nóta!

Tá eolas níos mine i gCaibidil 11 faoi gheilleagar na Rúise faoi riail Leinín.

Éirí Amach Kronstadt, Márta 1921

Na mairnéalaigh a bhí i mbunáit chabhlaigh Kronstadt, bhí siad i measc an lucht tacaíochta ab fhearr a bhí ag Réabhlóid 1917. *Daingean cabhlaigh, ar oileán i Murascaill na Fionlainne, ba ea Kronstadt. Le fada roimhe sin, ba bhunáit é ag cuid de Chabhlach na Rúise chun na bealaí isteach go dtí Cathair Pheadair a chosaint. Ach faoin mbliain 1921, bhí na mairnéalaigh tinn tuirseach de neamhthrócaire dheachtóireacht na gCumannaithe. D'eagraigh siad ceann de na léirsithe ab éifeachtaí i gcoinne smacht na gCumannaithe, i mí an Mhárta 1921. D'éiligh siad go gcuirfí deireadh le deachtóireacht an Pháirtí Chumannaigh. Theastaigh uathu go mbeadh saorthoghcháin ann, saoirse cainte, agus an ceart ag na páirtithe sóisialacha ar fad a bheith páirteach sa rialtas. Tá cur síos ar chuid dá gcuid gearán sa sliocht thíos, as paimfléad dar teideal *Cén fáth a bhfuilimid ag Troid?*, a d'fhoilsigh Coiste Sealadach Réabhlóideach Kronstadt, 8 Márta, 1921:

An corrán agus an casúr, comhartha an Pháirtí Chumannaigh.

---

*In ionad chomharthaí glórmhara na n-oibrithe agus na dtuathánach – an *corrán agus an casúr – is iad an *bheaignit, agus an fhuinneog a bhfuil *sreang dheilgneach uirthi, atá roghnaithe ag na húdaráis Chumannacha ar mhaithe le saol suaimhneach, bog *mhaorlathas nua na *gcoimeasár agus na bhfeidhmeannach Cumannach a chaomhnú.*

*Nuair a dhéanann tuathánaigh agóid le héirí amach neamhphleanáilte, agus nuair a bhíonn ar oibrithe dul ar stailc mar gheall ar a ainnise is atá a saol, is é an freagra a bhíonn acu ná na sluaite a chur chun báis i *gcíocras fola. Níor mheasa Ginearáil an tSáir ná iad.*

*Leis an slad seo ar fad, tá na Cumannaithe ag scrios na ngeallltanas iontach, glórmhar agus na *sluán ar fad a bhain le réabhlóid an lucht oibre.*

Ní féidir a bheith neodrach. Bua nó bás!

Ar an 15 Márta, 1921, thug Trotscaí *rabhadh do na mairnéalaigh agus do na hoibrithe in Kronstadt, ag éileamh go gcuirfidís deireadh lena n-éirí amach láithreach. Nuair nach

---

beart measure • **barr** crop • **triomach** drought • **corraíl** disturbance • **bunáit chabhlaigh** naval base
daingean fortress • **corrán** sickle • **beaignit** bayonet • **sreang dheilgneach** barbed wire
maorlathas bureaucracy • **coimeasár** commissar • **cíocras fola** bloodthirstiness • **sluán** slogan
rabhadh warning

ndearna siad é sin, rinne an tArm Dearg ionsaí ar an mbunáit agus cuireadh deireadh fíorfhuilteach leis an éirí amach. Sa sliocht thíos, tá cur síos ag ginearál de chuid an Airm Dheirg ar an mbealach ar throid na mairnéalaigh go *bun an angair:

> *Throid na mairnéalaigh mar a bheadh ainmhithe *allta ann. Ní thuigim cárbh as ar tháinig an fhearg ar fad. Gach teach ina raibh siad, bhí orainne ionsaí fíochmhar a dhéanamh air. Throid *complacht uile ar feadh uair an chloig chun teach amháin a ghabháil, agus nuair a ghabh siad an teach ní raibh ann ach beirt nó triúr saighdiúir a raibh meaisínghunna amháin acu.*

Rabhadh do Leinín a bhí in Éirí Amach Kronstadt. Thuig sé go raibh an t-am tagtha chun comhréiteach a dhéanamh, á rá gur 'léirigh Kronstadt an chaoi ina raibh cúrsaí i ndáiríre'. Mar sin, thug Leinín cúl don Chumannachas Cogaidh agus chuir tús leis an bPolasaí Nua Eacnamaíoch (PEC, lch 160). Faoin bpolasaí sin, cuireadh deireadh le gabháil *éigeantach an ghráin. Bhí ar thuathánaigh cáin a íoc ar bhia, ach bhí cead acu a *mbarrachas gráin a dhíol.

An *Chos ar Bolg ag leanúint ar aghaidh

Cé gur tharraing Leinín siar maidir le cúrsaí eacnamaíocha, ní dhearna sé amhlaidh le cúrsaí polaitíochta. Tháinig smacht níos déine taobh istigh den Pháirtí, mar thoradh ar an bPolasaí Nua Eacnamaíoch (PNE). Ag Deichiú Comhdháil an Pháirtí i mí an Mhárta 1921, d'fhógair Leinín go raibh deireadh le deighilt laistigh den Pháirtí Cumannach: bhí deireadh le cur le díospóireacht pholaitiúil laistigh den pháirtí:

> *Bhaineamar sásamh sócúil as ár ndíospóireachtaí agus as ár n-aighnis. Ciallaíonn plé aighneas; ciallaíonn aighneas achrann; ciallaíonn achrann go bhfuil na Cumannaithe éirithe lag.*

Tar éis Dheichiú Comhdháil an Pháirtí, méadaíodh ar an gcinsireacht, agus mhéadaigh an líon campaí príosúin polaitiúla ó 84 in 1920 go dtí 315 in 1923.

An Eaglais *Cheartchreidmheach

Rinneadh ionsaí fíochmhar ar Eaglais Cheartchreidmheach na Rúise le linn cheannaireacht Leinín. Cuireadh cosc ar mhúineadh reiligiúin do dhuine ar bith faoi 18 mbliana d'aois in 1921. D'eisigh an **Komsomol** (*Ógra na gCumannaithe), a bunaíodh in 1918, paimfléid ag moladh an *aindiachais (gan chreideamh). Cuireadh cosc ar sheirbhísí reiligiúin. *Creachadh agus rinneadh slad ar shéipéil, agus rinneadh iarsmalanna díobh. Ghlac an stát seilbh ar thalamh eaglaise, agus cuireadh a lán de cheannairí na hEaglaise Ceartchreidmhí sa phríosún, ina measc Ceann Eaglais Cheartchreidmheach na Rúise, an *Paitriarc Tikhon.

---

bun an angair bitter end • **allta** wild • **complacht** company • **éigeantach** compulsory
barrachas surplus • **cos ar bolg** oppression • **ceartchreidmheach** orthodox
Ógra na gCumannaithe Communist Youth Movement • **aindiachas** atheism • **creachadh** looting
paitriarc patriarch

Zhenotdel (Biúró na mBan)

Bunaíodh *Zhenotdel*, Biúró Ban an Pháirtí Chumannaigh, sa bhliain 1920 chun mná a spreagadh chun páirt níos gníomhaí a bheith acu i saol polaitiúil agus eacnamaíoch na tíre. Aleksandra Kollontai, dlúthchara le Leinín, an chéad stiúrthóir a bhí ar an mBiúró. Thugadh cigirí an Bhiúró cuairt ar mhonarchana chun a chinntiú go rabhthas ag cur i bhfeidhm dlíthe chun cearta na mban a chosaint. Éascaíodh an colscaradh, agus cuireadh an fhrithghiniúint agus an ginmhilleadh ar fáil do chách go héasca. Níor spreagadh daoine le pósadh, mar gurbh é tuairim an Pháirtí gur nós meánaicmeach a bhí ansin.

An Bunreacht Sóivéadach, 1923

Sa bhliain 1923, bhunaigh bunreacht nua *Aontas na bPoblachtaí Sóivéadacha Sóisialacha (**APSS** nó An tAontas Sóivéadach). Córas feidearálach a bhí ann ina raibh ceithre Phoblacht: an Rúis (Poblacht Shóivéadach Fheidearálach Shóisialach na Rúise), an Bhílearúis, *an Traschugais agus an Úcráin. Cé go raibh féinrialtas áirithe ag gach Poblacht, bhí nasc acu ar fad le Moscó tríd an bPáirtí Cumannach agus *Comhdháil Shóivéidí an Uile-Aontais.

*Tiomna Deireanach Leinín

I mí Iúil 1918, lámhach Dora Kaplan, ball den Pháirtí Réabhlóideach Sóisialach, Leinín. Cé gur tháinig sé slán as an ionsaí, a d'fhág dhá philéar ann, níor tháinig sé chuige féin i gceart ina dhiaidh sin. In 1922 tháinig stróc air, rud a chuir deireadh lena *rannpháirtíocht laethúil sa Rialtas.

Bhí imní ar Leinín nach raibh an bás i bhfad uaidh, agus i mí na Nollag, 1923 scríobh sé a 'Thiomna Deireanach'. Sa 'Tiomna Deireanach' chaith sé súil siar ar na nithe a bhain sé amach, agus scríobh síos a chuid smaointe faoi thodhchaí an Aontais Shóivéadaigh. Bhí imní air mar gheall ar an todhchaí mar gur chreid sé go raibh *maorlathas (státseirbhís), a bhí ag fás, ag plúchadh an tseanspioraid réabhlóidigh. Ba bheag muinín a bhí aige i gcumas a chuid Airí Rialtais féin teacht ina ionad. Cháin sé na príomhdhaoine ar fad (féach Ceisteanna Bunaithe ar Dhoiciméid, lch 55). Sa 'Tiomna' cháin sé Grigori Zinoviev agus Lev Kamenev mar gur chuir siad beirt in aghaidh na bpleananna a bhí ann do Réabhlóid Dheireadh Fómhair 1917. Bhí an tuairim aige go raibh Nikolai Bukharin ró-óg agus ró-acadúil. Cé go raibh meas ag Leinín ar chumas Throtscaí mar eagraí, cheap sé go raibh sé *sotalach, *ceartaiseach, agus nach raibh ar a chumas oibriú i gcomhar le daoine eile.

Leinín agus Stailín. Bhain Stailín leas as an bpictiúr seo chun a dhlúthchairdeas le Leinín a léiriú; ach, is grianghraf bréige é.

Aontas na bPoblachtaí Sóivéadacha Sóisialacha (APSS) Union of Soviet Socialist Republics (USSR)
An Traschugais Transcaucasia • **Comhdháil Shóivéidí an Uile-Aontais** All-Union Congress of Soviets
tiomna testament • **rannpháirtíocht** participation • **maorlathas** bureaucracy • **sotalach** arrogant
ceartaiseach self-righteous

53

Ach, ba é Ard-Rúnaí an Pháirtí Chumannaigh, Josef Stailín[#] (Caibidil 5), ba mhó a cháin sé. Chreid Leinín go raibh Stailín garbh agus go raibh an iomarca suime aige sa chumhacht. Mhol Leinín go mbrisfí Stailín as a phost.

Bás Leinín

Fuair Leinín bás ar an 21 Eanáir 1924. Mar chomhartha ómóis dó, *balsamaíodh (caomhnaíodh) a chorp agus cuireadh é i *másailéam sa Chearnóg Dhearg. Faoi cheannaireacht ábalta Leinín, neartaigh na Boilséivigh a gcumhacht, agus d'éirigh leo fanacht i gcumhacht i ré achrannach. Cé go raibh an stát Cumannach brúidiúil, thug rialtas Leinín roinnt feabhsuithe fiúntacha isteach. Cuireadh deireadh le dífhostaíocht, tháinig feabhas ar choinníollacha oibre na monarchana, agus cuireadh oideachas ar fáil do na páistí ar fad. In ainneoin theoiricí agus scríbhinní ar fad Leinín, ba *phragmatach (duine réalaíoch) a bhí ann a bhí sásta teoiricí an tSóisialachais a chur in oiriúint don saol sa Rúis.

Dhá Dhearcadh ar Leinín

Gníomhaíocht

An aontaíonn tú le ceachtar den dá dhearcadh sin? Cén fáth?

Ba é an rud ba mheasa a tharla dóibh (na Rúisigh) *ná gur rugadh Leinín, agus ba é an dara rud ba mheasa a tharla dóibh ná go bhfuair sé bás.*

Winston Churchill[#], Polaiteoir Briotanach, a bhí ina Phríomh-Aire ina dhiaidh sin

Rinne Leinín níos mó ná aon cheannaire polaitíochta eile chun saol an fichiú haois a athrú. Leinín a chruthaigh an Rúis Shóivéadach agus a thug slán í. Fear an-mhór a bhí ann, agus – in ainneoin a chuid lochtanna – fear sármhaith.

A.J.P. Taylor, staraí

? Ceisteanna

An Gnáthleibhéal

Scríobh cuntas gairid ar bhaint Leinín le cúrsaí na Rúise, ag úsáid dhá cheann de na teidil thíos:

1. Leasuithe Leinín.

2. Éirí Amach Kronstadt in 1921.

3. 'Tiomna' Leinín.

---

balsamaigh embalm • **másailéam** mausoleum • **pragmatach** pragmatist

An tArdleibhéal

1. Déan cur síos ar láimhseáil Leinín ar chúrsaí na Rúise i rith na tréimhse 1920-24.

2. 'Faoin am ar cailleadh é in 1924, bhí dul chun cinn suntasach déanta ag Leinín chun an Rúis a athrú ina stát sóisialach.' É sin a phlé.

Ceisteanna bunaithe ar Dhoiciméid
An tArdleibhéal agus an Gnáthleibhéal

Léigh an doiciméad thíos, a tógadh as 'Tiomna Deireanach' Leinín, agus freagair na ceisteanna:

Tá cumhacht ollmhór gafa chuige féin ag ár gComrádaí Stailín ó ceapadh ina Ard-Rúnaí é; agus nílim cinnte go mbíonn a fhios aige i gcónaí conas an chumhacht sin a úsáid go cúramach. Ar an taobh eile, ní hamháin go bhfuil ainm ár gComrádaí Trotscaí in airde mar gheall ar a chumas iontach – ceapaim féin gurb é an fear is cumasaí é atá ar an Lárchoiste faoi láthair – ach mar gheall freisin ar a *fhéinmhuinín rómhór agus a chlaonadh a bheith róthógtha le taobh an riaracháin den obair.

D'fhéadfadh tréithe sin an dá cheannaire is ábalta ar an Lárchoiste *reatha scoilt a chruthú; mura ndéanann ár bPáirtí beart chun an scoilt a chosc, d'fhéadfadh sí teacht gan choinne. Ní dhéanfaidh mé cur síos ar na baill eile den Lárchoiste ó thaobh a dtréithe pearsanta. Ní dhéanfaidh mé ach a chur i gcuimhne duit nach timpiste a bhí san eachtra a tharla i mí Dheireadh Fómhair le Zinoviev agus Kamenev, agus nár cheart é a úsáid ina gcoinne ach oiread le neamh-Bhoilséiveachas Throtscaí.

Tá Stailín ró-mhíbhéasach, agus cé go bhfuil sé sin inghlactha go hiomlán i measc na gCumannaithe, níl sé inghlactha mar Ard-Rúnaí. Molaim do na comrádaithe teacht ar bhealach chun Stailín a bhriseadh as an bpost sin agus fear eile a cheapadh ann a bheadh níos fearr ná Stailín sna tréithe seo: foighne, dílseacht, béasa, *airdeall ar chomrádaithe, agus gan a bheith chomh *guagach (*athraitheach) le Stailín.

1. Dar le Leinín, cén chaoi ar bhain Stailín mí-úsáid as a chumhacht ó ceapadh ina Ard-Rúnaí ar an bPáirtí é?

2. Cad é 'cumas iontach' Throtscaí?

3. Cad iad na nithe a bhfuil imní ar Leinín fúthu maidir le ceannaireacht an Pháirtí sa todhchaí?

4. Cad a mholann Leinín maidir le ról Stailín sa Pháirtí?

---

féinmhuinín self-confidence • **reatha** current • **airdeall** attentiveness • **guagach** fickle
athraitheach changeable

5 Stát Stailín

Eochairphearsa: Stailín

Rugadh Stailín mar Iosif (Seosamh) Vissarionovich Dzhugashvili in Georgia sa bhliain 1879. Bhí sé ar an mbeagán Boilséiveach a tháinig as cúlra fíorlucht oibre. Gréasaí ba ea a athair. Theastaigh óna mháthair go mbeadh sé ina shagart, agus sa bhliain 1894 chuaigh sé isteach i gcoláiste sagartachta in Tiflis. Caitheadh Stailín amach as an gcoláiste sa bhliain 1899 mar go raibh sé ag *craobhscaoileadh teoiricí Marxacha (smaointe a chuir Karl Marx chun cinn). Sa bhliain 1904 chuaigh sé isteach sa Pháirtí Boilséiveach mar bhall gníomhach, agus thug sé an *códainm 'Stailín' (fear na cruach) air féin. D'eagraigh sé robálacha bainc agus tithe *cearrbhachais chun airgead a bhailiú don Pháirtí. Níorbh fhada gur thug Leinín faoi deara é, agus in 1912 rinneadh ball de Lárchoiste an Pháirtí de.

Ní raibh ach páirt bheag ag Stailín i Réabhlóid 1917, ach bhain sé cáil amach dó féin ina dhiaidh sin mar cheannaire míleata le linn Chogadh Cathartha na Rúise. Ba é a bhí i gceannas ar chosaint Tsaritsyn; ina dhiaidh sin, tugadh an t-ainm Stalingrad ar Tsaritsyn ina onóir.

Stailín (1879-1953), an deachtóir Sóivéadach.

I mblianta tosaigh Rialtas na mBoilséiveach, cuireadh Stailín i gceannas ar chuid de na buntascanna a bhí le déanamh, agus baisteadh an leasainm 'An *Dusma Mór' air mar gheall air sin. Ach faoi 1922, bhí sé ina Ard-Rúnaí ar an bPáirtí. Bhain Stailín leas as an gceapachán sin chun postanna móra sa Rialtas a thabhairt do lucht leanúna a bhí dílis dó féin. Rinne sé é sin mar gur cheap sé go ndéanfadh daoine eile iarracht ceannas a fháil ar an bPáirtí i ndiaidh bhás Leinín. Chruthaigh sé *maorlathas Páirtí a bhí dílis go hiomlán dó féin.

Chuir *uaillmhian neamhthrócaireach Stailín imní mhór ar Leinín. Ina 'Thiomna' in 1923, dúirt Leinín gur cheart Stailín a bhriseadh as a phost (lch 55).

Ach ní dhearna Leinín rogha shoiléir, ina 'Thiomna', faoin gceannaireacht. Cé gur mhol sé cumas Throtscaí mar eagraí, d'aithin sé na lochtanna a bhí air freisin. Bhíodh deacrachtaí ag daoine oibriú i dteannta Throtscaí mar gheall go raibh sé borb agus *ceartaiseach.

---

craobhscaoil disseminate • **códainm** codename • **cearrbhachas** gambling • **dusma** blur
maorlathas bureaucracy • **uaillmhian** ambition • **ceartaiseach** self-righteous

*Coimhlint Cumhachta

Nuair a fuair Leinín bás in Eanáir na bliana 1924 níor léir cé a thiocfadh i *gcomharbas air. Bhí buntáiste ag Stailín, ar chúpla cúis. Ní raibh mórán cairde ag Trotscaí sa Pháirtí Cumannach. Ní raibh muinín iomlán ag daoine ann mar gur bhall de na *Meinséivigh a bhí ann go dtí 1917. Chreid Trotscaí i dteoiric na *Buanréabhlóide', agus gur cheart don Aontas Sóivéadach éirí amach cumannach a spreagadh i dtíortha caipitleacha. Dúirt Stailín nach raibh mórán tacaíochta ag éirithe amach den chineál sin agus gur theip orthu cheana féin sa Ghearmáin agus san Ungáir in 1919. Bhí eagla air go dtarraingeodh gníomhaíocht mar sin an tAontas Sóivéadach isteach i gcogaí thar lear – cogaí nach raibh siad réidh lena n-aghaidh. Ar an lámh eile, chreid Stailín sa **'Sóisialachas in aon Tír Amháin'**. Bheadh ar an Aontas Sóivéadach a chumhacht a neartú agus forbairt ina thír mhór thionsclaíoch sula rachadh sé i mbun *crosáid chumannach thar lear. B'fhearr i bhfad a thaitin polasaí Stailín le pobal na Rúise mar go raibh siad tinn tuirseach de chogadh agus de réabhlóid.

Bhí a lán naimhde ag Trotscaí mar go raibh sé *sotalach, agus chreid ceannairí eile Boilséiveacha go gcruthódh sé deachtóireacht dá dtiocfadh sé i gcumhacht. Ar an gcúis sin, tháinig *triúracht, nó *comhcheannaireacht, de Stailín, Kamenev agus Zinoviev, chun cinn. Baineadh ceannaireacht an Airm Dheirg de Throtscaí sa bhliain 1925, agus cuireadh ar *deoraíocht é go Alma Ata i Lár na hÁise sa bhliain 1928; bliain ina dhiaidh sin, díbríodh as an Aontas Sóivéadach ar fad é. Ar deireadh thiar thall, chuir sé faoi i Meicsiceo, áit ar dhúnmharaigh gníomhaire de chuid Stailín é sa bhliain 1940.

Agus Trotscaí curtha ar leataobh, thug Stailín faoi Zinoviev agus faoi Kamenev. Ba é an polasaí a bhí aige ná *'scar is treascair'. Tharraing Stailín *míchlú orthu, duine ar dhuine; faoin mbliain 1928 bhí an ceann is fearr faighte aige ar a naimhde ar fad agus ba é ceannaire an Aontais Shóivéadaigh é, gan cur ina choinne.

Stailín i gCumhacht

Stát *Ollsmachtach

Ó 1928 ar aghaidh, ba ag neartú a bhí smacht Stailín ar an Aontas Sóivéadach. Nascadh an **NKVD** (*'An Daonchoimeasáracht Gnóthaí Baile' nó 'An Coimisiún Gnóthaí Baile') leis an *Cheka* in 1934 chun **NKVD** nua le haghaidh an Aontais uile a chruthú, ar fhórsa póilíní rúnda a bhí ann. Ba é an ról a bhí acu dul ar thóir gníomhaíocht ar bith i gcoinne Stailín, agus deireadh a chur léi. Níor thug an **NKVD** aird ar an dlí, agus chuir siad na milliúin daoine go dtí campaí oibre *(gulag)*. Fuair breis is dhá mhilliún duine bás sna campaí sin mar gheall ar chruatan, ocras agus galar.

Tugadh an tArm faoi dhiansmacht an Pháirtí. D'oibrigh ceannasaithe míleata i gcomhar le comhairleoirí polaitiúla an Pháirtí Chumannaigh. Cuireadh dianchinsireacht i bhfeidhm ar na meáin. Cé go raibh cead ag gach duine fásta vóta a chaitheamh, ní raibh cead ach ag baill den Pháirtí Cumannach seasamh i dtoghchán. Ní hionann is riailréim Leinín, ina raibh glacadh le méid áirithe díospóireachta taobh istigh den Pháirtí Cumannach, duine amháin a bhí i gceannas i stát Stailín. Ó 1928 go dtí go bhfuair Stailín bás sa bhliain 1953, chuir sé a thoil féin i bhfeidhm ar shaoránaigh an Aontais Shóivéadaigh.

> **Nóta!**
>
> *Déanfar cur síos ar pholasaithe eacnamaíocha Stailín i gCaibidil 11.*

coimhlint cumhachta power struggle • **comharbas** succession • **Meinséiveach** Menshevik
Buanréabhlóid Permanent Revolution • **crosáid** crusade • **sotalach** arrogant • **triúracht** triumvirate
comhcheannaireacht collective leadership • **deoraíocht** exile • **scar is treascair** divide and conquer
míchlú ill-repute • **ollsmachtach** totalitarian • **An Daonchoimeasáracht Gnóthaí Baile** People's Commissariat for Interior Affairs

57

Cás-staidéar:
Na *Seóthrialacha, 1936–38

Ar dtús, b'orthusan a bhí lasmuigh den Pháirtí a bhí an chos ar bolg á díriú. Níorbh fhada, áfach, go raibh sí á díriú ar dhaoine laistigh den Pháirtí Cumannach nach raibh iontaoibh ag Stailín astu, nó ar *ábhar iomaitheoirí iad dá cheannaireacht. Sna blianta 1934–38, aon duine a cheap Stailín nach raibh dílis dó, chuir sé as post cumhachtach é/í (*purgú). An t-am ba mheasa na purguithe sin ná le linn sraith 'Seóthrialacha' ó 1936 go dtí 1938. Is é is seóthriail ann ná triail a chuireann rialtais ollsmachtacha ar siúl ar mhaithe le cúiseanna polaitiúla. Ní hí an fhírinne a bhíonn uathu; is amhlaidh a bhíonn siad ag iarraidh *bob a bhualadh ar an bpobal agus ar *bhreathnóirí eachtracha, go bhfuil na daoine a ndeir an stát fúthu gur naimhde don stát iad, go bhfuil na daoine sin ciontach.

Na Purguithe Móra

Cé go ndearnadh purguithe sa Pháirtí Boilséiveach sna 1920idí, bhí 'Purguithe Móra' na dtríochaidí i bhfad níos déine.

Seo a leanas na cúiseanna a bhí leis na purguithe:

1. Deireadh a chur le daoine a d'fhéadfadh cur i gcoinne riailréim Stailín, leithéidí na ndaoine a thacaigh le Trotscaí, nó na 'Sean-Bhoilséivigh' a bhain le riail Leinín.

2. Sláinte mheabhrach Stailín; bhíodh an pharanóia (faitíos gan bhunús) ag cur isteach air agus shamhlaíodh sé go raibh *comhcheilg ar siúl chun é a chur as oifig. Thug a iníon, Alliluyeva, leid faoi sin:

Foinse A

*De réir mar a chuaigh m'athair in aois thosaigh uaigneas ag teacht air. Bhí sé chomh scoite ó gach duine go raibh an chosúlacht air go raibh sé ina chónaí i bhfolús. Ní raibh duine ná deoraí a bhféadfadh sé labhairt leis. Ba chóras é arbh é féin an príosúnach ann, agus ina raibh sé á phlúchadh ag *foilmhe agus easpa caidrimh dhaonna.*

As ***Twenty Letters to a Friend*** le Svetlana Alliluyeva, 1968.

Chreid Nikolai Bukharin, teoiriceoir mór, agus eagarthóir an nuachtáin Chumannaigh *Izvestia* (Nuacht) sna blianta 1934–36, go raibh baint mhór ag éad Stailín ar a chinneadh baill shinsearacha den Pháirtí Cumannach a chaitheamh amach. Thacaigh Bukharin le Stailín, seachas le Trotscaí, mar *chomharba ar Leinín. Ach faoin mbliain 1929 bhí an meas a bhí ar Bukharin laghdaithe, agus cuireadh ar a thriail é i Seóthrialacha Stailín in 1938.

---

seóthriail show trial • ábhar potential • purgú purge • bob a bhualadh play a trick • breathnóir observer
• comhcheilg conspiracy • foilmhe emptiness • comharba successor

Foinse B

Tá Stailín míshásta mar nach bhfuil sé in ann a chur ina luí ar gach duine, é féin san áireamh, go bhfuil sé níos fearr ná gach duine eile. Más fearr a labhraíonn duine ná é féin, tá port an duine sin seinnte! Maróidh Stailín é, mar cuirfidh an duine sin i gcuimhne dó, arís is arís eile, nach é féin (Stailín) an duine is fearr. Is fear *cúngaigeanta, *mailíseach (cruálach) é – ní hea, ní fear é ar chor ar bith, ach diabhal.

Bukharin ag labhairt i bPáras in 1936.

Bhain Stailín leas as dúnmharú cheannaire Shóivéid Leningrad, Sergei Kirov – fear a raibh *an-ghnaoi air – in 1934, mar leithscéal chun a réimeas sceimhlithe a thosú. Tar éis bhás Kirov, chuir Stailín tús le sraith purguithe tríd an treoir seo a leanas a eisiúint:

Foinse C

I. *Treoraítear do ghníomhaireachtaí iniúchta deifriú le cás na ndaoine sin a ciontaíodh as gníomhartha sceimhlithe a eagrú nó a chur i bhfeidhm;*

II. *Treoraítear do bhreithiúna gan moill a chur le feidhmiú phionós an bháis i gcás coireanna den chineál seo, ar mhaithe lena mheas an dtabharfaí pardún; ní dóigh le Praeisidiam Lárchoiste Feidhmiúcháin APSS gur féidir glacadh le hachainithe den chineál sin;*

III. *Ordaítear don *Choimeasáracht Gnóthaí Baile na breitheanna báis ar choirpigh, sa chatagóir thuasluaite, a fheidhmiú go díreach i ndiaidh dóibh na breitheanna a thabhairt.*

Thug Bukharin faoi deara gur chruaigh an dearcadh polaitiúil tar éis bhás Kirov:

Foinse D

Thacaigh Kirov leis an tuairim gur cheart deireadh a chur leis an sceimhle – lasmuigh agus laistigh den pháirtí. Seo a leanas an tuairim a bhí ag Kirov: de réir mar a bhí feabhas ag teacht ar chúrsaí eacnamaíocha, bheadh a lán den phobal ag éirí níos báúla agus níos báúla leis an Rialtas; agus thiocfadh laghdú ar líon na naimhde inmheánacha. Bhí ag an bPáirtí anois na fórsaí a thacódh leis a bhailiú le chéile sa ré nua den fhorbairt eacnamaíoch, agus sa chaoi sin leathnú a dhéanamh ar an mbunchloch ar a raibh an chumhacht Shóivéadach bunaithe.

Tar éis fheallmharú Kirov, a mhalairt a bhí ar siúl: ní *athmhuintearas a bhí ar siúl taobh istigh den pháirtí, ach méadú ar an sceimhle ann. Mhéadaigh uirthi go dtí an pointe go ndearnadh *díothú fisiceach ar na daoine sin ar fad a bhféadfadh a stair phearsanta iad a chur i gcoinne Stailín, nó go mbeidís ag iarraidh teacht i gcumhacht ina ionad. Inniu, níl amhras ar bith orm gur sa tréimhse sin – idir dúnmharú Kirov agus an dara triail ar Kamenev – a rinne Stailín a chinneadh agus gur leag sé amach a phlean 'leasuithe'. Ba é an

ar lean.

---

cúngaigeanta narrow-minded • **mailíseach** malicious • **gnaoi a bheith ar** to be popular
Coimeasáracht Commissariat • **athmhuintearas** reconciliation • **díothú** extermination

*phríomhchúis a bhí le cinneadh Stailín ná gur rith sé leis, as tuairiscí agus as eolas a bhí ag teacht chuige, gur *seirbhe agus naimhdeas a bhí ag formhór sheanoibrithe an Pháirtí dó.*

*Bhí dánacht ag baint leis an gconclúid a bhain Stailín as sin ar fad: mura bhfuil na Sean-Bhoilséivigh – an tsainaicme atá ag rialú na tíre seo anois – *in inmhe an fheidhm sin a chomhlíonadh, ní mór iad a bhriseadh as a bpost, chun sainaicme nua rialaithe a chruthú.*

Focail Bukharin as **Letter of an Old Bolshevik: The Key to the Moscow Trials**, leis an staraí Meinséiveach Boris Nicolaevsky, 1938.

Purgú Bhaill an Pháirtí, 1934–36

Tar éis bhás Leinín, d'fhógair Stailín go mbeadh méadú ag teacht ar an bPáirtí. Líon sé an Páirtí le tacaithe dá chuid féin. Faoin mbliain 1934, nuair a bhí Stailín i gcumhacht go daingean, níor ghá, a thuilleadh, Páirtí mór ar dheacair smacht a choinneáil air. Ar an 21 Aibreán, d'eisigh Lárchoiste an Pháirtí rún ina raibh eolas faoi shé chatagóir de bhaill *neamh-inmhianaithe' ba cheart a phurgú as an bPáirtí:

1. Naimhde don Chumannachas, a bhí ag iarraidh achrann a chruthú sa Pháirtí.

2. *Fimínigh, ar mhian leo polasaí an Pháirtí a scriosadh.

3. Daoine nár thug aird ar bith ar chúrsaí smachta sa Pháirtí.

4. *Meathlóirí *Bourgeois* (meánaicmeacha).

5. Daoine *ró-uaillmhianach, agus iadsan a bhfuil an iomarca spéis acu ina ndul chun cinn pearsanta féin.

6. Meathlóirí ó thaobh na moráltachta, mar shampla meisceoirí agus *díomhaoinigh.

Chuir an *NKVD* (féach lch 57) na mílte *gníomhaíoch sa phríosún, nó lámhach siad iad. Faoin mbliain 1939, bhí purgú déanta ar thart ar 850,000 ball den Pháirtí. *'An Sceimhle Mhór' a tugadh ar an eachtra sin.

Foinse E

*Níl baint ar bith ag prionsabail agus aidhmeanna na *hollsceimhle le gnáthobair na bpóilíní ná le slándáil. Is é an t-aon aidhm atá leis an sceimhle ná *imeaglú. Chun scanradh a chur ar an tír ar fad, ní mór líon na *n-íospartach a ardú go hollmhór; agus ar gach urlár i ngach foirgneamh ní mór go mbeadh roinnt árasán ann i gcónaí as ar tógadh chun siúil na tionóntaí, gan tásc ná tuairisc. Na tionóntaí atá fágtha, beidh siad ina saoránaigh *eiseamláireacha an chuid eile dá saol.*

As **Hope Against Hope: A Memoir**, le Nadezhda Mandelstam, 1971.

---

seirbhe bitterness • **in inmhe** fit to • **neamh-inmhianaithe** undesirable • **fimíneach** hypocrite
meathlóir degenerate • **uaillmhianach** ambitious • **díomhaoineach** idler • **gníomhaíoch** activist
An Sceimhle Mhór The Great Terror • **ollsceimhle** mass terror • **imeaglú** intimidation • **íospartach** victim
eiseamláireach exemplary

Na Seóthrialacha

Cáineadh na baill is tábhachtaí den Pháirtí i sraith 'Seóthrialacha'. I mí Lúnasa 1936 a bhí an chéad cheann ann. Rinne Nikolai Yezhov, an Coimisinéir Gnóthaí Baile, nó Ceann an *NKVD*, purgú ar na baill ba thábhachtaí den Pháirtí. Cuireadh baill thábhachtacha den Rialtas agus iar-chomhghleacaithe de chuid Leinín (duine ar bith, go bunúsach, ar bhagairt é/í do cheannaireacht Stailín) ar a dtriail.

Cé go raibh a lán trialacha ann, seo a leanas na cinn ba thábhachtaí:

Triail an tSeisir Déag, Lúnasa 1936

I dTriail an tSeisir Déag, cúisíodh daoine a bhí ina mbaill thábhachtacha sa Pháirtí Boilséiveach, tráth – Zinoviev agus Kamenev ina measc; cúisíodh iad as a bheith ag comhoibriú le cumhachtaí eachtracha chun Stailín a chur as cumhacht. D'admhaigh na *cúisithe an *cúiseamh *tréasa *gan bhunús*, agus lámhachadh iad ina dhiaidh sin in íoslach phríosún Lubyanka i Moscó.

Ba mhinic, agus an *NKVD* ag ceistiú príosúnach, a dhéantaí *céasadh fisiceach orthu, nó bagairtí ar a dteaghlach. Baineadh leas as na bearta sin ionas go n-admhódh na príosúnaigh cúiseamh bréagach a chum an stát, agus chun daoine eile a nascadh lena gcuid coireanna 'tréasacha'. D'admhaigh Zinoviev é seo thíos le linn a thriail:

Comhoibriú:
Eolas a thabhairt don 'namhaid'.

Ceistiú:
Eolas a bhaint as duine trí cheisteanna a chur ar bhealach *foirmiúil, ach ar minic gur ar bhealach garbh a dhéantar é.

Tréas:
Ag gníomhú i gcoinne leas an rí/na banríona nó an stáit.

Foinse F

Rinne mé frith-Bhoilséiveachas de mo Bhoilséiveachas lochtach, agus ansin tháinig mé ar an bhFaisisteachas tríd an *Trotscaíochas.

Dúirt Kamenev:

An timpiste é go bhfuil ionadaithe ó rannóga póilíní rúnda as tíortha eachtracha ina suí in aice liom féin agus le Zinoviev, agus daoine a bhfuil pas bréige acu, agus daoine a mbeadh amhras orainn faoina saol, agus a raibh ceangail acu gan dabht leis an Gestapo? Ní hea, ní timpiste atá ann.

▲
Andrei Vyshinsky ag fógairt bhreith an bháis ag deireadh chéad Seóthriail Stailín in 1936.

---

cúisí accused (person) • **cúiseamh** charge • **tréas** treason • **gan bhunús** unfounded • **céasadh** torture
foirmiúil formal • **Trotscaíochas** Trotskyism

Triail an tSeachtair Déag, Eanáir 1937

Tharla an rud céanna do bhaill thábhachtacha eile den Pháirtí Cumannach, mar shampla Yuri Pyatakov, Grigori Sokolnikov agus Nikolai Muralov, le linn 'Thriail an tSeachtair Déag'. Bhí na cúisimh an-chosúil leis na cúisimh sna trialacha roimhe sin. Cúisíodh na cosantóirí as iarracht a dhéanamh deireadh a chur leis an gcóras Sóivéadach trí *shabaitéireacht a dhéanamh agus a bheith ina ngníomhairí ag Leon Trotscaí. I measc na *gcosantóirí bhí Karl Radek, príomhscríbhneoir polaitiúil an Aontais Shóivéadaigh. Rinne an Príomhchúisitheoir, Andrei Vyshinsky, bulaíocht ar an gcúisí, agus chuir an t-éileamh seo mar *chlabhsúr ar an gcás: 'Lámhach iad mar a dhéanfá le *madra dúchais!'

Ní raibh aon fhianaise – a d'fhéadfaí a chruthú – sna cásanna seo. Óstán i gCóbanhávan, ar dúradh gurbh ann a bhí cruinniú ag roinnt de na cosantóirí le Trotscaí, dúnadh é roinnt mhaith blianta roimh an gcruinniú a bhí ceaptha a bheith ann. Daoradh a lán de na cosantóirí chun báis, agus cuireadh chun báis iad. Gearradh téarma fada príosúin ar roinnt daoine, mar shampla Radek, agus níor tháinig duine ar bith acu slán as.

Foinse G

▲
Cartún Meiriceánach ag léiriú 'Sheóthrialacha' Stailín.

An Marascal Mikhail Tukhachevsky (1893–1937), ceannasaí uachtarach míleata Sóivéadach, a cuireadh ar a thriail go rúnda i mí an Mheithimh 1937 agus a cuireadh chun báis, i dteannta seacht nGinearál eile, as tréas.

Triail Rúnda an Mharascail Tukhachevsky agus na nGinearál Airm, mí an Mheithimh 1937

Idir an dara agus an tríú Seóthriail rinneadh purgú rúnda ar *Fhoireann Ghinearálta an Airm Dheirg. Bhí eagla ar Stailín roimh chumhacht an Airm Dheirg. Bhí sé cinnte de ina intinn féin go raibh siad i mbun comhcheilge chun é a threascairt. Ar an 11 Meitheamh 1937, fógraíodh go bhfuarthas ocht gceannasaí uachtarach míleata Sóivéadach, ina measc an Coimeasár Cúnta Cogaidh, an Marascal Tukhachevsky, ciontach i gcúirt mhíleata, agus daoradh chun báis iad. Is cosúil gur chuir na Naitsithe le *drochmhuinín Stailín as Tukhachevsky. D'eisigh siad doiciméid bhréagacha mar gur chreid siad dá dtreascrófaí Tukhachevsky go lagfaí go mór Arm na Rúise. Rinneadh purgú ar chuid mhór oifigeach uachtarach eile: triúr den chúigear Marascal; 50 den 57 *Ceannasaí Cóir; 154 den 186 *Ceannasaí Rannáin.

---

sabaitéireacht sabotage • **cosantóir** defendant • **clabhsúr** end • **madra dúchais** mad dog
foireann ghinearálta general staff • **drochmhuinín** distrust • **cór** corps
ceannasaí rannáin divisional commander

Rinne na purguithe damáiste mór don Arm Dearg. I ndiaidh do Rialtas na Fionlainne diúltú aontú le hathbhreithniú ar theorainneacha na tíre leis an Aontas Sóivéadach, d'ionsaigh an tArm Dearg an Fhionlainn. Léirigh an Cogadh Geimhridh sin leis an bhFionlainn in 1939–40 easpa scileanna an Airm Dheirg. Thóg sé 15 seachtaine de throid fhíochmhar ar na fórsaí Sóivéadacha an bua a fháil ar Arm na Fionlainne, a bhí ar bheagán arm. An bualadh mór a tugadh d'arm an Aontais Shóivéadaigh sa chéad dá bhliain den Dara Cogadh Domhanda, ba é scriosadh aicme na n-oifigeach san Arm Dearg ba chúis leis, go pointe áirithe. Cuireadh ceannasaithe níos sóisearaí, gan taithí, in ionad na gceannasaithe a ndearnadh purgú orthu. Sa ré tar éis bhás Stailín, fógraíodh gur bréaga ar fad a bhí sna cúisimh in aghaidh na gceannairí míleata Sóivéadacha ar fad a cuireadh chun báis, agus dearbhaíodh gur daoine dea-chlú a bhí iontu ar fad. Ní dhearnadh sin i gcás na gceannairí polaitiúla.

Triail an Duine is Fiche, Márta 1938

Ba í an tríú Seóthriail an ceann deireanach, agus an ceann ba *gháifí. I measc na gcosantóirí bhí grúpa de na polaiteoirí agus de na hoifigigh ab uachtaraí: Nikolai Bukharin, mórscoláire Boilséiveach; Aleksei Rykov, Cathaoirleach Chomhairle Choimeasár na nDaoine, agus HG Yagoda, iarcheannaire ar na póilíní rúnda. Chuir Bukharin i gcoinne pholasaí *comhsheilbhíochta+ Stailín (lch 161), mar gur chreid sé dá mba rud é go *rachfaí i gcomhar leis na *Cúlacaigh (feirmeoirí meánaicmeacha), seachas a bheith á marú, gur fearr an táirgeadh talmhaíochta a bheadh ann.

Foinse H

*Tá faighte amach ag an bhfiosrú gur eagraigh na *cúisithe grúpa *comhcheilge ar ar tugadh 'Bloc [Frith-Shóivéadach] na hEite Deise agus na dTrotscaithe; ar threoir ó sheirbhísí *faisnéise stát eachtrach atá naimhdeach d'APSS, a rinne siad é sin. Ba é aidhm an ghrúpa ná deireadh a chur leis an gcóras stáit sóisialach in APSS, agus an caipitleachas agus cumhacht an bourgeoisie (an mheánaicme) a thabhairt ar ais in APSS.*

As cúisimh a léadh amach ag Triail an Duine is Fiche.

Nikolai Bukharin (1888-1938), mórscoláire Boilséiveach, a cuireadh chun báis i Seóthriail dheireanach Stailín i mí an Mhárta 1938.

I rith na trialach, léiríodh gur *ghníomhairí dhá thaobh ba ea Bukharin agus a chomrádaithe. Shéan Bukharin go láidir na cúisimh agus rinne iarracht dúshlán an chúisitheoir stáit, Vyshinsky, a thabhairt. Seo giota a scríobh Bukharin chuig a bhean chéile go gairid sular cuireadh chun báis é:

Foinse I

Mothaím a laige is atá mé i bhfianaise córais ifreanda a bhfuil cumhacht ollmhór aige, agus atá ag baint leas as seanúdarás an Cheka chun freastal ar amhras mífhollláin Stailín. Is féidir deireadh a chur le haon bhall den Lárchoiste, nó le haon bhall den Pháirtí, nó a rá gur tréatúir nó sceimhlitheoir iad.

gáifeach sensational • **comhsheilbhíocht** collectivisation • **téigh i gcomhar le** co-operate with
Cúlacach Kulak • **cúisí** accused (person) • **comhcheilg** conspiracy • **faisnéis** intelligence
gníomhaire dhá thaobh double-agent

63

Ba é Rykov an chéad duine a ghéill agus a phléadáil ciontach. Ansin, d'fheidhmigh sé mar fhinné don *ionchúiseamh trí sceitheadh ar na daoine eile; d'admhaigh siadsan na cúisimh ansin. Go gairid roimh dheireadh na trialach scríobh sé chuig an gcúirt ag impí orthu gan é a chur chun báis:

Foinse J

Iarraim oraibh a chreidiúint nach duine *coirbthe ar fad atá ionam. Le mo linn rinne mé a lán d'obair uasal ionraic ar son na réabhlóide. Is féidir liom a chruthú fós gur féidir a bheith i do dhuine ionraic agus bás a fháil le honóir, cé go bhfuil a lán coireanna déanta agat. Iarraim oraibh mo bheo a ligean liom.

Ní dheachaigh achainí Rykov i bhfeidhm ar Vyshinsky, a d'éiligh pionós an bháis do na daoine ar fad a cúisíodh:

Foinse K

Ní páirtí polaitíochta atá i 'mBloc na hEite Deise agus na dTrotscaithe', a bhfuil a chuid príomhbhall anois i *ngabhann na bpríosúnach, ach *baicle coirpeach, agus ní hin amháin é, ach coirpigh a dhíol iad féin le seirbhís faisnéise ár namhad. Is coirpigh iad seo a measann gnáthchoirpigh, go fiú, fúthu gurb iad is suaraí, is ísle, is mó cúis drochmheasa, agus is truaillithe dá bhfuil ann. Tá an tír ar fad, idir óg agus aosta, ag fanacht le – agus ag éileamh – rud amháin: ní mór na tréatúirí agus na spiairí a lámhach mar a dhéanfá le madraí lofa.

Faoi dheireadh 1938, bhí baill uile *Politburo* Leinín, seachas Stailín agus Trotscaí, curtha chun báis. As an 139 ball a bhí ar an Lárchoiste in 1934, lámhachadh breis is 90 acu.

   Bhain Stailín leas as an tSeóthriail Dheireanach chun na daoine a rinne an purgú a phurgú. Faoi 1938, agus eagla air roimh leathnú an Naitsíochais, thuig Stailín go raibh tacaíocht an Airm ag teastáil uaidh. Chuir sé an milleán faoi na purguithe ar dhul thar fóir a Choimisinéir Gnóthaí Baile, Yezhov, agus ar iarcheannaire an *NKVD*, Yagoda. Tháinig *cúlaistín iontaofa Stailín, Lavrentii Beria, an fear ba mhó a raibh eagla roimhe san Aontas Sóivéadach, in áit Yezhov. Bhí Beria in oifig go dtí tar éis bhás Stailín in 1953.

Cuntais ó Fhinnéithe

Tugadh cuireadh do bhreathnóirí eachtrannacha freastal ar na Seóthrialacha. Ach níor fhág mórán acu iad agus iad den tuairim gur reáchtáladh na trialacha go cóir agus go hoscailte. Sa sliocht seo thíos ag Fitzroy MacLean, *taidhleoir Briotanach a chonaic 'Triail an Duine is Fiche' i mí an Mhárta 1938, tá cur síos ar an gcaoi a reáchtáladh an tSeóthriail:

---

ionchúiseamh prosecution • **coirbthe** corrupt • **gabhann** dock • **baicle** band
cúlaistín henchman • **taidhleoir** diplomat

Foinse L

Cúisíodh na príosúnaigh, ina ngrúpa agus ina n-aonar, i ngach cineál coir a shamhlódh duine: *ardtréas, dúnmharú, spiaireacht agus gach cineál sabaitéireachta. Bhí rún acu an tionsclaíocht agus an talmhaíocht a scriosadh, Stailín a fheallmharú, agus an tAontas Sóivéadach a shracadh óna chéile ar mhaithe lena *gcomhghuaillithe Caipitleacha. Ar an gcuid is mó, léiríodh gur choirpigh agus gur thréatúirí do chúis an Aontais Shóivéadaigh iad ón Réabhlóid i leith – go fiú ón am roimh an Réabhlóid i leith. An fhianaise a bailíodh, líon sí tuairim is caoga imleabhar mór. D'admhaigh Bukharin, Rykov agus Yagoda, duine ar dhuine, agus iad ag úsáid na bhfocal céanna, go raibh siad ciontach. Rinne gach príosúnach *ionchoiriú ar a *chomhghleacaithe agus rinne siadsan ionchoiriú ar ais. Ní dhearna siad iarracht ar bith freagracht a sheachaint. Ní raibh aon easpa ar na fir sin; bhí a gcuid ráiteas oibrithe amach go mion acu, agus an chosúlacht orthu gur go *spontáineach a dúirt siad amach iad. Ach na rudaí a dúirt siad, is é sin, ábhar a ráiteas, níor chosúil go raibh baint dá laghad acu leis an *réaltacht.

De réir mar a chuaigh an triail ar aghaidh, ba mhó ba léir gurbh é bunchuspóir gach píosa fianaise ná droch-cháil a tharraingt ar cheannairí an 'Bhloic', agus iad a léiriú, ní mar chiontóirí polaitiúla, ach mar ghnáthchoirpigh, dúnmharfóirí, *nimhitheoirí agus spiairí.

An Tionchar a bhí ag na Seóthrialacha

Foinse M

D'fhoilsigh *dídeanaí Rúiseach, a bhí ina chónaí i bPáras sna 1930idí, an cartún thíos.

▲ Tabhair cuairt ar phirimidí an Aontais Shóivéadaigh (APSS).

Nuair a bhí an Dara Cogadh Domhanda ar tí tosú, cuireadh deireadh leis na purguithe agus na Seóthrialacha. Bhí athrú iomlán tagtha ar cheannaireacht an Pháirtí

---

ardtréas high treason • **comhghuaillithe** allies • **ionchoiriú** incrimination • **comhghleacaí** companion
spontáineach spontaneously • **réaltacht** reality • **nimhitheoir** poisoner • **dídeanaí** refugee

Príosúnaigh as na campaí oibre sclábhaíochta ag tógáil chanáil *na Mara Báine, thart ar 1938. Cé go bhfuair na mílte príosúnach bás agus an chanáil á tógáil, ní raibh sí sách domhain ag longa a bhí ag teacht as Muir Bhailt.

Chumannaigh, mar gurbh iad ba mheasa a tháinig as na purguithe. Tháinig glúin nua de bhaill an Pháirtí chun cinn – baill a thacódh le Stailín gan cheist. Ina measc bhí Zhdanov, Khrushchev agus Molotov.

Seans gur suas le 20 milliún duine a lámhachadh, a gabhadh nó a cuireadh go dtí *campaí oibre éigeantais le linn na bpurguithe. Cuireadh na milliún daoine chuig campaí oibre **Gulag**, gréasán de champaí oibre éigeantais a bhí ar fud thuaisceart an Aontais Shóivéadaigh agus isteach sa tSibéir. Caitheadh go cruálach leis na príosúnaigh, níor tugadh ach cuid bheag bia dóibh agus bhíodh orthu lá oibre 16 uair an chloig a chur isteach.

Chuir na purguithe isteach ar an gcaidreamh le tíortha eile. Shíl tíortha daonlathacha an iarthair gur marfóir neamhthrócaireach ba ea Stailín. Ag an am sin bhí Stailín ag súil le comhoibriú le cumhachtaí daonlathacha na hEorpa chun stop a chur le leathnú an Fhaisisteachais (lch 1).

Níor cheistigh ceannaireacht an Aontais Shóivéadaigh polasaithe Stailín, ná níor cáineadh stát Stailín go dtí 1956 (trí bliana tar éis a bháis). Ar an 25 Feabhra 1956, cháin Nikita Khrushchev (comharba Stailín mar cheannaire ar an Aontas Sóivéadach), in óráid rúnda ag an 20ú Comhdháil de chuid an Pháirtí Chumannaigh, na coireanna ar fad a rinne Stailín:

Foinse N

*Níor bhain Stailín leas as *áitiú, as míniú, ná as comhoibriú le daoine, ach bhrúigh sé a choincheapa ar dhaoine agus d'éiligh go ngéillfí go hiomlán dá thuairim. Duine ar bith a chuir i gcoinne an choincheapa sin nó a rinne iarracht a thuairim féin nó *cirte a leagan amach féin a chruthú, ní raibh i ndán dó ach é a dhíbirt as an *bpríomh-chomhchoiste agus ansin… deireadh a chur leis. Tharla sé sin go mór mór sa tréimhse tar éis an 17ú Comhdháil den Pháirtí, nuair a tháinig a lán de cheannairí móra agus de ghnáthoibrithe an Pháirtí – daoine macánta a bhí dáiríre faoin gCumannachas – go dona as *forlámhas (deachtóireacht) Stailín.*

*Léiríonn na fíricí gur baineadh a lán mí-úsáide as cumhacht, ar ordú ó Stailín, beag beann ar ghnáthchleachtais an Pháirtí agus ar cheart dlí an Aontais Shóivéadaigh. Ba bheag ar fad muinín a bhí ag Stailín i ndaoine, agus bhí sé suarach amhrasach; bhí sé sin ar eolas againn mar go rabhamar ag obair ina theannta. D'fhéadfadh sé breathnú ar fhear agus a rá, 'Cén fáth a bhfuil do shúile *corrach inniu?' nó 'Cén fáth a bhfuil tú ag casadh uaim chomh mór sin inniu agus nach bhfuil tú in ann féachaint orm sna súile?' D'fhág an t-amhras suarach sin go raibh sé amhrasach faoi oibrithe móra an Pháirtí, go fiú, is é sin, daoine a raibh aithne aige orthu leis na blianta. D'fheiceadh sé 'naimhde', *'Tadhganna an dá thaobh' agus 'spiairí' i ngach áit agus i ngach rud.*

Ba é an aidhm ghinearálta a bhí leis na Seóthrialacha agus leis 'na Purguithe Móra' ná a chur ina luí ar an bpobal nach raibh ach fear amháin nach raibh amhras ar bith faoi, agus a raibh slándáil agus todhchaí an Aontais Shóivéadaigh ag brath air. Trí thodhchaí na tíre a cheangal lena chumhacht phearsanta féin, chreid Stailín go gcosnódh sé sin é ar aon iarracht é a chur as oifig.

---

campa oibre éigeantais forced labour camp • **An Mhuir Bhán** White Sea • **áitiú** persuasion
cirte correctness • **príomh-chomhchoiste** leading collective • **forlámhas** despotism • **corrach** shifty
Tadhg an dá thaobh two-faced person

Foinse O

D'fhoilsigh David Low an cartún seo sa Bhreatain sa bhliain 1930.

▲ Cad a léiríonn an cartún thuas duit faoi dhearcadh an chartúnaí faoi shláinte mheabhrach Stailín?

Eochairchoincheap: *Cultas Pearsantachta

'Cultas Pearsantachta' a thugtar ar chineál ceannaireacht pholaitiúil ina mbítear ag cur mhaitheas an cheannaire, agus a bhfuil bainte amach aige/aici (fíor nó bréagach), in iúl don phobal de shíor.

Trí úsáid chliste a bhaint as bolscaireacht, chuir Stailín é féin i láthair do mhuintir na Rúise mar fhear lách, *modhúil, *fíréanta a bhí ag obair ar son leas na ndaoine. Ainmníodh bailte, cathracha agus sráideanna ina onóir. Cuireadh go mór leis an ról a bhí aige i Réabhlóid 1917, agus baineadh na cuntais ar fad faoi Throtscaí as na leabhair staire. Scríobh sé leabhar faoi féin, go fiú, ag cur síos ar na nithe ar fad a bhí bainte amach aige. Daoine nár aontaigh leis, baineadh as stair na Rúise iad (féach ar na pictiúir ar lch 68).

Rinneadh cultas Stailín a láidriú trí na healaíona, oideachas agus gluaiseachtaí óige. Seo sliocht as óráid a thug scríbhneoir ag Comhdháil na Sóivéidí in 1935. Foilsíodh an óráid i bpáipéar an Pháirtí Chumannaigh, *Pravda*:

---

cultas pearsantachta personality cult • **modhúil** modest • **fíréanta** sincere

Go raibh maith agat, a Stailín. Go raibh maith agat mar go bhfuilim chomh maith agus chomh háthasach sin. Is cuma cén aois a bheidh agam, ní dhéanfaidh mé dearmad go deo ar an mbealach ar bhuaileamar le Stailín dhá lá ó shin. Na glúine atá le teacht, beidh siad in éad linn mar gur mhaireamar in aon aois le Stailín, agus go raibh sé de phribhléid againn Stailín, ár gceannaire spreagtha, a fheiceáil.

Beidh d'ainm ar fhir i ngach aois; ainm é atá láidir, álainn, críonna agus iontach. Tá d'ainm greanta ar gach monarcha, gach meaisín, gach áit ar domhan, agus i gcroí gach duine.

Gach uair a bhí mé ina láthair, bhain a láidreacht, a *charasma agus a *mhórgacht an anáil díom. Bhí fonn ollmhór orm canadh amach, agus béicíl le háthas agus sonas. Agus nuair a shaolófar páiste do mo ghrá geal, is é an chéad fhocal a déarfaidh sé ná: Stailín.

▲ Leinín ag labhairt ag cruinniú d'oibrithe go gairid tar éis na Réabhlóide, agus Trotscaí ina sheasamh ar chéimeanna an ardáin.

▲ Tá Trotscaí bainte amach as an bpictiúr seo. Cén chúis a ndearnadh é sin, dar leat?

Bunreacht 1936

Mhaígh Stailín gurbh é bunreacht 1936 an bunreacht ba dhaonlathaí ar domhan. Gach duine a bhí os cionn 18 mbliana, bhí cead acu vóta a chaitheamh i mballóid rúnda. Cuireadh tús le parlaimint nua: *an tSóivéid Uachtarach. Dhá theach a bhí inti: Sóivéid na *Náisiúntachtaí, a thogh na poblachtaí éagsúla, agus Sóivéid an Aontais, a thogh na daoine. Cé go raibh an chosúlacht ar an mBunreacht go raibh sé liobrálach agus daonlathach, níorbh fhíor sin. Ní raibh ach páirtí polaitíochta amháin ann, an Páirtí Cumannach. Ní raibh cead ach ag daoine a raibh tacaíocht an Pháirtí acu seasamh i dtoghchán. Stailín a bhí ina Rúnaí ar an bPáirtí, agus bhí smacht iomlán aige.

carasma charisma • **mórgacht** greatness
An tSóivéid Uachtarach The Supreme Soviet • **náisiúntacht** nationality

An *Réalachas Sóisialach

Bhí Stailín i gcoinne indibhidiúlachta sna healaíona. Gríosaíodh scríbhneoirí, ealaíontóirí agus ceoltóirí chun stíl ar ar tugadh 'An Réalachas Sóisialach' a leanúint. Ba é an aidhm a bhí leis an 'Réalachas Sóisialach' ná a raibh bainte amach ag an Aontas Sóivéadach ó Réabhlóid 1917 a léiriú. Mhínigh Stailín in 1932 go mbeadh feidhm shóisialta leis an ealaín agus an litríocht:

> *Ní mór don ealaíontóir tús áite a thabhairt do léiriú fírinneach ar an saol, agus má éiríonn leis ár saol a léiriú go fírinneach, ní thig leis gan a thabhairt faoi deara, gan a léiriú, gurb é an Sóisialachas an toradh atá air. Ealaín shóisialach a bheidh ann. Réalachas sóisialach a bheidh ann.*

Rinneadh *múrmhaisiú ollmhór go forleathan, ag léiriú oibrithe gealgháireacha agus iad ag obair go crua ar son an Stáit, ar bhallaí ar fud an Aontais Shóivéadaigh. Ealaíontóirí nár lean treoir Stailín, cáineadh iad agus níor tugadh obair dóibh. Chuir an *Komsomol* (*Ógra na gCumannaithe) isteach ar dhrámaí nach raibh ag teacht le hidéil an Réalachais Shóisialaigh.

Oideachas

Faoi stiúir Stailín, tháinig forbairt thapa ar chóras oideachais an Aontais Shóivéadaigh. Faoi lár na dtríochaidí, bhí ceann de na córais oideachais stáit b'eagraithe ar domhan san Aontas Sóivéadach. Bhíodh naíolanna ann i gcomhair leanaí a bhí faoi bhun trí bliana d'aois, agus scoileanna naíonán i gcomhair na leanaí idir trí agus seacht mbliana d'aois. Bhí sé *éigeantach ag daltaí idir 8 agus 15 bliana d'aois dul ar mheánscoil. Gríosaíodh daoine óga chun leanúint ar aghaidh le hardoideachas, agus cuireadh oideachas *aosach ar fáil do mhná agus d'fhir oibre. Faoi 1936, bhí córas ardoideachais an Aontais Shóivéadaigh ag cur líon mór céimithe ar fáil, idir innealtóirí, eolaithe agus dhochtúirí.

Cé gur baineadh leas as an oideachas mar áis bholscaireachta don stát, bhí an ráta *neamhliteartachta laghdaithe go dtí thart ar 20% den daonra faoi 1940. Faoin am ar cailleadh Stailín in 1953, bhí léamh agus scríobh ag muintir an Aontais Shóivéadaigh ar fad, beagnach.

Gluaiseachtaí Óige

Dála deachtóireachtaí eile, spreagadh daoine óga chun clárú in eagraíochtaí óige. Leanaí a bhí ceithre bliana d'aois ar aghaidh, bhí siad in ann clárú sna **Deireadh Fómhairigh Bheaga'**. Nuair a bhí siad naoi mbliana d'aois chuaigh siad ar aghaidh go dtí 'Eagraíocht *Cheannródaithe Leinín', áit ar eagraíodh iad ina mbriogáidí a bhíodh páirteach i ngníomhaíochtaí polaitiúla. Idir aois a 14 agus 28 bhí cead acu dul isteach sa *Komsomol*, an phríomhghluaiseacht óige a bhí san Aontas Sóivéadach. Bhí buntáistí go leor ag baint le ballraíocht sa *Komsomol*. B'fhusa ag baill postanna bainistíochta a bhaint sa

---

réalachas realism • **múrmhaisiú** mural • **Ógra na gCumannaithe** Communist Youth Movement
éigeantach compulsory • **aosach** adult • **neamhlitearthacht** illiteracy
Na Deireadh Fómhairigh Bheaga Little Octoberists • **ceannródaí** pioneer

tionsclaíocht, ba mhó seans go bhfaighidís scoláireachtaí ardoideachais, agus ba mhinic a d'éascaigh sé an bealach chuig ballraíocht a fháil sa Pháirtí Cumannach.

An Pósadh agus an Teaghlach

Faoin mbliain 1930, bhí imní mhór ar Stailín mar gheall ar an meath a bhí tagtha ar an teaghlach i sochaí an Aontais Shóivéadaigh. Faoi 1934, i Moscó, bhí 37% de na lánúineacha pósta ar fad ag colscaradh. Dá bhrí sin, tháinig athrú ar mheon an Pháirtí Cumannaigh faoi na mná sa stát Stailíneach, agus leagadh béim ar luachanna traidisiúnta teaghlaigh arís sa tsochaí Shóivéadach. Bhí súil leis arís go mbeadh ról lárnach ag na mná sa teaghlach. Sa bhliain 1930, dúnadh síos an *Zhenotdel* (Biúró na mBan) nuair a cuireadh tús le feachtas ollmhór bolscaireachta á rá go bhféadfadh an bhean idéalach a bheith ina bean chéile mhaith agus ina máthair mhaith, chomh maith lena bheith ina hoibrí maith. Thosaigh go leor daoine ag pósadh arís, laghdaigh an ráta colscartha; agus drochmheas a bhí ar an nginmhilleadh agus ar an bhfrithghiniúint.

Polasaí Eachtrach an Aontais Shóivéadaigh, 1918–39

Fágadh an Rúis aisti féin tar éis an Chéad Chogadh Domhanda. Bhí fearg ar na Comhghuaillithe leis an Rúis mar gur tharraing sí siar as an gcogadh in 1917, agus mar gheall ar an gconradh síochána ar leith a rinne sí leis an nGearmáin in Brest-Litovsk in 1918. Níor tugadh cuireadh don Ghearmáin ná don Rúis go Versailles in 1919. Níorbh iontas é, mar sin, go dtiocfadh na tíortha Eorpacha sin a fágadh *aonaránaithe leo féin, go dtiocfaidís le chéile.

Conradh Rapallo, 1922

Shínigh an Ghearmáin agus an tAontas Sóivéadach Conradh Rapallo sa bhliain 1922. Gheall téarmaí an chonartha go mbeadh naisc eacnamaíocha agus pholaitiúla níos fearr eatarthu, agus go gcuirfí deireadh le héilimh airgeadais ar an dá thaobh. Bhí clásal rúnda sa chonradh a thug cead *d'aerchriúnna as an nGearmáin iad féin a oiliúint ar chríocha an Aontais. Thug sin deis don Ghearmáin éalú as téarmaí Chonradh Versailles, a d'fhógair nach raibh cead ag an nGearmáin aerfhórsa a bheith aici.

Idir 1922 agus 1925 bhí cumhachtaí na hEorpa ag aithint an Aontais Shóivéadaigh de réir a chéile, agus bhí siad ag tosú ag trádáil leo.

Ach tar éis don Ghearmáin dul isteach i gConradh na Náisiún in 1926, ní raibh caidreamh chomh maith aici leis an Aontas Sóivéadach. Ní raibh an Ghearmáin aonaránaithe léi féin san Eoraip níos mó, agus dá bhrí sin ní raibh an tAontas Sóivéadach uaithi mar chara. Cé gur shínigh Stailín Comhaontú Kellog in 1928 – a rinne mídhleathach an chogaíocht mar bhealach chun aighnis a réiteach – bhí an tAontas Sóivéadach aonaránaithe leis féin arís nuair a tháinig Hitler i gcumhacht in 1933. Bhí eagla ar Stailín go dtiocfadh comhghuaillíocht fhrith-Chumannach le chéile. *Chinn sé éirí as a pholasaí aonaránaithe, agus iarrachtaí a dhéanamh comhghuaillithe a aimsiú.

---

aonaránaithe isolated • **aerchriú** aircrew • **cinn** decide

*Comhshlándáil

Bagairt dhíreach do shlándáil an Aontais Shóivéadaigh ba ea pleananna Hitler chun an Cumannachas a scriosadh, agus an Ghearmáin a fhorleathnú soir *(Lebensraum)*. Chinn Maxim Litvinov, Aire Gnóthaí Eachtracha Stailín, gur ghá beart a dhéanamh chun stop a chur le bagairt an Fhaisisteachais. Chreid sé gur cheart don Aontas Sóivéadach comhoibriú le daonlathais na hEorpa leis an bhfód a sheasamh in aghaidh Hitler. Rabhadh a bheadh sa 'chomhshlándáil' do Hitler, i.e. d'fhéadfadh sé a bheith i gcogadh ar dhá fhronta. Rinneadh cúpla rud:

▲ Maxim Litvinov (1876-1951), sa lár, an tAire Gnóthaí Eachtracha Sóivéadach idir 1930-39. Bhí beartas 'comhshlándála' uaidh i gcoinne Hitler.

- Chuaigh an tAontas Sóivéadach isteach i gConradh na Náisiún i mí Mheán Fómhair 1934.

- Síníodh Comhaontú Franc-Shóivéadach i mí na Bealtaine 1935, comhaontú a gheall *comhchabhair don tSeicslóvaic dá ndéanfadh an Ghearmáin ionradh uirthi. Bhí sé ann chun cosc a chur ar an nGearmáin forleathnú soir.

- Mhol Litvinov in 1936 go gcomhoibreodh páirtithe na heite clé san Eoraip le páirtithe neamh-Fhaisisteacha chun stop a chur le fás an Fhaisisteachais. Dá réir sin, toghadh comhrialtais, nó *frontaí pobail* sa Fhrainc agus sa Spáinn in 1936.

Cogadh Cathartha na Spáinne, 1936-39

Thosaigh cogadh cathartha nimhneach sa Spáinn sa bhliain 1936 nuair a rinne fórsaí Náisiúnacha eite deise an Ghinearáil Franco iarracht Rialtas nuathofa an *Front Populaire* a chur as cumhacht. Fuair na Náisiúnaithe cúnamh ó Iodáil na bhFaisistithe agus ó Gearmáin na Naitsithe. Fuair na Poblachtaigh (Fórsaí an Rialtais) cúnamh ón Aontas Sóivéadach, agus ó óglaigh fhrith-Fhaisisteacha as tíortha eile a bhí eagraithe ina n-aonaid ar ar tugadh '**Briogáidí Idirnáisiúnta**'. Thug Stailín 900 tanc agus 1,000 eitleán do Phoblachtaigh na Spáinne. Cé nár chuir an tAontas Sóivéadach trúpaí ar bith chun na Spáinne, baineadh leas as an *Comintern* (Na Cumannaithe Idirnáisiúnta, a bunaíodh in 1919 chun an Réabhlóid Chumannach a chur i gcrích i dtíortha eile) chun óglaigh a *earcú do na Briogáidí Idirnáisiúnta.

D'oir sé do Stailín fad a bhaint as an gCogadh Cathartha. Bhí sé ag súil go gcoinneodh cogadh *tnáite (cogadh ina mbíonn an bua ag taobh amháin tríd an taobh eile a *thraochadh le hionsaí i ndiaidh ionsaí) sa Spáinn fórsaí Hitler gnóthach san Iarthar; chuirfeadh sin moill ar aon phleananna a bhí ag Hitler ionradh a dhéanamh ar an Aontas Sóivéadach. Chuir sé a ndóthain arm ar fáil do Phoblachtaigh na Spáinne chun a *ndúnfoirt a chosaint, ach níor thug sé a ndóthain dóibh chun go mbuafaidís an cogadh.

---

comhshlándáil collective security • **comhchabhair** mutual assistance • **fronta pobail** popular front
earcaigh recruit • **tnáitheadh** attrition • **traoch** wear out, down • **dúnfort** stronghold

Comhaontú München agus Deireadh le Comhshlándáil

Nuair a thosaigh Hitler ag díriú a aird ar an tSeicslóvaic in 1938, *chuaigh an Comhaontú Franc-Shóivéadach go cnámh na huillinne. Lean an Fhrainc *beartas géilleadh síthe na Breataine, rud nach raibh Stailín sásta faoi in aon chor. Is é is géilleadh síthe ann ná géilleadh do na héilimh a bhíonn ag cumhachtaí ionsaitheacha, ar mhaithe le cogadh a sheachaint, a fhad is atá na héilimh réasúnta. Tháinig deireadh leis an gComhaontú Franc-Shóivéadach nuair a bhuail an Fhrainc, an Bhreatain, an Iodáil agus an Ghearmáin le chéile in München i mí Mheán Fómhair 1938 chun *cinniúint na Seicslóvaice a shocrú. Chinntigh Hitler nach dtabharfaí cuireadh don Aontas Sóivéadach, rud a chruthaigh scoilt idir an tAontas Sóivéadach agus an Fhrainc. Thug Stailín le fios go dtroidfeadh sé ar son neamhspleáchas na Seicslóvaice, ach chinn na Seicigh a muinín a chur i gcumhachtaí an Iarthair, agus d'aontaigh siad glacadh le téarmaí Chomhaontú München (lch 93).

▲
Aire Gnóthaí Eachtracha na Gearmáine, Ribbentrop, ag síniú an Chomhaontú Naitsí-Shóivéadach ar an 23 Lúnasa 1939. Tá Stailín i láthair (ar dheis ar cúl) agus Molotov, an tAire Gnóthaí Eachtracha Sóivéadach (lena thaobh).

An Comhaontú Naitsí-Shóivéadach, Lúnasa 1939

Tar éis ionradh Hitler ar an tSeicslóvaic i mí an Mhárta 1939, *chuaigh an Fhrainc agus an Bhreatain i mbannaí ar theorainneacha na Polainne, mar gur chosúil gur isteach sa Pholainn an chéad áit eile a ndéanfadh Hitler forleathnú. Ach ba bheag a d'fhéadfadh ceachtar den dá thír a dhéanamh gan tacaíocht an Aontais Shóivéadaigh. Bhí rogha ag Stailín anois comhaontú a dhéanamh leis an mBreatain agus an Fhrainc, nó leis an nGearmáin. Bhí amhras ar Stailín go dtréigfeadh na cumhachtaí Iartharacha an tAontas Sóivéadach i ndeireadh na dála dá mbeadh bagairt ann ón nGearmáin. Tugadh le fios go mbeadh athrú i bpolasaí eachtrach na Sóivéadach nuair a cheap Stailín Vyacheslav Mikhailovich Molotov in ionad Litvinov (ailtire na comhshlándála).

Roghnaigh Stailín comhaontú a shíniú leis an nGearmáin mar go raibh sé tinn tuirseach de 'ghéilleadh síthe' thíortha an Iarthair. Tháinig Joachim von Ribbentrop, Aire Gnóthaí Eachtracha na Gearmáine, go Moscó ar an 23 Lúnasa. I ndiaidh cruinniú trí huaire an chloig, d'aontaigh Molotov agus Ribbentrop ar *chomhaontú neamhionsaitheachta deich mbliana idir an tAontas Sóivéadach agus an Ghearmáin; an Comhaontú Naitsí-Shóivéadach a tugadh air. Bhí clásal rúnda sa chomhaontú, a chuir an Eastóin, an Laitvia, an Fhionlainn agus iarthar na Polainne laistigh de *réimse tionchair an Aontais Shóivéadaigh; agus an Liotuáin agus iarthar na Polainne laistigh de réimse tionchair na Gearmáine.

Thug an Comhaontú Naitsí-Shóivéadach *faill do Stailín. Bhí sé ag súil nach ndéanfadh na Gearmánaigh *ionradh go dtí 1943, ar a luaithe. Faoin am sin, bheadh Tríú Plean Cúig Bliana Stailín – an ceann a bhí dírithe ar thionscal na n-arm – críochnaithe.

---

téigh go cnámh na huillinne put to the test • **beartas géilleadh síthe** policy of appeasement
cinniúint fate • **téigh i mbannaí (ar)** guarantee • **comhaontú neamhionsaitheachta** non-aggression pact
réimse tionchair sphere of influence • **faill** time • **ionradh** invasion

Bhí níos mó ama ag teastáil ón Arm Dearg freisin chun athstruchtúrú agus atheagrú a dhéanamh orthu féin tar éis phurguithe Stailín ar an Arm sa bhliain 1937. Tháinig deireadh leis an gComhaontú Naitsí-Shóivéadach nuair a chuir Hitler tús le hionradh na Gearmáine ar an Rúis ar an 22 Meitheamh 1941. *Oibríocht Barbarossa (lch 108) a tugadh air.

Dearcadh an Staraí ar Stát Stailín

Bhí níos mó cumhachta ag Josif Stailín ná mar a bhí ag tíoránach ar bith eile sa stair. Bhí smacht aige de bharr sceimhle, agus de bharr córas rialtais a raibh ceannas iomlán aige air. Níor chuir sé suas le bagairt ar bith dá chumhacht, fíor nó samhailteach, agus níor cheistigh duine ar bith a cheannaireacht. Tharraing *déine a riailréim an bás agus an fhulaingt ar mhilliúin. Bhrúigh sé a chuid polasaithe ar gach gné de shaol an náisiúin, agus bhain a gcumas chun smaoineamh ar a son féin, de mhuintir na Rúise. Bhí riail ollsmachtach Stailín bunaithe ar chineál rialtais a bhí casta, bunaithe go mór ar *mhaorlathas, agus a raibh cumhacht deachtóra aige air. Dá bharr sin uile, nuair a fuair sé bás, níor fhág sé aon chineál buanrialtais (a mhairfeadh) ag an tír.

As **Years of Russia and the USSR, 1851–1991** le David Evans agus Jane Jenkins, 2001.

? Ceisteanna

An Gnáthleibhéal

Féach ar an gcartún agus freagair na ceisteanna seo a leanas:

1. Tarraingíodh an cartún seo in 1939. Cén *comhaontas a bhfuil sé ag tagairt dó?

2. Cén fáth a bhfuil an cartúnaí ag fiafraí cén fad a mhairfidh an pósadh? Mínigh do fhreagra.

3. Cén fáth nach samhlófaí comhaontas idir Stailín agus Hitler?

WONDER HOW LONG THE HONEYMOON WILL LAST?

Scríobh cuntas gairid faoi cheann acu seo a leanas:

1. Seóthrialacha Stailín.

2. Cultas Stailín.

---

oibríocht operation • **déine** severity • **maorlathas** bureaucracy • **comhaontas** alliance

An tArdleibhéal

1. Déan measúnú ar an tionchar a bhí ag Stailín ar an Aontas Sóivéadach agus ar phobal an Aontais.

2. 'Ó bhás Leinín in 1924 go ionradh Hitler ar an Aontas Sóivéadach in 1941, dhaingnigh Stailín a chumhacht phearsanta agus d'athraigh sé an tAontas ó bhonn'. É sin a phlé.

Ceisteanna bunaithe ar Dhoiciméid
An tArdleibhéal agus an Gnáthleibhéal

Ceisteanna Cás-staidéir: 'Seóthrialacha Stailín'

Déan staidéar ar Fhoinsí A–O ar leathanaigh 58 go 67 agus ansin freagair na ceisteanna seo:

*Triail Tuisceana

1. Déan cur síos ar an mbail a bhí ar intinn Stailín mar a léirítear í i bhFoinse A.

2. De réir Bukharin i bhFoinse B, cén cineál pearsantachta atá ag Stailín?

3. Cén cineál pionóis a d'éiligh Stailín dóibh sin a ciontaíodh i ngníomhartha sceimhlitheoireachta (Foinse C)?

4. De réir an eolais i bhFoinse D, cén chaoi ar athraigh an meon laistigh den Pháirtí Cumannach tar éis bhás Kirov in 1934?

5. De réir Bukharin (Foinse D), cén fáth ar cheap Stailín gur bhagairt dá údarás féin ba ea formhór an tseanpháirtí?

6. I bhFoinse E, cén modh a úsáideadh chun eagla a chur go forleathan ar mhuintir an Aontais Shóivéadaigh?

7. I bhFoinse F, cad iad na coireanna a d'admhaigh Kamenev agus Zinoviev?

8. I bhFoinse G, cad é an teachtaireacht atá an cartúnaí ag iarraidh a chur in iúl faoi na Seóthrialacha?

9. I bhFoinse H, cad í an phríomhchúis a cuireadh i leith na gcosantóirí ag Triail an Duine is Fiche i mí an Mhárta 1938?

10. De réir Fhoinse H, cad í an phríomhaidhm a bhí ag 'Bloc Frith-Shóivéadach na hEite Deise agus na dTrotscaithe'?

11. I bhFoinse K, cén pionós atá á éileamh ag an bPríomh-Chúisitheoir, Vyshinsky, don *chúisí ag deireadh na trialach?

12. De réir Fitzroy MacLean (Foinse L), cad a bhí chomh hait faoin gcaoi ar admhaigh na cosantóirí a gciontacht?

---

triail tuisceana comprehension test • **cúisí** accused (person)

13. I bhFoinse L, cén chaoi a ndéanann Fitzroy MacLean cur síos ar an aidhm a bhí le Triail an Duine is Fiche?

14. I bhFoinse M, cén teachtaireacht atá ag an gcartúnaí maidir le smacht Stailín ar an Aontas Sóivéadach?

15. De réir Khrushchev (Foinse N), cén cineál daoine a bhí thíos le purguithe Stailín?

16. I bhFoinse O, cén *busta atá ar an gcathaoir agus Stailín ag réiteach chun é féin a lámhach?

Comparáid

1. Déan comparáid idir na hargóintí éagsúla atá i bhFoinsí A, D agus E mar chúiseanna a d'fhéadfadh a bheith le riailréim sceimhle Stailín.

2. Déan comparáid idir an dearcadh a bhí ag Bukharin (Foinse I) agus ag Rykov (Foinse J) maidir le Triail an Duine is Fiche.

3. Cé chomh mór is atá Foinsí G agus L ag aontú le chéile maidir leis an gcaoi ar reáchtáladh na Seóthrialacha?

4. Cé chomh mór is atá Foinsí A, B agus N ag aontú le chéile gurbh í bail intinne Stailín ba mhó ba chúis lena chinneadh an páirtí a phurgú? Mínigh do fhreagra.

5. Cad iad na difríochtaí atá idir na tuairimí i bhFoinsí H agus L maidir leis na cúisimh a cuireadh i leith na gcosantóirí le linn Thriail an Duine is Fiche?

6. Mínigh an fáth a gceapfaí é a bheith neamhghnách go mbeadh údair Fhoinsí H agus N ag aontú faoi phurguithe Stailín.

Léirmheas

1. An bhfuil eolas ar bith tairbheach faoi Stailín le fáil i bhFoinsí G, M agus O (na cartúin)? Mínigh do fhreagra.

2. An gceapann tú go bhfuil léargas cruinn ar Stát Stailín sna foinsí sin? Mínigh do fhreagra.

3. An bhféadfaí a rá gur samplaí de bholscaireacht fhrith-Shóivéadach is ea Foinsí G, M agus O?

4. Féach ar theidil leabhair nótaí na dtuairisceoirí i bhFoinse O. Cén tuairim atá ag an gcartúnaí faoi chruinneas thuairiscí phreas an Aontais Sóivéadaigh?

5. Déan staidéar ar Fhoinsí K agus L. Cé acu is iontaofa? Mínigh do fhreagra?

6. Nadezhda Mandelstam a scríobh Foinse E. Bhí a fear céile Osip thíos le purguithe Stailín. An gceapann tú go bhfuil an fhoinse sin iontaofa? Mínigh do fhreagra.

7. Mínigh cén fáth go mb'fhéidir nach bhfuil an fhírinne i bhFoinsí F agus J.

Comhthéacsú

1. Ón eolas atá agat faoin tréimhse, cén tionchar a cheapann tú a bhí ag Seóthrialacha Stailín ar an saol laistigh den Aontas Sóivéadach?

2. Maidir leis na deacrachtaí míleata a bhí ag an Aontas Sóivéadach sa tréimhse 1939–40, cé mhéad den mhilleán fúthu sin a d'fhéadfaí a chur ar na Seóthrialacha?

3. Cén tionchar a bhí ag reáchtáil na bpurguithe agus na Seóthrialacha ar pholasaí eachtrach an Aontais Shóivéadaigh le linn na tréimhse 1934-39?

4. Seachas na purguithe agus na Seóthrialacha, déan cur síos gearr ar chuid eile de pholasaithe Stailín chun rialú a dhéanamh ar shaoránaigh an Aontais Shóivéadaigh.

5. Cuir i gcomparáid an *chos ar bolg a rinne stát Stailín ar na daoine, agus stáit ollsmachtacha eile, sa tréimhse idirchogaidh 1920-39 (an tArdleibhéal amháin).

---

cos ar bolg oppression

6 Tríú Poblacht na Fraince, 1920–40

I ndiaidh an Chéad Chogadh Domhanda

Bunaíodh Tríú Poblacht na Fraince sa bhliain 1870, tar éis gur buaileadh an Fhrainc sa Chogadh Franc-Phrúiseach. In ainneoin a lán deacrachtaí, mhair an Tríú Poblacht go dtí ionradh na Gearmáine ar an bhFrainc in 1940, le linn an Dara Cogadh Domhanda.

Ba é an tUachtarán a bhí ina cheann stáit i bPoblacht na Fraince. *Teachtaí na Parlaiminte a roghnaigh é, seachas an gnáthphobal. Dhá theach a bhí sa Pharlaimint: an Teach Uachtarach (an Seanad) agus an Teach Íochtarach (*Teach na dTeachtaí). Le *ceart vótála na bhfear uile a toghadh Teach na dTeachtaí. Ní raibh vóta ag na mná sa Fhrainc go dtí 1945. Bhí de chumhacht ag an Uachtarán Príomh-Aire a cheapadh. D'ainmnigh an Príomh-Aire sin baill as Teach na dTeachtaí chun a bheith ar Chomhairle na nAirí (an Rialtas).

Polaitíocht Idirchogaidh, 1919–39

Bhí a lán míshocrachta sa Fhrainc sa tréimhse 1870–1914 mar gheall ar easaontais pholaitiúla, ach cuireadh i leataobh iad sin le linn an Chéad Chogadh Domhanda (1914–18). Sheas polaiteoirí na Fraince, de gach cineál polaitíochta, an fód i gcoinne comhnamhad. Ach a luaithe is a bhí deireadh leis an gcogadh, d'fhill an Fhrainc ar ghnáthphróiseas na polaitíochta, agus tháinig na seaneasaontais chun cinn an athuair.

Cé go raibh an Fhrainc i measc na mbuaiteoirí sa Chéad Chogadh Domhanda, mhothaigh siad gur bhua folamh a bhí ann mar gur chaill siad a lán fear agus gur scriosadh an geilleagar. Maraíodh glúin iomlán fear. Bhí réigiún tionsclaíochta na Fraince, réigiún san oirthuaisceart, ar an gcuid is mó, scriosta ag ceithre bliana de chogaíocht.

I rith na mblianta idir na cogaí, 1919-39, ba chomhrialtais éagsúla a bhí ag rialú Thríú Poblacht na Fraince. Idir 1918 agus treascairt an Tríú Poblacht i mí na Bealtaine 1940, bhí 44 rialtas éagsúil agus breis is 20 Príomh-Aire sa Fhrainc. *Comhcheangail de pháirtithe Sóisialacha agus páirtithe Cumannacha den eite chlé, nó páirtithe an-choimeádach, Náisiúnaíocha, a bhí i bhformhór na rialtas sin.

An Bloc Náisiúnta, 1919–24

I rith an Chéad Chogadh Domhanda bhí George Clemenceau go mór chun tosaigh i bpolaitíocht na Fraince. Bhí na leasainmneacha *Le Tigre* (An Tíogar) agus *Le Père la Victoire* (an tAthair an Bua) air, agus ba é a bhí i gceannas ar an bhFrainc nuair a bhain sí bua sa bhliain 1918. Bhí Clemenceau ag súil leis an mbua a bhaint i dtoghchán na Fraince i mí na Samhna 1918. Ach níor éirigh lena Bhloc Náisiúnta − comhrialtas de pháirtithe lárnacha agus de pháirtithe de chuid na heite deise − ach 400 den 616 suíochán i dTeach na dTeachtaí a bhuachan.

> **Poblacht:**
> Stát ina bhfuil an córas rialtais bunaithe ar an tuairim go bhfuil an stádas céanna ag gach saoránach. Ní bhíonn rí ná banríon ná *teidil ríoga ar bith i bpoblacht; ag na daoine a bhíonn an chumhacht, trína n-ionadaithe tofa.

---

teachta member • **Teach na dTeachtaí** Chamber of Deputies • **ceart vótála na bhfear uile** universal male suffrage • **teideal ríoga** royal title • **comhcheangal** combination

George Clemenceau (1841–1929) a bhí i gceannas ar an bhFrainc nuair a bhain sí bua sa bhliain 1918, ach a d'éirigh as sa bhliain 1920.

Édouard Herriot (1872–1957), Príomh-Aire na Fraince, ó 1924 go 1926.

Sa bhliain 1920 d'éirigh Clemenceau as a phost mar Phríomh-Aire agus sheas sé le haghaidh oifig an Uachtaráin. Aisteach go leor, bhuaigh Paul Deschanel air. In ainneoin go raibh meas mór ag seanadóirí agus teachtaí ar an obair a rinne Clemenceau chun an bua a bhaint sa Chéad Chogadh Domhanda, bhí a lán acu den tuairim go mbeadh sé róláidir mar uachtarán. Bhí eagla orthu go mbeadh sé ag *cur a ladair i ngnóthaí an rialtais agus go laghdódh sé sin cumhacht na Parlaiminte. Níor thaitin sé le cuid den eite dheas mar go raibh sé i gcoinne an reiligiúin go hoscailte.

Bhí tréimhse mhíshocrachta ann tar éis do Clemenceau éirí as a phost. Bhí príomh-airí éagsúla ann: Alexandre Millerand (Eanáir 1920 go Méan Fómhair 1920), Georges Leygues (Méan Fómhair 1920 go hEanáir 1921), Aristride Briand (Eanáir 1921 go Eanáir 1922).

Bhí *socracht de chineál éigin ann arís nuair a toghadh Raymond Poincaré, dlíodóir frith-Shóisialach, ina Phríomh-Aire i mí Eanáir 1922. Dar le Poincaré féin, ba é *gaiscíoch na meánaicme é. Bhí sé ag iarraidh an fear beag gnó a chosaint chomh maith leis na siopadóirí, a raibh imní mhór ag teacht orthu mar gheall ar an ardú ar an mboilsciú. Ach in 1923 chaill sé a lán tacaíochta nuair a bhí air arduithe cánach a thabhairt isteach mar gheall ar laige eacnamaíoch. Bhí ar Poincaré éirí as i mí an Mheithimh 1924 nuair a dhiúltaigh an Seanad dá chuid moltaí cánach.

Cartel Des Gauches, 1924–26

Tháinig an *Cartel des Gauches* (Comhaontas na hEite Clé) i gcumhacht i dtoghchán 1924, le 328 suíochán, i gcomparáid le 226 suíochán an Bhloic Náisiúnta. Comhaontas idir an Páirtí Radacach sa lár, agus an Páirtí Sóisialach ar clé, a bhí sa *Cartel*. Thacaigh an *íos-mheánaicme de shiopadóirí agus d'fheirmeoirí leis na Radacaigh. Bhí siad i gcoinne smacht a bheith ag an stát ar an tionsclaíocht. Thacaigh na hoibrithe tionsclaíocha agus na *tuathánaigh leis na Sóisialaithe agus bhí siad ag iarraidh go ndéanfadh an stát *idirghabháil sa gheilleagar. In ainneoin na ndeacrachtaí sin, d'éirigh leis an bPríomh-Aire nua, an Radacach Édouard Herriot, an rialtas a choinneáil le chéile go ceann dhá bhliain.

---

ladar a chur i to intervene in • **socracht** stability • **gaiscíoch** champion
íos-mheánaicme lower middle class • **tuathánach** peasant • **idirghabháil** intervention

A luaithe agus a tháinig an *Cartel* i gcumhacht, bhí *géarchéim eacnamaíoch ann. Tháinig an ghéarchéim mar gheall ar bhlianta de mhíbhainistiú eacnamaíoch. Ó 1921, bhí bearna d'idir 7 agus 12 billiún franc in aghaidh na bliana idir caiteachas agus ioncam an rialtais.

Dhiúltaigh Herriot agus na Radacaigh cánacha níos airde a thabhairt isteach. Rinne sé iarracht an ghéarchéim a réiteach trí iasachtaí a fháil, rud a rinne *neamhchomhardú an bhuiséid níos measa. Laghdaigh luach fhranc na Fraince mar gheall air sin:

Nollaig 1920	90 Franc	= £1 steirling
Nollaig 1925	130 Franc	= £1 steirling
Iúil 1926	240 Franc	= £1 steirling

Ní raibh na páirtithe éagsúla sa *Cartel* in ann aontú ar réiteach ar an ngéarchéim. Bhí na Sóisialaithe ag iarraidh cáin a chur ar chaipiteal (maoin agus talamh); chuirfeadh sé sin leis an ualach ar na daoine saibhre. Ghéill Herriot ar deireadh, agus *d'fhéach sé le cáin 10% a thabhairt isteach ar chaipiteal. Chuir a mholadh uafás ar na Coimeádaigh. Bhí ar Herriot éirí as oifig i mí Aibreáin 1926 nuair nár ghlac an Seanad lena chuid moltaí faoi cháin.

*Rialtas an Aontais Náisiúnta, 1926–32

I mí Iúil 1926 tháinig Raymond Poincaré ar ais, i gceannas ar *Rialtas an Aontais Náisiúnta; bhí cúigear iar-phríomh-aire ann agus baill as na páirtithe uile seachas na Sóisialaithe. Bhí Poincaré ina Aire Airgeadais chomh maith le bheith ina Phríomh-Aire. De bharr na droch-chaoi ina raibh an geilleagar, bhí cead aige rialú le *foraithne (gan comhaontú ón bParlaimint), agus neamhaird a dhéanamh den Pharlaimint chun reachtaíocht *éigeandála a thabhairt isteach. D'ardaigh sé na cánacha go tapa. Fuair sé iasachtaí thar lear agus chuir sé bonn seasmhach faoi airgeadra na Fraince – an Franc – trína luach a ísliú go dtí an cúigiú cuid den luach a bhí aige roimh an gcogadh. D'éirigh earraí Francacha níos iomaíche ar mhargadh an domhain. Cé gur *bhearta crua iad, thuig an pobal go raibh siad riachtanach.

Chaith an Rialtas 80 billiún Franc ar atógáil san oirthuaisceart. Tháinig an t-airgead atógála as an gcúiteamh a d'íoc an Ghearmáin de bharr an chogaidh. D'éirigh thar barr le tionscal na ngluaisteán chomh maith, agus d'fhorbair sé go mór le linn na tréimhse sin. Faoin mbliain 1929 bhí an Fhrainc ar an dara táirgeoir gluaisteán ba mhó ar domhan.

Rinneadh leasuithe sóisialta i ndeireadh na 1920idí freisin. Tar éis blianta d'fhaillí shóisialta, bhunaigh an Pharlaimint scéim náisiúnta árachais le haghaidh seanphinsean agus sochair thinnis sa bhliain 1928.

---

géarchéim crisis • **neamhchomhardú** imbalance • **féach le** attempt, try to • **Rialtas an Aontais Naisiúnta** Government of National Unity • **foraithne** decree • **éigeandáil** emergency • **beart** measure

*An Spealadh Mór

D'fhill míshocracht eacnamaíoch ar an bhFrainc an athuair mar gheall ar Chliseadh Wall Street in 1929 (lch 135). Bhí tionchar ollmhór ag an Spealadh Mór ar gheilleagar na Fraince. D'éirigh na Meiriceánaigh as iasachtaí a thabhairt don Ghearmáin; d'fhág sin gur tháinig deireadh le híocaíochtaí cúitimh na Gearmáine leis an bhFrainc. Cé gur tháinig rath ar an ngeilleagar mar gheall ar dhíluacháil an fhrainc, bhí drochthorthaí ann freisin: dumpáladh lear mór earraí saora eachtracha sa Fhrainc. Tháinig laghdú de 40% ar easpórtálacha idir 1929 agus 1932.

Sa bhliain 1932 tháinig Rialtas Radacach faoi cheannas Herriot ar ais i gcumhacht. Ach thit an Rialtas an athuair nuair a rinne Herriot iarracht déileáil leis an ngéarchéim eacnamaíoch. Thug sé isteach buiséad a bhí bunaithe ar ghearradh siar ar chaiteachas, agus ar ardú cánach. Níor thaitin sé leis na daoine ach oiread nuair a dhiúltaigh sé éirí as íoc fhiacha na Fraince (a bhain leis an gCéad Chogadh Domhanda) le Stáit Aontaithe Mheiriceá.

Teacht chun cinn Léigeanna Faisisteacha

Agus cúrsaí mar a bhí, cheap a lán daoine go raibh ag teip ar an daonlathas, mar chóras polaitíochta, sa Fhrainc, agus thosaigh siad ag cur a muinín in eagraíochtaí *antoisceacha a gheall gníomhaíocht agus *doichte. Mar thoradh air sin mhéadaigh an tacaíocht d'eagraíochtaí Faisisteacha agus leath-Fhaisisteacha ar ar tugadh 'léigeanna'.

Action Française (Gníomhaíocht Fhrancach)

Bhí Charles Maurras ar dhuine de na ceannairí léige ba mhó tionchar. Bhunaigh sé a ghluaiseacht radacach den eite dheas, *Action Française*, in 1905. Bhí an ghluaiseacht frith-Chumannach agus frith-Ghiúdach. I measc na ndaoine a thacaigh léi bhí a lán de na seanuaisle nár thaitin an córas poblachtach leo riamh. Mheall sí earcaigh freisin as na haicmí gairmiúla, mar shampla fir bheaga ghnó, siopadóirí agus *ceardaithe, a raibh a stádas sóisialta agus eacnamaíoch ag dul i léig. A lán iriseoirí de chuid na heite deise, chuaigh siad isteach in *Action Française*, nó thacaigh siad leis.

Jeunesses Patriotes (Na hÓgraí Tírghrácha)

Bhunaigh an Teachta Coimeádach, Pierre Taittinger, an grúpa seo in 1924. Bhí *Jeunesses Patriotes* bunaithe ar ghluaiseacht Fhaisisteach Mussolini. Chaith na baill cóta báistí gorm agus bairéad. Fuair an grúpa a lán dá thacaíocht ó *ghníomhaígh den eite dheas sna hollscoileanna. Faoin mbliain 1933 bhí beagnach 100,000 ball sa ghrúpa.

Solidarité Française (*Dlúthpháirtíocht na Fraince)

Bhunaigh François Coty *Solidarité Française* sa bhliain 1935. Milliúnaí ba ea é a rinne a chuid airgid as *cumhrán agus *cosmaidí. Bhain sé leas as a shaibhreas chun a chuid tuairimí frithdhaonlathacha agus *frith-Sheimíteacha a chur chun cinn ina pháipéar *L'Ami du Peuple* (Cara na nDaoine).

Charles Maurras (1868–1952) a bhunaigh *Action Française*, léig Fhaisisteach ag a raibh tionchar mór, sa bhliain 1905.

An Spealadh Mór The Great Depression • **antoisceach** extremist • **doichte** firmness • **ceardaí** artisan **gníomhaíoch** activist • **dlúthpháirtíocht** solidarity • **cumhrán** perfume • **cosmaidí** cosmetics **frith-Sheimíteach** anti-Semitic

Croix de Feu (Cros na Tine)

Bhí an *Croix de Feu* ar cheann de na léigeanna ba mhó a bhí ann. An Leifteanantchoirnéal de La Rocque, a bhí éirithe as a phost, a bhí i gceannas uirthi, agus *b'iarbhaill de na fórsaí míleata, ba mhó a bhí inti. Cé go raibh an grúpa seo fíochmhar frith-Chumannach, ní hionann is na grúpaí eile, ní raibh sé frith-Sheimíteach. Bhí de La Rocque sármhaith mar chainteoir poiblí, mheall sé *tacaithe saibhre, agus b'ollghluaiseacht a bhí sa *Croix de Feu* faoin mbliain 1933.

Seachas gníomhaíochtaí na léigeanna, ghríosaigh preas Pháras tuairimí den eite dheas. Chomh maith leis na nuachtáin thraidisiúnta den eite dheas, *Le Matin* (An Mhaidin) agus *Le Journal* (An Nuachtán Laethúil), bunaíodh roinnt foilseachán nua seachtainiúil, mar shampla *Candide* agus *Je Suis Partout* (Táim gach Áit). Bhí ról speisialta ag na nuachtáin sin chun polaiteoirí Poblachtacha den eite chlé agus den 'lár' a chlúmhilleadh.

> Bhí ról ollmhór ag iriseoirí na heite deise maidir le neart agus cumas *frithbheartaíochta an Tríú Poblacht a lagú. A lán de na hiriseoirí sin, chomhoibrigh siad leis na Naitsithe sa Dara Cogadh Domhanda.
>
> As ***A History of Modern France*** le Alfred Cobban, 1974.

Cás Stavisky, 1934

Sa bhliain 1934 thug Cás Stavisky an deis don eite dheas ionsaí a dhéanamh ar an gcóras daonlathach parlaiminte, córas a raibh fuath acu dó.

In Eanáir 1934 ghabh na póilíní in Chamonix *airgeadaí darbh ainm Serge Stavisky, ar cúlra Rúiseach-Ghiúdach a bhí aige. Saoradh é go gairid ina dhiaidh sin, ach fuarthas marbh é cúpla lá ina dhiaidh sin. Bhí an chosúlacht ar an scéal gur *lámhach sé é féin. Ba bheag Francach a chreid gur chuir sé lámh ina bhás féin, mar gur tháinig fianaise chun cinn a léirigh *calaois a bhí ar siúl chomh fada siar le 1926. Mhaígh nuachtáin na heite deise gur dúnmharaíodh Stavisky sa chaoi nach n-ainmneodh sé airí rialtais, breithiúna agus baill de na póilíní, is é sin, daoine a raibh baint acu leis an *gcalaois.

Thiar sa bhliain 1926 gabhadh Stavisky agus cúisíodh é as seacht milliún franc a ghoid. Cuireadh a thriail ar athló naoi n-uaire idir 1926 agus 1933, áfach. Go tráthúil, an t-ionchúisitheoir poiblí i bPáras, a chuir moill ar thriail Stavisky cúpla uair, ba dheartháir céile é le Príomh-Aire an Pháirtí Radacaigh Camille Chautemps. Mhéadaigh ar an amhras go raibh baint ag an Rialtas le bás Stavisky nuair a dhiúltaigh Chautemps fiosrúchán poiblí a reáchtáil faoi bhás Stavisky.

Tráthnóna an 6 Feabhra 1934, chuaigh léigeanna na heite deise amach ar shráideanna Pháras, agus d'ullmhaigh iad féin chun ionsaí a dhéanamh ar Theach na dTeachtaí. Maraíodh 14 dhuine agus gortaíodh 200 duine sular cuireadh deireadh leis an *gcíréib. Trí lá ina dhiaidh sin rinne na Cumannaithe iarracht *coup* dá gcuid féin a eagrú, trí mháirseáil trí Pháras agus *ollstailc a iarraidh.

---

iarbhall ex-member • **tacaí** supporter • **frithbheartaíocht** resistance • **airgeadaí** financier
lámhach shoot • **calaois** fraud • **círéib** riot • **ollstailc** general strike

Léirsitheoirí den eite dheas ar an *Champs Elysées* i bPáras i mí Feabhra 1934, go díreach sular thosaigh an clampar.

D'éirigh Chautemps as a phost mar thoradh ar an scannal. Chun na léigeanna a cheansú, ceapadh polaiteoir den eite dheas, Gaston Doumergue, ina Phríomh-Aire. Rinne sé iarracht muinín a athchruthú sa Rialtas trí fhiosrúchán iomlán ar chás Stavisky a ordú. Ach bhí amhras ag baint le toradh an fhiosrúcháin.

Rialtas an *Front Populaire*, 1936

Ar mhaithe le cosc a chur ar fhás na léigeanna Faisisteacha, chomhoibrigh páirtithe na heite clé sa Fhrainc le chéile i rith thoghchán mhí Aibreáin 1936 agus chuir siad Rialtas an *Front Populaire* le chéile. Ba é an Sóisialaí Léon Blum a bhí ina cheannaire air. Chuaigh an toghchán i bhfabhar na heite clé nuair a bhain an *Front Populaire* 380 suíochán, i gcomparáid le páirtithe na heite deise, nár bhain ach 237 suíochán.

Bhí macallaí de na *April Theses* ag Leinín in 1917 (lch 48) i *sluán an *Front Populaire*, '**Arán, Síocháin agus Saoirse**'. Cé gur thacaigh Cumannaithe na Fraince le Rialtas Blum, dhiúltaigh siad feidhmiú ina nAirí Rialtais.

Bhí roinnt cúiseanna le bunú chomhaontas na heite clé. Ar dtús, chuir teacht chun cinn léigeanna na heite deise eagla ar an eite chlé. Ar an dara dul síos, bhí ag méadú ar imní Stailín faoi Hitler a bheith ag teacht chun cinn; dá bharr sin, thacaigh sé (Stailín) le polasaí *comhshlándála i gcoinne an Fhaisisteachais. Mhol Aire Gnóthaí Eachtracha an Aontais Shóivéadaigh, Maxim Litvinov, do na Cumannaithe san Eoraip *dul i gcomhar leis na páirtithe daonlathacha chun cur in aghaidh an Fhaisisteachais.

Comhaontú Matignon

Nuair a tháinig Blum i gcumhacht bhí drochfhadhbanna eacnamaíocha roimhe. Bhí ar a Rialtas déileáil le sraith stailceanna agus *suíonna istigh. Níor tugadh isteach aon reachtaíocht shóisialta agus thionsclaíoch ó 1919, agus bhí moill ar gheilleagar na Fraince ag teacht chuige féin; spreag sin *doicheall tionsclaíoch.

I rith mhí na Bealtaine agus an Mheithimh, chuir na ceardchumainn an ghníomhaíocht eacnamaíoch ina stad.

Thionóil Blum comhdháil in áit chónaithe an Phríomh-Aire, Hôtel Matignon. Síníodh comhaontú idir na ceardchumainn, na fostóirí agus an Rialtas i mí an Mheithimh 1936.

Bhí na forálacha seo a leanas i gComhaontú Matignon:

- Bhí ardú 12% le teacht ar phá státseirbhíseach agus oibrithe tionsclaíocha.

- Rinneadh éigeantach saoire íoctha bhliantúil, agus seachtain oibre 40 uair an chloig.

sluán slogan • **comhshlándáil** collective security • **téigh i gcomhar le** join with
suí istigh sit-in • **doicheall** resentment

82

- Náisiúnaíodh monarchana *muinisin (ghlac an stát seilbh orthu).

- Bhí an stát le súil níos géire a choinneáil ar Bhanc na Fraince.

- Bhí na hoibrithe ar fad le dul ar ais ag obair (mar a d'aontaigh na ceardchumainn).

Ní raibh an éifeacht a raibh súil léi, ag Comhaontú Matignon, ar gheilleagar na Fraince. Chuir na fostóirí – a raibh ionadh orthu gur 'ghéill' an Rialtas do *mhíleatacht thionsclaíoch – i gcoinne Chomhaontú Matignon go nimhneach. Tháinig laghdú ar an táirgeadh freisin mar gheall ar an tseachtain oibre 40 uair an chloig. Lean praghsanna orthu ag ardú agus bhí deacracht ag Blum airgead a fháil chun íoc as na leasuithe, agus bhí air iasachtaí a fháil.

An Sóisialaí Léon Blum (1872–1950) ag labhairt ag cruinniú. Bhí Blum i gceannas ar Rialtas Fhronta an Phobail ó mhí Aibreáin 1930 go mí an Mheithimh 1937.

Treascairt an *Front Populaire*

Sa bhliain 1937 ní raibh an dara rogha ag Blum ach éirí as na leasuithe mar go raibh an geilleagar ag dul in olcas. Cháin páirtithe na heite clé agus na heite deise a pholasaí mar go raibh sé ag dul thar fóir – nó nach raibh sé ag dul sách fada. Thosaigh na stailceanna arís, agus ba léiriú é sin nár éirigh leis an *Front Populaire* síocháin thionsclaíoch a chruthú. Thosaigh sluán cáiliúil ag dul timpeall: '**B'fhearr Hitler ná Blum**'.

I mí an Mheithimh 1937, d'éiligh Blum cumhachtaí speisialta éigeandála sa chaoi go mbeadh an Rialtas in ann a fhiacha a aisíoc. Nuair a dhiúltaigh an Seanad dó, ní raibh rogha aige ach éirí as.

Rialtas na Cosanta Náisiúnta, 1938–39

In mí Aibreáin 1938, tar éis don Rialtas athrú cúpla uair, chuir Edouard Daladier, Sóisialaí a bhí níos *measartha ná Blum, Rialtas na Cosanta Náisiúnta le chéile. Cé go raibh ar Daladier aghaidh a thabhairt ar chúrsaí idirnáisiúnta a bhí ag dul in olcas, d'éirigh leis a dhóthain tacaíochta a fháil go dtí gur thosaigh an Dara Cogadh Domhanda in 1939.

Polasaí Eachtrach na Fraince, 1919–39

Idir 1919 agus 1939, bhí dhá phríomhaidhm ag an bhFrainc ina polasaí eachtrach: iallach a chur ar an nGearmáin cúiteamh a híoc ar dhamáiste cogaidh, agus slándáil na Fraince a chosaint don todhchaí.

---

muinisean munitions • **míleatacht** militancy • **measartha** moderate

Polasaí *Comhéigin Poincaré

Rinne an Ghearmáin iarrachtaí íoc an chúitimh a sheachaint, agus ba é freagra na Fraince air sin ná comhéigean (brú). Bhí baint mhór ag Raymond Poincaré leis an bpolasaí sin.

Nuair a theip ar an nGearmáin an íocaíocht cúitimh a íoc in 1923, chuir Poincaré trúpaí Francacha isteach sa réigiún tionsclaíoch – an Rúir. Nuair a lámhach trúpaí Francacha roinnt *agóideoirí in oibreacha cruach Krupp in Essen, chuir oibrithe Gearmánacha tús le polasaí *frithbheartaíocht shíochánta (stailceanna, etc.). Ní raibh mórán glactha leis an dianpholasaí Francach seo sa Bhreatain. Go hidirnáisiúnta ní raibh mórán tacaíochta ag an bhFrainc, agus ar deireadh bhí uirthi glacadh le comhdháil idirnáisiúnta a reáchtáladh i Londain in 1924. Ba é an toradh a bhí ar an gcomhdháil sin ná Plean Dawes, a rinne athstruchtúrú ar chúiteamh na Gearmáine. Mar gheall air sin, d'aontaigh an Fhrainc a cuid trúpaí a tharraingt as an Rúir.

Ó thaobh na slándála de, níor éirigh mórán níos fearr leis an bhFrainc. An gealltanas Angla-Mheiriceánach go mbeadh comhaontas míleata ann leis an bhFrainc, a tugadh ag Comhdháil Versailles in 1919, níor comhlíonadh é. Dhiúltaigh na Stáit Aontaithe dul isteach i *gConradh na Náisiún mar nach raibh siad ag iarraidh go dtarraingeofaí isteach i gcogadh Eorpach eile iad. Chomh maith leis sin, bhí an Bhreatain *scoite nó aisti féin arís tar éis an chogaidh.

Rinne an Fhrainc iarracht a slándáil a neartú trí shraith comhaontuithe a dhéanamh le tíortha Lár agus Oirthear na hEorpa: an Pholainn in 1921, an tSeicslóvaic in 1924, an Rómáin in 1926 agus an Iúgslaiv in 1927. Ach ní raibh gealltanas soiléir faoi ghníomhaíocht mhíleata i gcás cogaidh leis an nGearmáin, ach sa chonradh leis an bPolainn.

Briand agus *Idir-réiteach

Fágadh polasaí eachtrach comhéigin na Fraince i leataobh i ndiaidh 1924, agus cuireadh cur chuige níos muinteartha (síochánta) ina áit. Luaitear Aristide Briand leis an bpolasaí nua seo a bhí bunaithe ar chaidreamh níos fearr idir an Fhrainc agus an Ghearmáin. Bhí Briand ina Aire Gnóthaí Eachtracha ag an bhFrainc don chuid ba mhó den tréimhse idir 1924 agus 1929. D'éirigh le Briand, i dteannta Gustav Stresemann, Aire Gnóthaí Eachtracha na Gearmáine, an caidreamh idir an Fhrainc agus an Ghearmáin a fheabhsú.

Sa bhliain 1925 shínigh an Fhrainc agus an Ghearmáin Conradh Locarno. Faoin gconradh sin ghlac an Ghearmáin leis na teorainneacha a bhí aici leis an bhFrainc agus an Bheilg, ag an am sin, mar theorainneacha buana. Mar thoradh ar an tuiscint nua sin, thug an Fhrainc cead don Ghearmáin teacht isteach i gConradh na Náisiún in 1926.

Shínigh an Fhrainc agus an Ghearmáin Comhaontú Kellog-Briand in 1928, ag diúltú don chogaíocht mar bhealach chun aighnis a réiteach.

*Géilleadh Síthe

D'athraigh an saol go hiomlán nuair a tháinig Hitler agus na Naitsithe i gcumhacht sa Ghearmáin in 1933. Chreid Pierre Laval, Aire Gnóthaí Eachtracha na Fraince sa bhliain 1935, go raibh an Fhrainc níos laige ná an Ghearmáin, agus dá bhrí sin gur cheart don Fhrainc dul i mbun *idirbheartaíochta. An chuid is mó den idirbheartaíocht le Gearmáin na

▲
Raymond Poincaré (1860–1934), a chuir trúpaí Francacha isteach sa Rúir in 1923, nuair a theip ar an nGearmáin íocaíocht cúitimh a dhéanamh.

▲
Aristide Briand (1862–1932), an tAire Gnóthaí Eachtracha a bhí i bhfabhar cur chuige idir-réitigh nó síochánta a bheith sa chaidreamh idir an Fhrainc agus an Ghearmáin.

---

comhéigean coercion • **agóideoir** protester • **frithbheartaíocht shíochánta** passive resistance
Conradh na Náisiún League of Nations • **scoite** isolated • **idir-réiteach** conciliation
géilleadh síthe appeasement • **idirbheartaíocht** negotiations

Naitsithe, d'fhág taidhleoirí na Fraince faoin mBreatain í. Bhí an Bhreatain tiomanta don ghéilleadh síthe ar feadh na 1930idí. Ní raibh na Francaigh sásta aon ghníomh a dhéanamh gan tacaíocht ón mBreatain (lch 93).

Líne Maginot

Bhí muinín mhór ag Laval agus a *chomharbaí i 'Líne Maginot' mar bhealach chun an Fhrainc a chosaint. Sna 1930idí tógadh líne ollmhór de *dhaingnithe, a ainmníodh as Aire Cosanta na Fraince, André Maginot, ar feadh theorainn na France leis an nGearmáin. Níor thug an dream a thóg Líne Maginot, lena gunnaí ollmhóra, *buncair choincréite agus iarnróid faoi thalamh, aird ar bith ar na hathruithe a bhí ag teacht ar an gcogaíocht nua-aoiseach. D'áitigh an Coirnéal Charles de Gaulle, ina leabhar *Vers l'Armée de Métier* (Arm na Todhchaí), nárbh fhiú faic Líne Maginot i gcoinne *bombardú ón aer agus *rannáin (aonaid) chumhachtacha tancanna. Rinne de Gaulle iarracht a áitiú ar shaighdiúirí agus ar *shibhialtaigh gur córas níos fearr cosanta a bheadh i dtancanna ná cathláin mhóra de thrúpaí agus daingnithe míleata, ach b'obair in aisce é.

Ba líne ollmhór de *dhaingnithe í Líne Maginot, a ainmníodh as Aire Cosanta na Fraince, André Maginot. Tógadh í sna 1930idí ar feadh theorainn na Fraince leis an nGearmáin. Chreid na Francaigh go scriosfaí Arm na Gearmáine go hiomlán dá dtriailfidís dul tríthi.

Fronta Stresa

Chaith Laval a lán ama, freisin, ag iarraidh dea-chaidreamh a bhunú le Mussolini. Sa bhliain 1935 d'fhreastail an Bhreatain, an Fhrainc agus an Iodáil ar Chomhdháil Stresa san Iodáil. D'aontaigh siad comhagóidíocht a dhéanamh in aghaidh phleananna Hitler an Ghearmáin a *atharmáil. Bhí muinín ag an Fhrainc as an gcomhaontú. Ach nuair a rinne Mussolini ionradh ar an Aibisín (An Aetóip) in 1935, thit 'Fronta Stresa' as a chéile.

Theastaigh ó Laval Mussolini a shásamh, agus chuir sé ina luí ar Rúnaí Gnóthaí Eachtracha na Breataine, Samuel Hoare, gur cheart dhá thrian den Aibisín a thabhairt do Mussolini. Nuair a tháinig scéala faoi Chomhaontú Hoare-Laval amach, bhí a oiread sin feirge ar phobal na Breataine go raibh orthu deireadh a chur leis an gComhaontú. Bhí buile feirge ar Mussolini gur thit an Comhaontú as a chéile, agus mar gheall ar *smachtbhannaí eacnamaíocha a tugadh isteach i gcoinne na hIodáile. Mar gur thit Comhaontú Hoare-Laval as a chéile, bhog an Iodáil níos gaire don Ghearmáin.

Ina dhiaidh sin thug an Fhrainc a haghaidh soir ar an Aontas Sóivéadach agus í ar thóir slándáil. Síníodh Comhaontú Franc-Shóivéadach i mí na Bealtaine 1935, agus gheall an dá thír cabhair dá chéile sa chás go ndéanfadh Hitler ionradh ar an tSeicslóvaic. Ach ní dhearnadh aon socruithe sa Chomhaontú idir arm an dá thír, dá bhrí sin ní raibh aon phlean ceart ann. Thit an Comhaontú as a chéile in 1938 nuair a chuir an tAontas Sóivéadach i leith na Fraince gur thréig sí an tSeicslóvaic le linn chainteanna München (lch 93).

---

comharba successor • **daingniú** fortification • **buncar** bunker • **bombardú** bombardment
rannán division • **sibhialtach** civilian • **atharmáil** re-arm • **smachtbhanna** sanction

Cogadh!

Nuair a thosaigh an cogadh i mí Mheán Fómhair 1939, bhí an Fhrainc ag brath go hiomlán ar Líne Maginot, mar chreid siad go scriosfaí arm na Gearmáine go hiomlán agus iad ag iarraidh briseadh tríd an gcóras iontach cosanta sin. I mí na Bealtaine 1940, rinne Colúin Ghearmánacha *Panzer* (colúin de thancanna *armúrtha) ionradh gan choinne ar an bhFrainc trí dhul timpeall ar Líne Maginot agus teacht tríd an gcuid de na hArdennes atá sa Bheilg (réigiún cnocach foraoise atá ar leathadh ar chuid den Bheilg, den Fhrainc agus de Lucsamburg). Ní raibh ar chumas na Fraince troid i gcoinne ionradh na nGearmánach agus ghéill sí ar an 22 Meitheamh, 1940. B'in deireadh le Tríú Poblacht na Fraince.

Ceisteanna

An Gnáthleibhéal

Scríobh paragraf faoi cheann amháin díobh seo thíos:

1. Tionchar an Chéad Chogadh Domhanda ar an bhFrainc.

2. Cás Stavisky.

3. Comhaontú Matignon.

4. Polasaí Eachtrach na Fraince sa tréimhse idir na cogaí.

An tArdleibhéal

1. Pléigh láidreachtaí agus laigeachtaí Thríú Poblacht na Fraince sa tréimhse 1920–39.

2. 'Tír dheighilte ba ea an Fhrainc sna blianta idir na cogaí'. É sin a phlé.

3. Pléigh na deacrachtaí inmheánacha agus seachtracha a bhí ag Tríú Poblacht na Fraince sa tréimhse 1920–39.

---

armúrtha armoured

7 Polasaí Eachtrach na Naitsithe, 1933-39, agus Teacht an Chogaidh

Aidhmeanna Hitler

Ón tús, bhí cuspóirí pholasaí eachtrach Hitler agus na Naitsithe an-soiléir. Ba iad seo a bpríomhchuspóirí:

- Deireadh a chur le Conradh Versailles.
- Gearmáin Mhór a chruthú, chun lucht labhartha na Gearmáinise ar fud na hEorpa a aontú *(Großdeutschland)*.
- Teorainneacha na Gearmáine a bhogadh soir *(Lebensraum)*.

Eochairchoincheap: *Lebensraum*

D'úsáid Naitsithe na Gearmáine an téarma *Lebensraum* (*spás áitrithe) chun bonn a chur lena n-éileamh ar limistéir mhóra de chuid Oirthear na hEorpa. Dúirt siad go raibh an talamh ag teastáil chun freastal ar dhaonra na Gearmáine, a bhí ag méadú. Bhí a shúil ag Hitler freisin ar thailte in iarthar na Rúise a bhí saibhir ó thaobh arbhair agus ola, sa chaoi go n-éireodh leis *átarcacht nó *leordhóthanacht na Gearmáine a bhaint amach. Bhí sin ag teacht le teoiric na Naitsithe i dtaobh na gciníocha, agus níorbh iontas é gur éiligh siad talamh ar phobail Shlavacha Oirthear na hEorpa - arbh *'íochtaráin' iad, dar leis na Naitsithe.

An Ghearmáin ag fágáil Chonradh na Náisiún, mí Dheireadh Fómhair 1933

In 1933, ag comhdháil dí-armála a d'eagraigh Conradh na Náisiún sa Ghinéiv, mhol Hitler go ndí-armálfadh gach tír anuas go dtí an leibhéal a socraíodh i gcomhair na Gearmáine i gConradh Versailles. Chuir an Fhrainc go mór ina choinne sin. Mhol an Bhreatain comhréiteach: d'fhanfadh an Ghearmáin ceithre bliana agus ansin thabharfaí cead di atharmáil. Dhiúltaigh Hitler dó sin agus tharraing sé an Ghearmáin amach as Conradh na Náisiún, agus é ag maíomh gurbh í an Ghearmáin an t-aon tír a bhí i ndáiríre faoin dí-armáil. Rinne sé iarracht cuma níos fearr a chur ar an scéal trí thairiscint dul ar ais isteach i gConradh na Náisiún dá nglacfaí le hachainí na Gearmáine ar chothromaíocht maidir le harmáil. Níor glacadh leis sin.

---

spás áitrithe living space • **átarcacht** autarky • **leordhóthanacht** self-sufficiency
íochtarán inferior person

Comhaontú leis an bPolainn, 1934

I mí Eanáir 1934 chuir Hitler *cluain ar na Polannaigh go mbeidís slán sábháilte, nuair a shínigh sé Comhaontú *Neamhionsaitheachta deich mbliana leo. Faoi théarmaí an chomhaontaithe sin, d'aontaigh Hitler glacadh le teorainneacha na Polainne mar a bhí siad ag an am. Ag an tráth sin, bhraith an Pholainn gur bhagairt níos mó é Stailín ná Hitler. Bhí míthuiscint ar dhaonlathais Eorpacha eile faoin gcomhaontú mar gur cheap siad an tsíocháin a bheith mar chuspóir i ndáiríre ag Hitler. Tuigeadh i gcónaí gur bhagairt mhór ar shíocháin na hEorpa é éileamh na Gearmáine ar Danzig agus ar *Bhealach na Polainne a fháil ar ais. Ba é Danzig príomhchathair chúige na Prúise Thoir go dtí 1919, nuair a rinne Conradh Versailles cathair shaor laistigh de theorainneacha na Polainne di. Is é a bhí i mBealach na Polainne ná stráice de chríocha na Gearmáine a bronnadh ar an bPolainn nua neamhspleách sa Chonradh, chun bealach chun na farraige a thabhairt di (féach léarscáil lch 94).

Daoine a bhí báúil leis na Naitsithe, dhúnmharaigh siad Príomh-Aire na hOstaire, Engelbert Dollfuss (1892-1934), i mí Iúil 1934.

Cás Dollfus san Ostair, 1934

Thug polasaí eachtrach Hitler céim mhór siar in 1934. I mí Iúil na bliana sin dhúnmharaigh daoine a bhí báúil leis na Naitsithe Príomh-Aire na hOstaire, Engelbert Dollfuss. Bhí faitíos ar Mussolini go ndéanfadh na Naitsithe *coup d'état* san Ostair. Bhí súil aige go mbeadh an Ostair neamhspleách ina *maolán idir an Iodáil agus an Ghearmáin. Bhí imní air freisin go ndéanfadh Hitler iarracht lucht labhartha na Gearmáinise i dtuaisceart na hIodáile a thabhairt isteach sa Tríú *Reich*. Mháirseáil 40,000 éigin saighdiúir Iodálach go dtí *Bearnas Brenner chun *forghabháil a chosc. D'ordaigh Hitler do Naitsithe na Ostaire éirí as a bplean don *coup d'état*, mar nach raibh sé ullamh le haghaidh cogaidh ag an tráth sin. Rinne an eachtra sin dochar d'íomhá Hitler mar fhear síochána.

An Ghearmáin ag Tosú ag Atharmáil, 1935

In 1935 d'fhógair Hitler go hoscailte go raibh rún aige an Ghearmáin a atharmáil. D'fhógair sé clásail dí-armála Chonradh Versailles a bheith ar ceal, agus go mbeadh *coinscríobh ginearálta ann. Bhí rún aige an t-arm a mhéadú ó 100,000 saighdiúir, mar a ceadaíodh in Versailles, go dtí 550,000. D'fhreagair cumhachtaí eile na hEorpa é sin trí 'Fhronta Stresa' a bhunú. Bhuail an Iodáil, an Bhreatain agus an Fhrainc lena chéile in Stresa i dtuaisceart na hIodáile, agus d'eisigh *comhrún ag cáineadh phleananna Hitler. Níor mhair an t-aontas sin i bhfad. Nuair a rinne Mussolini ionradh ar an Aibisín (An Aetóip) in 1935, thosaigh an fronta aontaithe ag titim as a chéile, de réir mar a d'fhás scoilt idir an Iodáil, an Bhreatain agus an Fhrainc.

---

cluain deception • **neamhionsaitheacht** non-aggression • **Bealach na Polainne** The Polish Corridor
maolán buffer • **Bearnas Brenner** Brenner Pass • **forghabháil** take-over • **coinscríobh** conscription
comhrún joint resolution

An Comhaontú Cabhlaigh Angla-Ghearmánach, 1935

Chinn an Bhreatain cúram a dhéanamh dá leas féin. In 1935 shínigh an Bhreatain is an Ghearmáin comhaontú a d'fhág nach mbeadh cabhlach na Gearmáine ach 35% chomh mór le cabhlach na Breataine. Ba laige mhór sa chomhaontú, áfach, nár cuireadh na hU-bháid san áireamh. Rinne na báid sin scrios mór le linn an Chéad Chogadh Domhanda trína lán báid tráchtála a chur go tóin poill. D'fhéadfaí a chur i leith na Breataine gur ghlac sí le sárú mór ar théarmaí Chonradh Versailles; de réir théarmaí an Chonartha, ní raibh cead ag an nGearmáin cabhlach mór a bheith aici. Ba é an chiall a bhain Hitler as an gComhaontú Cabhlaigh ná go raibh an Bhreatain lag maidir le cur i gcoinne fhorleathnú na Gearmáine.

*Pobalbhreith *na Sáire, 1935

De réir théarmaí Chonradh Versailles, bhí réigiún mianadóireacht guail na Gearmáine, an tSáir, le fanacht faoi smacht Chonradh na Náisiún le haghaidh 15 bliana. Reáchtáladh *pobalbhreith (vóta) in 1935 chun cinneadh a dhéanamh faoi thodhchaí an cheantair. Nuair a vótáil tromlach mór de mhuintir na Sáire ar son dul ar ais sa Ghearmáin, an tuiscint a baineadh as sin ná go raibh siad ar son pholasaithe Hitler.

> ***Crios maolánach:** Limistéar talún a fheidhmíonn ina chrios slándála idir dhá chumhacht atá ina naimhde.

*Dúiche na Réine, 1936

Faoi 1936 mhothaigh Hitler go raibh sé in am tosú ar roinnt críoch a ghabháil. Mheas sé go raibh an Bhreatain agus an Fhrainc gnóthach le *hionradh na hIodáile ar an Aibisín agus gurbh oiriúnach an t-am é chun máirseáil isteach i *gcrios dímhíleataithe Dhúiche na Réine. De réir théarmaí Chonradh Versailles, bhí Dúiche na Réine (réigiún san Iar-Ghearmáin, ar an teorainn leis an Fhrainc agus leis an Bheilg) le bheith ina 'chrios dímhíleataithe'. D'fhág sin go raibh cosc buan ar an nGearmáin aon arm nó *daingnithe míleata a bheith aici sa réigiún sin.

Bhain Hitler leas as Comhaontú Franc-Rúiseach na bliana 1935 mar leithscéal, á mhaíomh go raibh an Ghearmáin faoi bhagairt ar an dá fhronta, agus go raibh Dúiche na Réine de dhíth mar *chrios maolánach. Ar an 7 Márta 1936, ghabh 25,000 saighdiúir Gearmánach Dúiche na Réine. Bhí an t-ordú tugtha ag Hitler dá chuid saighdiúirí tarraingt siar dá gcuirfeadh an Fhrainc nó an Bheilg ina gcoinne ar shlí ar bith. Bhí iontas agus áthas air nuair nár cuireadh ina gcoinne. Mhothaigh Hitler gur léirigh sé sin ciall a bheith

Trúpaí na Gearmáine ag trasnú na Réine ar a slí chun Dúiche na Réine a *fhorghabháil ar an 7 Márta 1936. Níor ghníomhaigh an Fhrainc ná an Bheilg go míleata mar thoradh ar fhorghabháil sin Hitler ar Dhúiche na Réine.

---

pobalbhreith plebiscite • **An tSáir** The Saar • **crios maolánach** buffer zone • **Dúiche na Réine** The Rhineland • **ionradh** invasion • **crios dímhíleataithe** demilitarised zone • **daingniú** fortification **forghabh** occupy

lena phlean, mar bhí molta ag a Ghinearáil nach raibh an tráth ceart le haghaidh na forghabhála. Le forghabháil Dhúiche na Réine, cuireadh tús sa Ghearmáin le polasaí eachtrach níos *ionsaithí.

Cuireadh barr feabhais ar theicníc an *tumbhuamadóra **Stuka** le linn Chogadh Cathartha na Spáinne, 1936-39. Chuir Hitler eitleáin den sórt sin chun na Spáinne chun tacú le Franco agus a chuid fórsaí.

Cogadh Cathartha na Spáinne, 1936-39

D'fheabhsaigh an caidreamh idir Gearmáin na Naitsithe agus Iodáil na bhFaisistithe nuair a thug siad araon tacaíocht do Franco i gCogadh Cathartha na Spáinne, 1936-39. Chuir Hitler 16,000 saighdiúir, *cathlán amháin tancanna agus 11 *scuadrún eitleáin chogaidh chun na Spáinne. Bhí a lán cúiseanna aige le páirt a ghlacadh ann:

- Dá mbunófaí deachtóireacht den eite dheas sa Spáinn, d'fhágfadh sin an Fhrainc lag.

- Triaileadh *oirbheartaíocht mhíleata sa Spáinn. Léiríodh go soiléir, san ionsaí ar an mbaile Bascach, Geurnica, in 1937, an éifeachtacht a bhí le bombardú leanúnach ón aer. Cuireadh barr feabhais ar theicníc an *tumbhuamadóra *Stuka* le linn an fheachtais sa Spáinn.

- Tástáladh an *géilleadh síthe. D'fhoghlaim Hitler nach ndéanfadh cumhachtaí daonlathacha na hEorpa *idirghabháil chun tacú le Rialtas a toghadh go daonlathach sa Spáinn. Fad is a bhí na daonlathais lag agus scoilte, láidir agus aontaithe a bhí na Faisistithe.

*Géilleadh Síthe, 1936-39

Beartas is ea géilleadh síthe a mbíonn sé mar aidhm aige aighnis a réiteach le *hidirbheartaíocht dhioplómaitiúil, seachas le cogadh. Is le Príomh-Aire na Breataine, Neville Chamberlain, agus lena Aire Gnóthaí Eachtracha, an Tiarna Halifax, go háirithe, a shamhlaítear an beartas seo. Faoin tráth a tháinig Chamberlain i gcumhacht i 1937, bhí Conradh na Náisiún lagtha ag imeacht na Gearmáine, na hIodáile agus na Seapáine. Bheadh ar chumhachtaí na hEorpa teacht ar *chomhthoil nua chun *coinbhleachtaí eile a sheachaint. Ó 1937 go 1939 d'fhéach Chamberlain le gearáin na nGearmánach a shásamh trí ligean do Hitler leasú a dhéanamh ar chuid de théarmaí Chonradh Versailles.

---

ionsaitheach aggressive • **cathlán** battalion • **scuadrún** squadron
oirbheartaíocht mhíleata military tactics • **tumbhuamadóir** dive-bomber • **géilleadh síthe** appeasement
idirghabháil intervention • **idirbheartaíocht** negotiations • **comhthoil** consensus • **coinbhleacht** conflict

Bhí tosca áirithe ann ba chúis leis an ngéilleadh síthe:

- Ní raibh an Bhreatain ná an Fhrainc ullamh le haghaidh cogaíochta. Chomh deireanach le 1938, cuireadh Chamberlain ar a airdeall i *meamram ón arm: 'Tá ár gcosaint chomh holc sin gur cheart dúinn gach iarracht a dhéanamh chun an *streachailt a chur ar athlá.'

- Bhí cuid mhaith de phobal na Breataine den tuairim anois go raibh Conradh Versailles ródhian ar an nGearmáin, agus dar leo nach raibh aon rud cearr le rún Hitler lucht labhartha na Gearmáinise a aontú in aon tír amháin.

- Bhí amhras ar Iarthar na hEorpa faoin Aontas Sóivéadach, agus cheap go leor daoine gur chosaint i gcoinne leathnú an Chumannachais a bhí i nGearmáin na Naitsithe.

Anschluss, 1938

In mí Eanáir 1938 fuair Seansailéir na hOstaire, Kurt von Schuschnigg, amach faoi chomhcheilg Naitsíoch eile chun Rialtas na hOstaire a threascairt. Shocraigh sé cruinniú le Hitler ar mhaithe le stop a chur leis sin. Bhí súil aige go ndearbhódh Hitler nach gcuirfeadh sé isteach ar neamhspleáchas na hOstaire. Ina áit sin, d'éiligh Hitler go dtabharfaí ionad sa rialtas don Naitsí Ostarach, Arthur Seyss-Inquart. Bhí rogha chrua le déanamh ag Schuschnigg: an fód a sheasamh i gcoinne Hitler agus dul i mbaol cogaidh, nó géilleadh agus súil a bheith aige go gcuirfeadh sé *ionradh Gearmánach ar athlá. Ghéill Schnuschnigg agus ceapadh Seyss-Inquart ina Aire Gnóthaí Baile. Ansin ghríosaigh Hitler Naitsithe na hOstaire chun an tír a dhéanamh *dorialaithe trí *léirsithe móra agus *círéibeacha a eagrú.

Hitler ag fógairt *chomhshnaidhmiú na hOstaire leis an nGearmáin chun Gearmáin Mhór (**Anschluss**) a dhéanamh, ag ollchruinniú i Vín in 1938. Chuir a lán de mhuintir na hOstaire fearadh na fáilte roimhe.

Mar iarracht éadóchasach deiridh, reáchtáil Schuschnigg pobalbhreith (vóta) ar cheist an aontaithe leis an Ghearmáin. Dhá lá roimh an bpobalbhreith, bhailigh Hitler a chuid fórsaí ar an teorainn agus d'éiligh go gcuirfí ar ceal an vótáil. Ba é an rud deireanach a bhí ó Schuschnigg ná go mbeadh cogadh ann idir Ghearmánaigh; b'aon chine amháin iad na hOstaraigh agus na Gearmánaigh, agus ba í an aon teanga amháin a bhí acu. Chun an cogadh a sheachaint, chuir sé an phobalbhreith ar ceal, d'éirigh as oifig, agus d'fhág an chumhacht ar fad ag Seyss-Inquart. Ansin thug an Seansailéir Seyss-Inquart cuireadh don Ghearmáin teacht isteach san Ostair chun – de réir na cúise a tugadh – dlí agus ord a chur i bhfeidhm arís. Ar an 12 Márta mháirseáil Arm na Gearmáine isteach i Vín. Bhí Hitler ag filleadh ar a thír dhúchais go *caithréimeach. Chuir tromlach na nOstarach fáilte roimh a chuid fórsaí, agus i bpobalbhreith a reáchtáladh ina dhiaidh sin, vótáil 99·75% i bhfabhar *Anschluss* (aontú).

---

meamram memo • **streachailt** struggle • **ionradh** invasion • **dorialaithe** ungovernable
léirsiú demonstration • **círéib** riot • **comhshnaidhmiú** incorporation • **caithréimeach** triumphant

An tSeicslóvaic, 1938

Tar éis aontú leis an Ostair, dhírigh Hitler a aird ar *an tSúidéatlainn sa tSeicslóvaic, mar a raibh breis is trí mhilliún Gearmánach. Ceithre lá dhéag tar éis an *Anschluss*, bhuail Hitler le ceannaire Ghearmánaigh na Súidéatlainne, Konrad Henlein, chun '**Ceist na Súidéatlainne**' a phlé. Ina chuid óráidí, chuireadh Hitler béim i gcónaí ar scrios na Seicslóvaice mar stát neamhspleách. D'fhéadfadh, áfach, an tasc sin a bheith níos deacra ná mar a bhí forghabháil na hOstaire − ar chúpla cúis.

Bhí arm ollmhór, ina raibh 34 rannán, ag na Seicigh. Bhí *gréasán faisnéise den scoth acu freisin, chomh maith le hoibreacha arm *Skoda*. Bac nádúrtha ba ea Sléibhte na Súidéatlainne ar ionsaí tapa ón Ghearmáin. Ina theannta sin, bhí geallta i gComhaontú Franc-Shóivéadach 1935 go ndéanfaí neamhspleáchas na Seicslóvaice a chosaint le lámh láidir, dá mba ghá.

Bhí Uachtarán na Seicslóvaice, Eduard Benes, ar tí a fháil amach, áfach, go raibh roinnt laigí móra ina chóras cosanta. Bhí dualgas ar an bhFrainc, de réir théarmaí an Chomhaontaithe Fhranc-Shóivéadaigh, neamhspleáchas na Seicslóvaice a chosaint; bhí amhras ar cheannairí míleata i bPáras go raibh sin indéanta, de bharr a láidre a bhí daingnithe na Gearmáine feadh abhainn na Réine. Bhí Arm na Breataine róbheag chun cur i gcoinne ionradh Hitler, agus ba í an t-aon tacaíocht a bhí an Bhreatain in ann a thabhairt ná a dílseacht do Rialtas na Seicslóvaice a dhearbhú arís is arís. Bhí an tAontas Sóivéadach sásta gníomhú a fhad is a bheadh an Fhrainc sásta déanamh amhlaidh.

In mí Aibreáin 1938 chruthaigh Hitler géarchéim nuair a *shlóg sé a arm ar theorainn na Seicslóvaice. Gasta agus cinnte a bhí freagra na Seiceach. Shlóg Benes arm na Seicslóvaice, agus b'éigean do na Gearmánaigh cúlú. Go poiblí, níor léirigh Hitler díomá leis an gcúlú: mhaígh sé nach raibh aon ionsaitheacht i gceist. Go príobháideach, bhí buile feirge air, agus dúirt lena Ghinearáil: 'Is é mo rún do-athraithe an tSeicslóvaic a scrios le teann fórsa mhíleata go luath.'

Idirghabháil Chamberlain, mí Mheán Fómhair 1938

Chreid Chamberlain go raibh tuilleadh céimeanna síochána le tabhairt chun Gearmánaigh na Súidéatlainne a shásamh.

D'eitil sé faoi dhó chun na Gearmáine i mí Mheán Fómhair 1938 d'fhonn 'Ceist na Súidéatlainne' a réiteach le Hitler. Ar an 15 Meán Fómhair bhuail siad lena chéile in Berchtesgarten agus d'aontaigh go bhféadfadh an Ghearmáin seilbh a ghlacadh ar na limistéir sin den tSúidéatlainn mar a raibh níos mó ná 50% den phobal ina nGearmánaigh. Tar éis do Chamberlain tacaíocht Phríomh-Aire na Fraince, Daladier, a fháil, d'eagraigh sé cruinniú eile le Hitler in Godesberg ar an 22 Meán Fómhair chun críoch a chur leis an margadh. Bhí *alltacht air, áfach, nuair a fuair sé amach gur ag éileamh go dtabharfaí an tSúidéatlainn ina iomláine don Ghearmáin a bhí Hitler anois. D'fhill Chamberlain ar Londain, agus díomá air, agus thosaigh an Eoraip á hullmhú féin le haghaidh cogaidh.

An tSúidéatlainn Sudetenland • **gréasán faisnéise** intelligence network • **slóg** mobilize
alltacht amazement

An Bhreatain agus an Fhrainc ag ullmhú le haghaidh Cogaidh

Shlóg an Bhreatain a fórsa *cúltaca. Cuireadh gunnaí *frith-aerárthaí ar mhullach foirgnimh Rialtais, agus *aslonnaíodh páistí scoile chun na tuaithe. Sa Fhrainc, theith duine as gach triúr as Páras le teann eagla roimh ionsaí Gearmánach ón aer. Bhí Chamberlain fós éiginnte agus chuir in iúl an t-amhras a bhí ar a lán nuair a labhair sé leis an náisiún ar an *BBC* ar an 27 Meán Fómhair 1938:

> *Nach uafásach, aisteach, dochreidte an rud é go mbeimis ag tochailt trinsí agus ag triail mascanna gáis orainn féin anseo mar gheall ar achrann i dtír i bhfad i gcéin idir dhaoine nach bhfuil aon eolas againn orthu.*

Comhaontú München, 1938

Thángthas as an ngéarchéim, ar shlí, nuair a d'eagraigh Mussolini, ar achainí ó Hitler, comhdháil go tapa in München ar an 29 Meán Fómhair 1938. I láthair ag an gcruinniú bhí ceannairí na gceithre phríomhchumhacht in Iarthar na hEorpa: Chamberlain, Daladier, Hitler agus Mussolini. Níor tugadh cuireadh don Aontas Sóivéadach ná don tSeicslóvaic. Mhair an chomhdháil go dtí beagán tar éis an mheán oíche, nuair a thángthas ar shocrú faoi dheireadh.

Bhí gach rud sa Chomhaontú, beagnach, a bhí éilithe cheana ag Hitler ar Chamberlain in Godesberg. Bhí an tSúidéatlainn le tabhairt don Ghearmáin faoin 10 Deireadh Fómhair. *Rachadh na ceithre chumhacht i mbannaí ar theorainneacha na coda sin den tSeicslóvaic a bheadh fágtha.

Chuir an Fhrainc in iúl do na hionadaithe

▲ Hitler agus Chamberlain ag Comhdháil München i mí Mheán Fómhair na bliana 1938. Ar fhilleadh abhaile dó, d'fhógair Chamberlain gur dhearbhaigh an Comhaontú 'Síocháin móide Onóir'.

Seiceacha, a bhí ag fanacht in óstán in aice láimhe, nach seasfadh an Fhrainc feasta leis an gComhaontú Franc-Shóivéadach dá ndiúltódh na Seicigh don mhargadh. Agus iad tréigthe ag a gcairde, ní raibh aon rogha ag an Seicigh ach glacadh leis an gcomhaontú.

'Síocháin móide Onóir'

Nuair a d'fhill Chamberlain abhaile, fáiltíodh roimhe mar laoch is mar fhear déanta síochána. Chroch sé cóip den chomhaontú san aer agus d'fhógair gurbh é a bhí ann **'Síocháin móide onóir, Síocháin lenár linn'**. Ba bheag ag Winston Churchill[#] (lch 101) – fear nár aontaigh ar chor ar bith leis an ngéilleadh síthe – Comhaontú München; dúirt sé gurbh é seo a tharla: 'In áit an deachtóir Gearmánach an bia a sciobadh den tábla, is amhlaidh a bhí sé sásta fanacht go dtí gur bronnadh air é, cúrsa ar chúrsa.' I mí

---

cúltaca reserve • **frith-aerárthaí** anti-aircraft • **aslonnaigh** evacuate • **téigh i mbannaí (ar)** guarantee

Dheireadh Fómhair 1938, i ndíospóireacht faoi théarmaí Chomhaontú München, *thuar Churchill nach stopfadh Hitler le forghabháil na Súidéatlainne:

*Tá buaite go hiomlán, agus amach is amach, orainn. Tá gach ní caillte. Sílim go bhfaighidh sibh amach gur gearr go slogfar an tSeicslóvaic isteach sa chóras Naitsíoch. Is millteach an *chloch mhíle atá scoite againn inár stair, agus tá cothromaíocht na hEorpa uile curtha as a riocht. Agus tuigimis nach é seo a dheireadh. Níl an *reicneáil ach ina tús.*

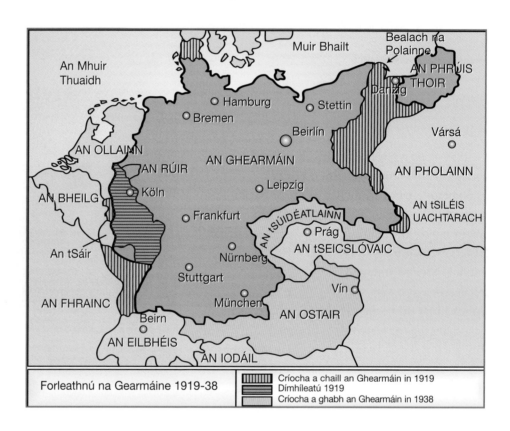

Forleathnú na Gearmáine 1919-38

Críocha a chaill an Ghearmáin in 1919
Dímhíleatú 1919
Críocha a ghabh an Ghearmáin in 1938

Forghabháil Phrág, Márta 1939

Níorbh fhada gur léir nár leor le Hitler seilbh a bheith aige ar an tSúidéatlainn, agus gur ag beartú forghabháil a dhéanamh ar an tSeicslóvaic ina hiomláine a bhí sé. Thosaigh an chuid eile den tSeicslóvaic ag titim as a chéile faoi bhrú na Gearmáine. Ghríosaigh Hitler mionlaigh Pholannacha agus Ungáracha taobh istigh den tSeicslóvaic chun aontas lena máthairthíortha a lorg, agus thug sé tacaíocht do na Slóvacaigh, a raibh rún acu stát neamhspleách a bhunú.

I mí an Mhárta 1939 thaistil Uachtarán nua na Seicslóvaice, Emil Hacha, go Beirlín chun achainí a dhéanamh ar Hitler éirí as a bheith ag cur isteach ar ghnóthaí na

---

Seicslóvaice. D'fhreagair Hitler é go fíochmhar agus d'fhógair gur bhagairt ar an nGearmáin a bhí i mí-ord inmheánach na Seicslóvaice. Rinne sé bagairt ar Hacha, á rá leis go mbuamálfadh an *Luftwaffe* (Aerfhórsa na Gearmáine) an phríomhchathair, Prág, mura gcuirfeadh sé an chuid eile dá thír faoi smacht na Gearmáine. Agus faitíos air go ndéanfaí *sléacht, thug Hacha an tSeicslóvaic do na Gearmánaigh. Ar an 16 Márta mháirseáil na Naitsithe isteach i bPrág.

*Cloch mhíle thábhachtach i gcaidreamh Hitler le cumhachtaí an Iarthair a bhí i bhforghabháil na Gearmáine ar an tSeicslóvaic. Ní fhéadfadh Hitler a mhaíomh feasta nach raibh d'aidhm lena pholasaí eachtrach ach lucht labhartha na Gearmáinise a aontú. I mí an Mhárta 1939, ba é a dúirt Sir Neville Henderson, ambasadóir na Breataine i mBeirlín ná:

'Féadfaidh an Eoraip a bheith ag súil le Nollaig shíochánta', arsa Hitler. Sa chartún seo, foilsithe in **The London Evening Standard** go gairid tar éis Chomhaontú München, léirigh an cartúnaí David Low Hitler mar 'Dhaidí na Nollag olc'. Cén chéad náisiún eile atá ar liosta Hitler?

...*nuair a ghabh Hitler seilbh ar Phrág, rinne sé éagóir, gan aon amhras, agus bhain sé an bonn iomlán *inargóna de chás na Gearmáine maidir le Conradh Versailles.

Athrú ar Pholasaí an Iarthair

Ar an 21 Márta ghabh Hitler seilbh an athuair ar an gcalafort Liotuánach, Memel, a baineadh den Ghearmáin mar chuid de Chonradh Versailles. Ba é freagra na Breataine agus na Fraince ná gealltanas a thabhairt cabhrú leis na tíortha ba mhó ar chosúil iad a bheith i mbaol feasta ó ionsaí Gearmánach. Bhíothas éirithe as an ngéilleadh síthe. Thug an Bhreatain agus an Fhrainc gealltanas don Pholainn, don Ghréig, don Rómáin agus don Tuirc go gcabhróidís leo.

An Comhaontú Naitsí-Shóivéadach, Lúnasa 1939

Cartún eile le David Low ag léiriú an Chomhaontú Naitsí-Shóivéadach. Cén náisiún atá ina luí marbh idir Hitler agus Stailín?

Ar an Aontas Sóivéadach a bhí an aird anois. Bhraithfeadh todhchaí Oirthear na hEorpa ar fhreagra Stailín ar na bagairtí ba dheireanaí seo. Ar dtús, bhí Stailín ag iarraidh comhghuaillíocht fhrith-Ghearmánach a chruthú leis an bhFrainc, leis an mBreatain agus

sléacht massacre • **cloch mhíle** milestone • **inargóna** arguable le stáit Oirthear na hEorpa. Ní raibh, áfach, iontaoibh ag Stailín as an mBreatain ná as an Fhrainc. Níor tháinig siad i gcomhairle leis an Aontas Sóivéadach faoi Chomhdháil München roimhe sin, agus chuir sin lena easpa iontaoibhe. Ní dhearnadh mórán dul chun cinn san idirbheartaíocht idir an tAontas Sóivéadach agus cumhachtaí an Iarthair mar gheall gur dhiúltaigh an Pholainn cead isteach i gcríocha na Polainne a thabhairt don Rúis i gcás ionradh Gearmánach. Bhí amhras ar an bPolainn agus ar chumhachtaí an Iarthair go dtarraingeodh Stailín siar as an Pholainn tar éis cogaidh i gcoinne na Gearmáine.

Fad is a bhí cumhachtaí Iarthar na hEorpa ag *moilleadóireacht maidir le gníomh a dhéanamh, chuaigh Stailín ag caint leis na Gearmánaigh chun *faill a chruthú dó féin. Ar an 23 Lúnasa 1939, tháinig Aire Gnóthaí Eachtracha na Gearmáine, Ribbentrop, go Moscó. Taobh istigh de thrí huaire an chloig bhí Comhaontú *Neamhionsaitheachta deich mbliana sínithe idir an tAontas Sóivéadach agus an Ghearmáin. Go rúnda, bhí aontaithe acu chomh maith an Pholainn a *chríochdheighilt feadh aibhneacha an Narew, na Viostúile agus an San. Sa réigiún Baltach, socraíodh go bhféadfadh an tAontas Sóivéadach forleathnú isteach san Fhionlainn, sa Laitvia agus san Eastóin.

Mar thoradh ar an gComhaontú Naitsí-Shóivéadach, sheachain Hitler an baol go mbeadh air cogadh a fhearadh ar dhá fhronta sa chás go bhfógródh an Bhreatain agus an Fhrainc cogadh tar éis dó ionradh a dhéanamh ar an bPolainn. Thug an Comhaontú faill do Stailín córas cosanta a thógáil i gcoinne aon ionradh ón nGearmáin ina dhiaidh sin.

Danzig, Márta 1939

Ina dhiaidh sin, b'ar an bPolainn a dhírigh Hitler a aird. Ar an 21 Márta 1939, d'éiligh Hitler go dtabharfaí ar ais don Ghearmáin cathair Danzig. Faoi théarmaí Chonradh Versailles, bhí Danzig le fanacht ina 'saorchathair', faoi smacht Chonradh na Náisiún. D'éiligh Hitler freisin go mbeadh cead slí ag an nGearmáin trasna **Bhealach na Polainne** chuig an bPrúis Thoir.

Ba é freagra na Breataine agus na Fraince ar na héilimh nua Ghearmánacha sin ná gealltanas don Pholainn go seasfaidís léi i gcás ionsaí ón nGearmáin. Mar fhreagra, chuir Hitler ar ceal an Comhaontú Cabhlaigh Angla-Ghearmánach agus Comhaontú Neamhionsaitheachta na Gearmáine agus na Polainne, araon. Ar an 22 Bealtaine shínigh Hitler agus Mussolini *'Comhaontú na Cruach', inar gheall gach aon tír díobh cabhrú leis an gceann eile i gcás cogaidh.

Ar an 22 Lúnasa 1939, phléigh Hitler lena Ghinearáil a chuid pleananna chun an Pholainn a ghabháil:

Tá an t-am feiliúnach anois ar shlí nach raibh riamh roimhe. Níl ach aon ní amháin ag déanamh imní dom, sin go dtiocfadh chugam Chamberlain, nó muc bhrocach eile dá shórt, le moltaí nó athrú intinne. Caithfear síos an staighre é. Agus sin go fiú má bhíonn orm cic sa bholg a thabhairt dó os comhair na ngrianghrafadóirí uile.

*Ródheireanach dó sin atá sé. Tosóidh ionradh agus *díothú na Polainne maidin Dé Sathairn. Déanfaidh cúpla complacht faoi éide Pholannach ionsaí sa *tSiléis Uachtarach nó sa *Choimirceas (Danzig). Is cuma liom sa sioc cé acu a chreideann nó nach gcreideann an domhan é. Ní chreideann an domhan ach sa *rath.*

Bígí crua… Bígí gan trócaire. Ní mór saoránaigh Iarthar na hEorpa a chur ar crith le huafás.

---

moilleadóireacht delay • **faill** time • **neamhionsaitheacht** non-aggression • **críochdheighil** partition
Comhaontú na Cruach Pact of Steel • **díothú** extermination • **An tSiléis** Silesia
coimirceas protectorate • **rath** success

Tús an Chogaidh, mí Mheán Fómhair 1939

In ainneoin ráiteas Hitler dá chuid ginearál, bhí súil aige i gcónaí go bhféadfaí teacht ar chomhréiteach leis an mBreatain. An t-ionradh a bhí beartaithe aige ar an bPolainn, chuir sé ar athlá go ceann coicíse é. Ar an 25 Lúnasa thairg sé don Bhreatain go rachadh sé i mbannaí ar shlándáil Impireacht na Breataine dá dtabharfaí *cead a chinn dó ar an Mór-roinn. Nuair nár ghlac an Bhreatain leis sin, lean Hitler air lena ionradh ar an bPolainn ar an 1 Meán Fómhair 1939. Ar an 3 Meán Fómhair, rinne an Bhreatain agus an Fhrainc éileamh ar Hitler tarraingt amach as an bPolainn; nuair nár thug Hitler freagra orthu, d'fhógair siad cogadh ar an nGearmáin.

? Ceisteanna

An Gnáthleibhéal

Déan staidéar ar an léarscáil thíos agus freagair na ceisteanna seo a leanas:

1. Ainmnigh an *crios dímhíleataithe A.

2. Cén bhliain a ndearna Hitler forghabháil ar an gceantar sin arís?

3. Ainmnigh ceantar B agus mínigh an chaoi ar éirigh leis an nGearmáin seilbh a fháil air in 1938.

4. Ainmnigh an chathair C. Cén socrú a rinneadh in Versailles in 1919 faoin gcathair sin.

5. Cén bonn a bhí ag Hitler lena éileamh ar na ceantair sin uile?

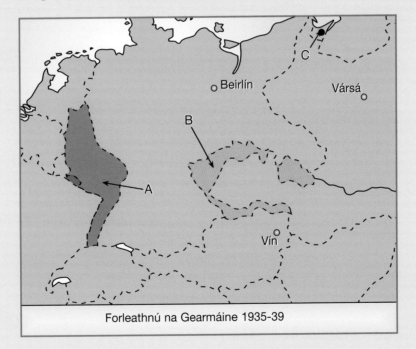

Forleathnú na Gearmáine 1935-39

---

cead a chinn free hand • **crios dímhíleataithe** demilitarised zone

Scríobh paragraf ar cheann amháin acu seo:

1. Forghabháil ar Dhúiche na Réine arís, 1936.

2. An tAnschluss.

3. Comhaontú München, 1938.

An tArdleibhéal

1. *Rianaigh forbairt pholasaí eachtrach *forleathnaitheach na Gearmáine suas go dtí 1939.

2. Pléigh freagra na gcumhachtaí Eorpacha ar pholasaí eachtrach Hitler suas go dtí tús an Dara Cogadh Domhanda.

3. 'Toradh *dosheachanta ar pholasaí eachtrach Hitler ba ea tús an Dara Cogadh Domhanda.' É sin a phlé.

Ceist bunaithe ar Dhoiciméid
An tArdleibhéal agus an Gnáthleibhéal

Léigh an doiciméad thíos agus freagair na ceisteanna a leanas. Is é atá sa cháipéis seo sliocht as leabhar Paul Reynaud *In the Thick of the Fight 1930-45* (1955). Ba é Reynaud Aire Aireagadais na Fraince in 1938, agus ba bhall é de *thoscaireacht na Fraince ag Comhdháil München in 1938.

Ag leathuair tar éis a haon ar maidin síníodh an comhaontú. Seo mar a scríobh M. François-Poncet: Bhí a fhios againn go maith cé chomh cruálach is a bhí an eachtra. Chroith Daladier a cheann, dúirt rud éigin trína chuid fiacla, agus chuir mallacht ar an tslí ina raibh cúrsaí. Dhiúltaigh sé páirt a ghlacadh sa chomhghairdeas a bhí á dhéanamh ag na toscairí eile lena chéile. An chuid ba mheasa de, ní raibh an chéim ba phianmhaire tugtha fós; is é sin, bhí orainn an scéala a thabhairt do na Seicslóvacaigh, a bhí ag fanacht le toradh na Comhdhála ina n-óstán. Bhris a ghol ar Mastney, a nAire i mBeirlín. Rinne mise mo dhícheall sólás a thabhairt dó. Creid uaimse é, arsa mise leis, ní hé seo an deireadh. Níl ann ach nóiméad amháin i scéal nach bhfuil ach ag tosú. Nuair a d'fhilleamar ar ár n-óstán ag 2.30 a.m., chuir mé glao ar Bonnet (an tAire Gnóthaí Eachtracha) chun é a chur ar an eolas faoina raibh tarlaithe. Níor shuim le Bonnet éisteacht le mo mhíniú mion. 'Tá an tsíocháin cinntithe,' ar seisean. 'Sin é is tábhachtaí. Beidh gach duine sásta...'

*Maidir le Hitler, bhí sé *caithréimeach. Bhí bua iomlán bainte amach aige... *Cíocras seo na gComhghuaillithe géilleadh go hiomlán do na Naitsithe, bhí an-tionchar aige ar imeachtaí ina dhiaidh sin... Faoi *sheachrán iomlán a bhí na Comhghuaillithe. Tar éis a bhrionglóid, d'fhan Chamberlain in München go dtí an 30ú lá den mhí. Nuair a bhain sé a bhaile in Croydon amach, d'fhógair sé go raibh an tsíocháin bainte amach go ceann glúin eile.*

---

rianaigh trace • **forleathnaitheach** expansionist • **dosheachanta** inevitable • **toscaireacht** delegation
caithréimeach triumphant • **cíocras** eagerness • **seachrán** delusion

1. Déan comparáid agus codarsnacht idir dearcadh Phríomh-Aire na Fraince, Daladier, agus Phríomh-Aire na Breataine, Chamberlain, maidir le toradh Chomhdháil München.

2. Cad é an chéim ba phianmhaire ag Comhdháil München, dar le Paul Reynaud?

3. Déan cur síos ar théarmaí an chomhaontaithe a rinneadh in München in 1938.

4. Cad é an *tuar a rinne Chamberlain tar éis dó filleadh go Croydon? Cé chomh cruinn is a bhí sé?

5. Cad iad na torthaí a bhí ar Chomhdháil München? (An tArdleibhéal amháin)

tuar prediction

8

Deachtóirí agus Daonlathaithe i mbun Cogaidh, 1939-45

Feirmeoir Polannach ag leanúint air ag treabhadh páirce, agus tancanna Gearmánacha ag tiomáint thar bráid, i mí Mheán Fómhair 1939.

An Stát Naitsíoch i mbun Cogaidh

An Fhrainc is an Bhreatain ag Fógairt Cogaidh, 3 Meán Fómhair 1939

Ar an 1 Meán Fómhair 1939, agus gan cogadh a bheith fógartha aici, rinne Arm na Gearmáine ionradh ar an bPolainn. Sheol *rannáin na dtancanna Pansair tríd an bPolainn, fad is a scrios an *Luftwaffe* breis is leath d'Aerfhórsa na Polainne ar an talamh. *Blitzkrieg*⁺ nó *'cogadh tintrí' a thugtaí ar an ionsaí aeir agus talún sin (lch 204).

Agus gan ar a gcumas teacht i gcabhair ar an bPolainn, sheol an Bhreatain agus an Fhrainc *fógra deiridh chuig Hitler, ag éileamh air aistarraingt as an bPolainn. Theip ar iarrachtaí Mussolini comhdháil síochána a eagrú ag an nóiméad deireanach, agus ar an 3 Meán Fómhair, nuair a chuaigh an fógra deiridh as feidhm, d'fhógair an Fhrainc is an Bhreatain cogadh ar an nGearmáin. Dá mbeadh na Francaigh tar éis ionsaí a dhéanamh láithreach, bheadh ar Hitler cogadh a throid ar dhá fhronta. Ina áit sin, chun í féin a chosaint a *shlóg an Fhrainc a cuid fórsaí, seachas chun ionsaí a dhéanamh. D'fhan an Pholainn le cabhair, ach fanacht *in aisce a bhí ann. Agus Vársá scriosta ag an *aerbhombardú, d'fhulaing an Pholainn buille sa bhreis ar an 17 Meán Fómhair nuair a rinne an tAontas Sóivéadach ionradh anoir uirthi. *Threascair na *hionróirí na ceantair Úcránacha agus Bhílearúiseacha d'oirthear na Polainne. Tháinig deireadh le *frithbheartaíocht na Polainne ar an 6 Deireadh Fómhair, agus bunaíodh 'Rialtas Polannach *ar Deoraíocht' i Londain. Roinn an Ghearmáin agus an Rúis an Pholainn eatarthu, mar a bhí ceadaithe faoi théarmaí an Chomhaontaithe Naitsí-Shóivéadaigh (lch 95).

*'An Cogadh Bréige', Deireadh Fómhair 1939 go dtí Aibreán 1940

Tar éis bhualadh na Polainne, tháinig síocháin mhíshuaimhneach. 'An Cogadh Bréige' a thugtaí ar an tréimhse sin. Cé go raibh cogadh fógartha, ní dhearnadh aon troid go fóill in Iarthar na hEorpa. D'imigh míonna thart gan ghníomh. Chrom an Bhreatain agus an Fhrainc ar fheabhas a chur ar a gcóir chosanta. Rinneadh pleananna chun Líne Maginot a shíneadh ar feadh theorainn na Beilge. Sa Bhreatain, tógadh *foscadáin i gcoinne aer-ruathar, tochlaíodh trinsí agus *aslonnaíodh páistí chun na tuaithe. Bhí súil ag an mBreatain fós go bhféadfaí *coinbhleacht mhór a sheachaint. Mhothaigh Hitler go

---

rannán division • **cogadh tintrí** lightning war • **fógra deiridh** ultimatum • **slóg** mobilize • **in aisce** in vain
aerbhombardú aerial bombardment • **treascair** overrun, vanquish • **ionróir** invader
frithbheartaíocht resistance • **ar deoraíocht** in exile • **An Cogadh Bréige** The Phoney War
foscadán shelter • **aslonnaigh** evacuate • **coinbhleacht** conflict

mb'fhéidir go lorgódh an Bhreatain agus an Fhrainc síocháin ós rud é go raibh cinniúint na Polainne *cinnte cheana féin. Ina theannta sin, bhí ginearáil Hitler ag moladh dó gan dul chun cogaidh le linn an gheimhridh.

Ionradh ar an Danmhairg agus ar an Iorua, Aibreán 1940

Tháinig deireadh go tobann leis an gCogadh Bréige ar an 9 Aibreán 1940, nuair a rinne Hitler ionradh ar an Danmhairg agus ar an Iorua. Treascraíodh an Danmhairg in aon lá amháin agus gabhadh an chuid is mó de dheisceart na hIorua taobh istigh de 24 uair an chloig. D'éirigh le Cabhlach Ríoga na Breataine *dul i dtír in Narvik i dtuaisceart na hIorua, áfach, ach b'éigean dóibh imeacht as arís mar gheall ar shíor-aerbhombardú na nGearmánach. Ghéill Narvik do na Gearmánaigh ar an 8 Meitheamh.

Bhí muinín caillte, faoin am sin, ag Parlaimint na Breataine as a bPríomh-Aire, Neville Chamberlain. Ar an 10 Bealtaine d'éirigh seisean as a phost agus chuaigh Winston Churchill ina ionad.

> **An *tÓrchaighdeán**
> (lch 102):
> Úsáid an óir ina luach caighdeánach ar airgead tíre.

Eochairphearsa: Winston Churchill

Ar an 30 Samhain 1874 a rugadh Winston Churchill, in Blenheim, Oxfordshire, Sasana; ba mhac é leis an Tiarna agus an Bhantiarna Churchill. Ba pholaiteoir é an Tiarna Randolf Churchill, agus ba iníon í an Bhantiarna Churchill (Jennie Jerome) le *boc mór gnó Meiriceánach. Chaith Winston Churchill seal gearr san arm ó 1895 go 1899, agus bhí sé ar dualgas san India agus sa tSúdáin san Afraic. Bhí sé ina *chomhfhreagraí cogaidh i rith *Chogadh na mBórach (san Afraic Theas) in 1899, agus tógadh ina phríosúnach é, ach d'éalaigh sé níos déanaí. Chuaigh sé le polaitíocht in 1900 mar *Choimeádach; chuaigh sé sna Liobrálaithe ina dhiaidh sin, ach d'fhill sé ar na Coimeádaigh arís níos déanaí.

Winston Churchill (1874-1965) ag tabhairt a chomhartha cháiliúil bua 'V'. Ba mhór an cuidiú a chuid óráidí le linn an chogaidh, chun *meanma mhuintir na Breataine a ardú i rith na laethanta ba mheasa den Dara Cogadh Domhanda.

Le linn an Chéad Chogadh Domhanda ba é Churchill *Céad-Tiarna na *hAimiréalachta (an Cabhlach), ach bhí air éirí as mar gheall ar *shluaíocht *thubaisteach Gallipoli in 1915. Aithnítear go forleathan gurbh é Churchill a chuir fórsaí as an mBreatain agus as an bhFrainc – agus níos measa fós, fórsaí as an Astráil agus an Nua-Shéalainn nár triaileadh roimhe sin – san fheachtas sin chun smacht a fháil ar *Chaolais na Dardainéile agus iarthar na Tuirce. Fuair breis is 200,000 saighdiúirí de chuid na gComhghuaillithe bás, agus ba ghalar a mharaigh a lán díobh sin.

---

cinnte decided • **téigh i dtír** land • **órchaighdeán** gold standard • **boc mór** tycoon
comhfhreagraí cogaidh war correspondent • **Cogadh na mBórach** The Boer War
Coimeádach Conservative • **Céad-Tiarna** First Lord • **aimiréalacht** admiralty • **sluaíocht** expedition
tubaisteach disastrous • **Caolais na Dardainéile** Dardanelles Straits • **meanma** morale

Chuaigh Churchill ar ais ina aire in 1917, mar *Aire Muinisin, agus mar *Rúnaí na Coilíneachta ó 1921 go dtí 1922. Bhí conspóidí go leor ag baint lena shaol sa pholaitíocht: agus é ina Sheansailéir ar an Státchiste (1924-25), ba é a pholasaí Órchaighdeáin (féach lch 101) ba chúis, go pointe áirithe, leis an *meathlú domhain eacnamaíoch a tháinig sa Bhreatain.

I rith na 1930idí, ní raibh *gnaoi na ndaoine ar Churchill, agus bhí sé as oifig chomh maith. I rith na mblianta 'as oifig' sin bhí feachtas láidir ar siúl aige in aghaidh *beartas géilleadh síthe an Rialtais. Nuair nár sheas Hitler le téarmaí Chomhaontú München in 1939 (lch 93), thosaigh an pobal mór ag tuiscint gur ag Churchill a bhí an ceart. Nuair a thosaigh an cogadh thug an Príomh-Aire Neville Chamberlain cuireadh ar ais sa Rialtas do Churchill mar *Chéad-Tiarna na hAimiréalachta. Nuair a d'éirigh Chamberlain as i mí na Bealtaine 1940, bhí na páirtithe ar fad ag aontú gurb é Churchill ba cheart teacht ina áit. Ina chéad óráid, mar Phríomh-Aire, do Theach na dTeachtaí, seo a dúirt sé le muintir na Breataine:

> *Níl faic le tairiscint agam daoibh ach fuil, saothar, deora agus allas. Tá cruachás den chineál is measa os ár gcomhair. Tá cuid mhór míonna fada de streachailt agus d'fhulaingt romhainn. Cad é ár mbeartas? arsa tusa. Is é mo fhreagrasa ná cogadh a *fhearadh ar muir, ar talamh agus san aer, leis an neart agus an láidreacht ar fad a thabharfaidh Dia dúinn chun cogadh a fhearadh in aghaidh *tíorántacht uafásach.*

Bhí *bua na *hóráidíochta ag Churchill. Ba mhór a chuidigh a chuid *craoltaí, le linn an chogaidh, le meanma mhuintir na Breataine a choimeád ard, agus chuidigh siad leis an bhfrithbheartaíocht a spreagadh in iarthar na hEorpa. Teachtaireacht shimplí a bhí aige ina chéad óráid, agus seo giota di:

> *… bua, bua *ar ais nó ar éigean, in ainneoin na *sceimhle ar fad, bua, is cuma cé chomh fada agus achrannach a bheidh an bóthar; mar gan bhua ní mhairfimid… *téanam i dteannta a chéile lenár *gcomhneart.*

Nuair a tháinig deireadh leis an gcogadh in 1945, chaill Churchill an t-olltoghchán. Bhí sé ina Phríomh-Aire arís ó 1951 go dtí 1955. Rinneadh ball de *Ridire an Ghairtéir de in 1953; fuair sé bás ar an 24 Eanáir 1965.

Gníomhaíocht

Faigh eolas faoi Phlean Schlieffen, agus cur i gcomparáid é le hionradh na Gearmáine ar an mBeilg/an Fhrainc in 1940.

*An Oibríocht Bhuí: Ionradh ar an Ollainn, ar an mBeilg agus ar an bhFrainc, Bealtaine 1940

Chuaigh Churchill i mbun oibre ar an 10 Bealtaine 1940, agus ar an lá céanna sin, sula raibh an cogadh san Iorua thart, d'ionsaigh an Ghearmáin an Fhrainc agus *na Tíortha faoi Thoinn (an Bheilg/an Ollainn/Lucsamburg) san 'Oibríocht Bhuí'. Bhí ionsaí sin na Gearmáine ar an bhFrainc fíorchosúil le Plean Schlieffen na bliana 1914. Dála 1914, ba tríd an mBeilg a d'ionsaigh na Gearmánaigh an Fhrainc. An t-am seo, áfach, ba trí na hArdennes cnocacha, seachas trí *ísleáin *Fhlóndras, a tháinig na Gearmánaigh, agus

---

Aire Muinisin Minister of Munitions • **Rúnaí Cóilíneachta** Colonial Secretary • **meathlú** recession
gnaoi affection • **beartas géilleadh síthe** policy of appeasement
Céad-Tiarna na hAimiréalachta First Lord of the Admiralty • **fear** wage • **tíorántacht** tyranny
bua gift • **óráidíocht** oration • **craoladh** broadcast • **ar ais nó ar éigean** at all costs • **sceimhle** terror
téanam let us go • **comhneart** united strength • **Ridire an Ghairtéir** Knight of the Garter
An Oibríocht Bhuí Operation Yellow • **Na Tíortha faoi Thoinn** The Low Countries
ísleán low-lying land • **Flóndras** Flanders

sheachain siad Líne Maginot. Ní raibh na Francaigh
réidh le haghaidh ionsaí ansin mar gur cheap siad go
mbeadh sé dodhéanta ag *__Rannáin Phansar__ na
Gearmáine dul trí na hArdennes.

Críochnaíodh gabháil na hOllainne agus
Lucsamburg laistigh de chúig lá. D'éalaigh Cabhlach
na hOllainne chuig calafoirt sa Bhreatain. Throid an
Bheilg go dtí an 28 Bealtaine nuair a ghéill an Rí
Leopold III do na Gearmánaigh.

Aslonnú Dunkerque, 26 Bealtaine go dtí 4 Meitheamh 1940

Thrasnaigh na Gearmánaigh an Mheuse (abhainn) ar
an 13 Bealtaine 1940, agus chuaigh chun tosaigh go
tapa chun seilbh a ghlacadh ar Amiens agus ar na
calafoirt Fhrancacha Calais agus Boulogne. Bhí an
Fhrainc á treascairt go gasta faoi ionsaí na Gearmáine;
agus mar thoradh ar dhul chun cinn na nGearmánach,
ó na hArdennes go dtí an Somme, scaradh fórsaí
tuaisceartacha is deisceartacha na gComhghuaillithe
óna chéile. Ag an bpointe sin, bhí fórsaí na
gComhghuaillithe roinnte ina dhá leath, agus bhí airm
na gComhghuaillithe sa tuaisceart á dtimpeallú ag na
Gearmánaigh.

Ansin *rop fórsaí na Breataine i dtreo *__Mhuir
nIocht__, le héalú. Idir an 26 Bealtaine agus an 4
Meitheamh, aslonnaíodh 366,162 saighdiúir de chuid
na gComhghuaillithe as Dunkerque, cathair chalafoirt
i dtuaisceart na Fraince, in *armáid de bháid *lastais, de
thrálaeir, de *luaimh agus de bháid *tarrthála.
D'fhéadfadh Hitler an fórsa sin a scriosadh, murach a
chuid *moilleadóireachta. Is deacair iompar Hitler a
thuiscint, ach b'fhéidir gur mar gheall ar easaontú é
idir an *__Marascal Machaire__ Hermann Goering,
ceannaire an *Luftwaffe*, agus an Ceannfort Airm, Gerd
von Rundstedt. Is cosúil gur theastaigh ó Goering
gurbh aige féin a bheadh an onóir na Comhghuaillithe
a scriosadh, ach mhoilligh Rundstedt agus é ag fanacht
le go dtiocfadh na *__rannáin choise__ suas leis na
tancanna. Fad is a bhí na colúin armúrtha stoptha,
d'ionsaigh an *Luftwaffe* na fórsaí ar an trá le
*tumbhuamadóirí. Cé gur éalaigh arm iomlán,
beagnach, chun na Breataine, bhí ar na
Comhghuaillithe na mílte tonna fearais a fhágáil ina
ndiaidh ar an trá.

Saighdiúirí de chuid na Breataine á n-aslonnú as trá Dunkerque i mí an Mheithimh 1940. Ar bhua nó bualadh a bhí ansin?

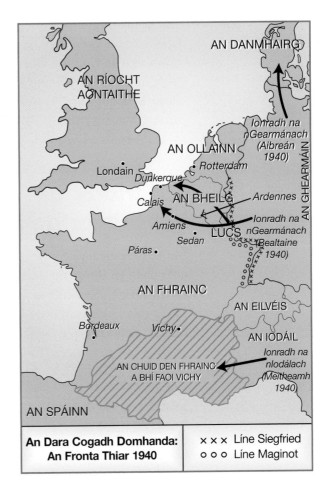

An Dara Cogadh Domhanda: An Fronta Thiar 1940

××× Líne Siegfried	
ooo Líne Maginot	

---

rannán pansar panzer division • **rop** dash • **Muir nIocht** English Channel • **armáid** armada • **lastas** cargo
luamh yacht • **tarrtháil** rescue • **moilleadóireacht** hesitancy • **marascal machaire** field marshal
rannán coise infantry division • **tumbhuamadóir** dive-bomber

An Iodáil ag dul sa Chogadh, Meitheamh 1940

Ar an 10 Meitheamh 1940, chuaigh Mussolini sa chogadh ar thaobh na Gearmáine. Bhí faitíos air gur ghearr go mbeadh deireadh leis an gcogadh agus nach bhfaigheadh an Iodáil a *cion féin den *'chreach'. Dúirt sé: 'Tá cúpla míle duine marbh de dhíth orm chun go bhféadfaidh mé dul chuig an gcomhdháil síochána mar náisiún cogaíoch (a bhí páirteach sa chogadh).'

Treascairt na Fraince, 22 Meitheamh 1940

Sos cogaidh:

Sos cogaidh a bhíonn ann nuair a éirítear as an troid.

Ar an 14 Meitheamh tháinig na Gearmánaigh isteach i bPáras. Agus iad aistrithe go Bordeaux sa Deisceart, streachail Rialtas na Fraince leo go dtí an 20 Meitheamh. Sa charráiste céanna traenach inar ghéill na Gearmánaigh in 1918, shínigh na Francaigh sos cogaidh leis an nGearmáin.

Bhí dhá thrian den Fhrainc – Páras agus an tuaisceart thionsclaíoch san áireamh – faoi smacht díreach an Tríú *Reich* anois. Bhí an t-oirdheisceart, agus Impireacht na Fraince san Afraic, le riar ag an Marascal Henri Philippe Pétain as príomhchathair an oirdheiscirt neamhghafa – **Vichy** (Caibidil 9). Chomhoibrigh Pétain, ar laoch sa Chéad Chogadh Domhanda é, leis na Gearmánaigh mar chreid sé gur riail *thiarnasach an t-aon bhealach chun ord agus bród a thabhairt ar ais sa Fhrainc. Bhí a riailréim *an-fhrith-Sheimíteach agus an-fhrith-Chumannach.

Rinneadh príosúnaigh chogaidh de bhreis is dhá mhilliún saighdiúir Francach, agus tugadh na mílte eile chun *campaí oibre sa Ghearmáin.

D'éalaigh an Coirnéal Charles de Gaulle go Sasana, agus ar an 15 Meitheamh 1940, d'fhógair é féin ina Cheann ar *'Rialtas na Fraince ar Deoraíocht'. Cé gur chuidigh de Gaulle le hoibríochtaí na gComhghuaillithe, mar Cheann na bhFrancach Saor, níor chaith Churchill riamh le de Gaulle mar chomhghleacaí a bhí ar aon chéim leis féin; ba é an scéal céanna a bhí aige le Stailín agus Roosevelt níos déanaí.

*Oibríocht an 'Mhór-róin': Ionradh ar an mBreatain

Bhí an Ghearmáin i gceannas ar Mhór-roinn na hEorpa anois. Bhí Hitler ag ceapadh go ndéanfadh an Bhreatain síocháin, ach nuair a dhiúltaigh an Bhreatain dó, chuir na Gearmánaigh pleananna le chéile le hionradh a dhéanamh ar an mBreatain (Oibríocht an Mhór-róin). Cuireadh trúpaí Gearmánacha agus fearas míleata le chéile i gcalafoirt sa Fhrainc agus sa Bheilg. Ní fhéadfadh an Ghearmáin a bheith ag súil go n-éireodh leo, áfach, go dtí go mbeadh *forlámhas acu san aer.

Cath na Breataine, 10 Iúil go dtí 31 Deireadh Fómhair 1940

Ba do Herman Goering, Ceannaire an *Luftwaffe*, a tugadh an jab forlámhas a bhaint amach san aer os cionn *Mhuir nIocht. Idir mí Iúil agus mí Mheán Fómhair 1940 thug an *Luftwaffe* na céadta ruathar ar an mBreatain. Ar an 18 Iúil 1940, labhair Churchill le muintir na Breataine i dTeach na dTeachtaí sa Bhreatain, agus dúirt:

---

cion share • **creach** booty • **tiarnasach** authoritarian • **frith-Sheimíteach** anti-Semitic
campa oibre labour camp • **Rialtas na Fraince ar Deoraíocht** French Government in Exile
Oibríocht an Mhór-róin Operation Sea lion • **forlámhas** superiority • **Muir nIocht** English Channel

Tá Cath na Breataine ar tí tosú. Neartaímis sinn féin chun ár ndualgais a chomhlíonadh, agus iompraímis sinn féin ar shlí a ligfidh do dhaoine a rá feasta − má mhaireann Ríocht na Breataine agus a *Comhlathas míle bliain − gurbh é seo a *mbuaic.

Cé gur spreag Churchill Muintir na Breataine lena óráidí, bhí an tArm gann ar fhir, agus ní raibh an Cabhlach in ann an Bhreatain a chosaint gan cosaint aeir. An tAerfhórsa Ríoga (*RAF*), amháin, a d'fhéadfadh an Bhreatain a shábháil. Nuair a thosaigh an Cath i mí Iúil, ba ag an *Luftwaffe* a bhí an buntáiste ó thaobh líon na n-eitleán, ach bhí an *RAF* in ann a gcuid fórsaí a chur in áiteanna níos éifeachtaí mar gheall ar an *radar, a bhí tagtha ar an saol faoin am sin (lch 208). Bhí an radar ábalta eitleáin na nGearmánach a *rianú de réir mar a bhí siad ag eitilt trasna Mhuir nIocht.

Píolótaí de chuid an *RAF* ag rith chuig a n-eitleáin troda 'Hurricane' i samhradh 1940. 'Riamh i gcúrsaí *comhraic ní raibh a oiread daoine faoi *chomaoin chomh mór sin ag dream chomh beag.' − Winston Churchill, 20 Lúnasa 1940.

An Chéad Chéim, an 10 Iúil go dtí an 15 Lúnasa

D'ionsaigh an *Luftwaffe* báid soláthair, agus calafoirt na Breataine. Ar an 12 Lúnasa, bhuamáil 200 eitleán Dover, agus bhuamáil 150 eitleán eile Portsmouth. Baineadh buaic na céime sin den chath amach ar an 15 Lúnasa, '**Lá an Iolair**', nuair a rinne na céadta eitleán Gearmánach iarracht cosaint na Breataine san oirdheisceart a bhriseadh, i gceithre ruathar i ndiaidh a chéile. Rinneadh ruathar as an Iorua, gan choinne, ar thuaisceart na Breataine. Ach thug an *RAF*, le cabhair an radair, an ruathar faoi deara roimh ré agus leagadh anuas 75 eitleán Gearmánach.

An Dara Céim, an 15 Lúnasa go dtí an 6 Meán Fómhair

D'athraigh Goering a chuid pleananna ina dhiaidh sin. Chinn sé go ndíreofaí ar ruathair a dhéanamh ar *aerpháirceanna an *RAF*, ar stáisiúin radair agus ar mhonarchana eitleán, agus ar na spriocanna sin amháin. Idir an 24 Lúnasa agus an 6 Meán Fómhair, rinne an *Luftwaffe* 35 mór-ruathar ar aerfoirt agus ar mhonarchana eitleán. Chaill an *Luftwaffe* cuid mhór eitleán le linn na tréimhse sin; leagadh anuas 380 dá gcuid eitleán.

An Tríú Céim, an 6 Meán Fómhair go dtí an 5 Deireadh Fómhair

D'athraigh Goering a chuid pleananna arís agus chinn sé ionsaí a dhéanamh ar Londain agus ar chathracha eile d'fhonn misneach mhuintir na Breataine a bhriseadh. Botún

---

comhlathas commonwealth • **buaic** high point, finest hour • **radar** radar • **rianaigh** track
aerpháirc airfield • **comhrac** combat • **comaoin** return for favour, owe

ollmhór a bhí sa phlean sin mar gur thug sé faill don *RAF* teacht chucu féin arís. Idir an 6 Meán Fómhair agus an 5 Deireadh Fómhair, rinneadh 38 ruathar trom ar Londain le linn sholas an lae, mar aon le roinnt ruathar istoíche. Scaoileadh buamaí anuas *go fánach. Arís, leagadh anuas roinnt mhór eitleán Gearmánach. Ar an 15 Meán Fómhair, leag *scuadrúin de chuid an *RAF*, faoi cheannas an Leas-Aermharascail, Keith Park, 56 eitleán Gearmánach anuas, le linn dhá aerchomhrac a mhair 45 nóiméad. I ndiaidh an bhuille sin, d'éirigh na Gearmánaigh as a n-aer-ruathair bhuamála le linn an lae, agus d'fhill ar na hionsaithe oíche.

Bhí Cath na Breataine thart agus cuireadh na pleananna ionraidh ar athló. Chaill na Gearmánaigh 1,733 eitleán; breis is 900 eitleán a chaill an *RAF*, agus maraíodh nó gortaíodh 700 píolóta. Ar an 20 Lúnasa, in óráid a thug sé i bParlaimint na Breataine, arsa Churchill: 'Riamh i gcúrsaí *comhraic ní raibh a oiread daoine faoi *chomaoin chomh mór sin ag dream chomh beag.'

Cath an Atlantaigh

Nuair a chuir Hitler deireadh le hOibríocht an Mhór-róin, chinn sé ionsaí a dhéanamh ar bháid soláthair na Breataine. Siar trasna an Atlantaigh a thaistealaíodh na báid sin agus thugaidís soláthairtí riachtanacha bia, amhábhair agus fearas míleata anall ar ais as Meiriceá. Théadh na U-bháid Ghearmánacha, ina ngrúpaí mar a dhéanadh *mic tíre ann, ar thóir bháid na Breataine. Ní dhéanfadh na U-bháid ionsaí go dtí go mbeadh báid na Breataine imithe thar *raon cosanta aeir an *RAF*.

Tugtar 'Cath an Atlantaigh' ar mhórán eachtraí difriúla san Atlantach agus níos faide ar shiúl. Idir 1941 agus 1942, bhí breis is 800,000 tonna de longa á gcailleadh gach mí. Laghdaigh sin go 100,000 tonna sa mhí, faoi 1943, de bharr feabhas a bheith tagtha ar na báid *tionlacain, a mbíodh radar, *sonóir (lch 208-9) agus *lánáin doimhneachta orthu. Faoi lár na bliana 1943, bhí na U-bháid á scrios níos tapúla ná mar a bhí na Gearmánaigh á ndéanamh.

Smacht ar na Balcáin

D'fhógair Mussolini cogadh ar na Comhghuaillithe i mí an Mheithimh 1940. I mí Dheireadh Fómhair rinne sé ionradh ar an nGréig, ach níorbh fhada go raibh air tarraingt siar chuig a *bhunáit san Albáin. D'iarr Mussolini cabhair ar Hitler. Bhí Hitler sásta cabhrú leis, mar go dtabharfadh sé deis dó tionchar a imirt ar na Balcáin (tíortha Leithinis na mBalcán in oirdheisceart na hEorpa). I mí na Samhna, shínigh an Rómáin agus an Ungáir comhaontú leis an nGearmáin. Leanadh de seo i mí an Mhárta 1941 nuair a shínigh an Ghearmáin comhaontú leis an mBulgáir. An mhí dár gcionn rinne Hitler ionradh ar an Iúgslaiv agus ar an nGréig. Go tapa bhog an Bhreatain 60,000 saighdiúir as tuaisceart na hAfraice go dtí an Ghréig. Ach níor leor sin, agus ba rómhall a rinneadh é. Faoin 10 Bealtaine bhí na Balcáin faoi cheannas docht ag na Gearmánaigh.

---

go fánach randomly • **scuadrún** squadron • **comhrac** combat • **comaoin** return for favour, owe
mac tíre wolf • **raon** range • **tionlacan** escort • **sonóir** sonar • **lánán doimhneachta** depth charge
bunáit base

*Comhaontais le linn an Chogaidh

*Cumhachtaí na hAise

Bhíothas ag baint leasa as an teideal *Cumhachtaí na hAise' ó 1936 chun cur síos ar an gcomhoibriú idir riailréimeanna Faisisteacha na hIodáile agus na Gearmáine. Rinneadh comhaontú iomlán míleata (Comhaontú na Cruach) idir an Iodáil agus an Ghearmáin in 1939. Gheall an bheirt cheannaire Faisisteach go dtiocfaidís i gcabhair ar a chéile dá mbeadh duine acu ag cogaíocht le páirtí eile. Rinneadh Comhaontú *Tríthaobhach de in 1940 tar éis dóibh comhaontas foirmiúil míleata a shíniú leis an tSeapáin. D'aontaigh Hitler agus Mussolini cabhrú leis an tSeapáin dá n-ionsódh Stáit Aontaithe Meiriceá í. Tar éis don Iodáil dul sa chogadh in 1940, leathnaíodh an bhrí a bhí le 'Cumhachtaí na hAise' chun cur síos a dhéanamh ar na tíortha sin a bí ag tacú leis an nGearmáin le linn an chogaidh. Chuaigh an Ungáir, an Rómáin agus *stát puipéid' na Slóvaice isteach sa Chomhaontú i mí na Samhna 1940; chuaigh an Bhulgáir sa Chomhaontú i mí an Mhárta 1941.

Ní hionann is na Comhghuaillithe, níor fhorbair Cumhachtaí na hAise *comhstraitéis riamh, agus ní raibh siad inchurtha le cumhacht mhíleata, thionsclaíoch agus eacnamaíoch na gComhghuaillithe.

*Na Comhghuaillithe

Sa Dara Cogadh Domhanda tugadh 'na Comhghuaillithe' ar na tíortha sin a chomhoibrigh lena chéile in aghaidh Chumhachtaí na hAise. I dtosach báire ní raibh sna Comhghuaillithe ach an Bhreatain agus an Fhrainc, amháin. Ó 1941 ar aghaidh bhí Stáit Aontaithe Mheiriceá agus an tAontas Sóivéadach páirteach sa chogadh. Ba iad an Bhreatain, Stáit Aontaithe Mheiriceá agus an tAontas Sóivéadach na Comhghuaillithe móra **(An Triúr Mór)**; agus ba iadsan a rinne comhordú ar an gcogadh, agus ar a réiteach, ag cruinnithe in Tehran (Samhain-Nollaig 1943), Yalta (Feabhra 1945) agus Potsdam (Iúil-Lúnasa 1945). Tar éis an chogaidh, glacadh leis an bhFrainc mar cheathrú príomh-chomhghuaillí. Bhí breis is 50 tír páirteach sa chogadh ar thaobh na gComhghuaillithe, ag tréimhsí éagsúla, cé nár chuir roinnt acu (e.g. tíortha Mheiriceá Laidinigh) aon saighdiúirí ag troid ar chor ar bith.

Meiriceá ag Dul sa Chogadh, Mí na Nollag 1941

Cé go raibh bá ag Stáit Aontaithe Mheiriceá leis na Comhghuaillithe ó thosach an chogaidh, chloígh siad le polasaí *oirbheartaíoch neodrachta ar feadh breis is dhá bhliain. In ainneoin na neodrachta sin, chuir siad a lán soláthairtí agus arm chun na Breataine faoin *g**Clár Léas-iasachta'**. Chuir an clár sin ar chumas an Uachtaráin Roosevelt airm agus trealamh a chur chuig aon náisiún – go háirithe an Bhreatain Mhór, an tAontas Sóivéadach agus an tSín – má mheas sé go raibh na náisiúin sin riachtanach chun Stáit Aontaithe Mheiriceá a chosaint.

Ar an Domhnach, 7 Nollag 1941, d'fhág 340 eitleán Seapánach *iompróirí móra aerárthaí, agus d'ionsaigh siad, gan choinne, cabhlach Stáit Aontaithe Mheiriceá san

> **Stát Puipéid:**
> Stát a bhunaítear faoi cheannas stáit atá níos cumhachtaí ná é. Cé go mbíonn cuma air go bhfuil sé neamhspleách, is é an stát níos cumhachtaí a bhíonn á rialú; as sin a thagann an téarma 'stát puipéid'.

---

comhaontas alliance • **Cumhachtaí na hAise** Axis Powers • **tríthaobhach** tripartite
stát puipéid puppet state • **comhstraitéis** common strategy • **oirbheartaíoch** tactical
An Clár Léas-iasachta Lend-Lease Programme • **iompróir aerárthaí** aircraft carrier

Aigéan Ciúin, in Pearl Harbor i Haváí. Chreid na Seapánaigh dá n-éireodh leo bunáit na Stát Aontaithe ansin a scrios, go mbeadh cead a gcinn acu chun *fairsingiú ar fud Oirdheisceart na hÁise. Laistigh de roinnt nóiméad, bhí ocht long chogaidh, trí chúrsóir agus trí *scriostóir curtha go tóin poill. Cé gur bhuille rímhór do chabhlach na Stát Aontaithe an t-ionsaí sin, níor bhuille marfach a bhí ann. Bhí an t-ádh leis na Stáit Aontaithe mar go raibh na ceithre iompróir aerárthaí a bhí acu, ar muir nuair a rinneadh an t-ionsaí. Chomh maith leis sin, theip ar bhuamadóirí na Seapáine stór ollmhór ola Haváí a scriosadh.

D'fhógair Stáit Aontaithe Mheiriceá cogadh ar an tSeapáin an lá dár gcionn. Ar an 11 Nollaig chomhlíon Hitler agus Mussolini a ndualgais faoi théarmaí an Chomhaontaithe Thríthaobhaigh, agus d'fhógair siad cogadh ar Stáit Aontaithe Mheiriceá. Ansin d'fhógair an Bhreatain cogadh ar an tSeapáin. Bhí Cogadh Domhanda ceart ar bun anois.

**Oibríocht Barbarossa 1941 –
An t-ionradh ar an Aontas Sóivéadach**

Stát Stailín i mbun Cogaíochta

Oibríocht Barbarossa: An tIonradh ar an Aontas Sóivéadach, Meitheamh 1941

*Códainm a bhí in 'Oibríocht Barbarossa' ar ionradh na Gearmáine ar an Aontas Sóivéadach. Ba é an feachtas aonair ba mhó sa Dara Cogadh Domhanda é, agus bhí breis is trí mhilliún saighdiúir Gearmánach agus beagnach cúig mhilliún Sóivéadach páirteach inti. Dá bhféadfadh Hitler na Rúisigh a bhrú siar thaobh thall de Shléibhte na hÚraile, bheadh teacht aige ar amhábhair riachtanacha, mar shampla ola, chun an cogadh a choinneáil ar bun. Thug an Comhaontú Naitsí-Shóivéadach (1939) beagnach dhá bhliain do Stailín chun ullmhú don chogadh agus chun athstruchturú a dhéanamh ar an Arm Dearg, a scriosadh i bpurguithe na 1930idí (lch 62-63).

Nuair a rinneadh an t-ionradh, áfach, ar an 22 Meitheamh 1941, ba chosúil gur i ngan fhios go hiomlán don Arm Dearg é. Cé go raibh *rabhadh tugtha ag Churchill do Stailín go ndéanfaí an t-ionradh, níor éist Stailín leis, mar gur chreid sé go raibh na Comhghuaillithe ag iarraidh é a ghríosú chun cogaidh leis an nGearmáin. Rinne fórsaí na Gearmáine an t-ionsaí ar thrí fhronta: ar Leningrad sa tuaisceart, ar Smolensk agus ar Mhoscó i lár, agus ar an Úcráin sa deisceart. Chuaigh an *Luftwaffe* i gceannas go tapa san aer, trí 2,000 aerárthach Sóivéadach a scrios ar an talamh laistigh den chéad 48 uair an chloig den ionradh.

Ar dtús, chuaigh na Gearmánaigh chun cinn go tapa, ag gabháil na stát Baltach: an Eastóin, an Laitvia agus an Liotuáin. Laistigh de thrí seachtaine, bhí na cathracha Rúiseacha Minsk agus Smolensk gafa. Faoi mhí Mheán Fómhair bhí léigear curtha ag na Gearmánaigh ar Leningrad, agus faoi Nollaig bhí siad i bhfoisceacht 20 km de Mhoscó.

---

fairsingigh expand • **scriostóir** destroyer • **códainm** codename • **rabhadh** warning

*Aslonnaíodh sibhialtaigh Mhoscó. Faoin am sin bhí breis is trian de mhonarchana tionsclaíocha an náisiúin faoi smacht na nGearmánach.

Polasaí *'Rualoscadh na Talún'

Faoi dheireadh na bliana 1941 ba chosúil go raibh Hitler ar tí ceann dá mhóraidhmeanna a chur i gcrích – *Lebensraum* (lch 87). Ach, ní mar a shíltear a bhítear. Ar an 5 Nollag, rinne an **Marascal Zhukov**, Ceannasaí an Airm Dheirg, *frithionsaí ollmhór ar na Gearmánaigh. Bhí na fórsaí Sóivéadacha coinnithe le chéile ag Zhukov agus é ag fanacht go dtosódh geimhreadh nimhneach na Rúise. Ba chosúil a phlean leis an bplean a cuireadh i bhfeidhm i gcoinne Napoléon chun a

An Marascal Zhukov (1896-1974), *Ceann Foirne an Airm Dheirg i rith an Dara Cogadh Domhanda. Mheall sé na Gearmánaigh isteach i ngeimhreadh nimhneach na Rúise.

ionradhsan ar an Rúis a chosc sa bhliain 1812. I rith shamhradh agus fhómhar 1941, d'ordaigh sé dá chuid saighdiúirí gan dul in aon *ghleic mhór mhíleata leis na Naitsithe. Ina ionad sin, chúlaigh siad siar go hordúil, agus tarraingíodh na Gearmánaigh níos doimhne agus níos doimhne isteach sa Rúis.

Ina chéad chraoladh raidió le linn an chogaidh, d'iarr Stailín ar mhuintir na Rúise an tAontas Sóivéadach a chosaint trí pholasaí *Rualoscadh na Talún' a chur i bhfeidhm. Scriosadh gach ní a bhféadfadh an namhaid leas a bhaint as – bailte, monarchana, ainmhithe agus *barra – rud a d'fhág nach bhfuair na Gearmánaigh aon bheathú ón talamh.

> *Sa chás go mbeidh ar aonaid den Arm Dearg cúlú, caithfear gach traein a aslonnú; ní fhéadfar inneall amháin, cóiste iarnróid amháin, punt amháin gráin ná galún amháin breosla a fhágáil ag an namhaid. Caithfidh feirmeoirí na gcomhfheirmeacha (lch 161) a gcuid eallaigh uile a ruaigeadh ar shiúl, agus a ngrán a thabhairt don stát le haistriú go dtí an *cúl. Ní mór gach maoin luachmhar nach féidir a thabhairt siar – … miotail, grán agus breosla san áireamh – a scriosadh, gan eisceacht.*
>
> *I limistéir atá i seilbh an namhad, caithfear grúpaí sabaitéireachta a eagrú chun an namhaid a throid, chun *treallchogaíocht a spreagadh ar fud na háite, chun droichid agus bóithre a phléascadh, chun línte teileafóin agus teileagraif a chur ó mhaith, chun coillte, stórtha agus *córacha iompair a chur trí thine. I limistéir fhorghafa, caithfear saol *dofhulaingthe a chruthú don namhaid.*

Baineadh aníos línte iarnróid agus pléascadh droichid, rud a d'fhág go raibh sé níos deacra ar an nGearmáin soláthairtí a chur chuig a gcuid saighdiúirí. Nuair a tháinig geimhreadh na Rúise, reoigh an breosla i gcomhair na dtancanna agus na jípeanna. Ní raibh éadach geimhridh ag Arm na Gearmáine mar gur cheap siad go mbuaidís an cogadh go tapa, agus fuair a lán acu bás den fhuacht agus den *dó seaca.

An bua a bhí ag na Gearmánaigh go luath, freisin, thug sin orthu iad féin a *chur thar a bhfulaingt. Bhí a gcuid arm spréite amach agus a gcuid soláthairtí fágtha i bhfad ar a gcúl acu. Scrios na Rúisigh na haerpháirceanna agus iad ag cúlú; chiallaigh sin go raibh ar na fórsaí Naitsíocha dul chun tosaigh gan aon chosaint aeir acu.

---

aslonnaigh evacuate • **rualoscadh na talún** scorched earth • **frithionsaí** counter-attack
Ceann Foirne Chief of Staff • **gleic** fight, engagement • **barr** crop • **cúl** rear
treallchogaíocht guerrilla warfare • **cóir iompair** transport equipment • **dofhulaingthe** unbearable
barr crop • **dó seaca** frostbite • **cuir thar a fhulaingt** to overreach

Cath Stalingrad, An 19 Lúnasa 1942 go dtí an 2 Feabhra 1943

In earrach na bliana 1942, chinn Hitler ar a aird a dhíriú ar Stalingrad a ghabháil, in ionad Mhoscó. Ar an Volga a bhí Stalingrad; chuir an Volga stop le dul chun cinn na nGearmánach isteach in *olacheantair shaibhre an réigiúin *Chugais. Rinne Séú Arm na Gearmáine smidiríní den chathair. Sheas na Sóivéadaigh an fód, áfach, agus rinne siad frithionsaí, ag troid ó shráid go sráid agus ó fhoirgneamh go foirgneamh. I mí na Samhna 1942, thimpeallaigh an Marascal Zhukov, le cabhair an Ghinearáil Rokossovsky agus an Ghinearáil Yeremenko, Séú Arm na Gearmáine, i *ngluaiseacht iontach phionsúir; fágadh an Séú Arm *faoi léigear i gcathair scriosta, i rith an gheimhridh ghairbh. Theastaigh ón nGinearál Gearmánach, Friedrich von Paulus, iarracht a dhéanamh láithreach briseadh amach, ach ní ghlacfadh Hitler leis go mbuafaí air, agus *thoirmisc sé beart dá leithéid.

Saighdiúir Gearmánach i *dtochaltán i rith Chath Stalingrad in 1942. Agus é timpeallaithe ag sneachta, tá sé ag déanamh iarrachta é féin a choinneáil te le pluideanna.

An troid ar siúl i monarcha tarracóirí *Dheireadh Fómhair Dearg in Stalingrad, in 1943.

*An Ceannasaí Uachtarach chuig an Séú Arm, 24 Eanáir 1943:

*Níl cead géilleadh. Cosnóidh an Séú Arm an áit a bhfuil siad go dtí an fear deireanach, agus go dtí an t-urchar deireanach, agus de thoradh a *ndochloíteacht *laochta (*buanseasmhacht), ní dhéanfar dearmad go deo ar a ndearna siad chun fronta cosanta a bhunú, agus chun an domhan Iartharach a shlánú (a shábháil).*

Teachtaireacht Hitler chuig Paulus.

Gluaiseacht Phionsúir:

*Inlíocht mhíleata ina roinneann tú do chuid fórsaí agus go mbogann tú timpeall ar dhá thaobh do namhaid iad.

Gheall Goering do Paulus go gcuirfeadh sé 700 tonna de sholáthairtí ar fáil dá chuid fórsaí ón aer gach lá. Níor éirigh leis an soláthar sin ón aer, agus arís eile d'iarr Paulus cead géilleadh. Dhiúltaigh Hitler, agus rinne iarracht Paulus a cheansú trí ardú céime a thabhairt dó; rinne sé *Marascal Machaire de Paulus. Faoi mhí Fheabhra 1943 bhí 70,000 saighdiúir Gearmánach marbh. Níor bhac Paulus le hordú Hitler, agus ghéill sé. Mar bharr ar *uirísliú na nGearmánach, ba é Paulus an chéad Mharascal Machaire riamh a gabhadh i gcath. Níor scaoil na Rúisigh saor é go dtí 1953.

olacheantar oil-field • **Cugas** Caucasus • **gluaiseacht phionsúir** pincer movement
faoi léigear besieged • **toirmisc** forbid • **tochaltán** dugout
An Ceannasaí Uachtarach Supreme Commander • **dochloíteacht** endurance • **laochta** heroic
buanseasmhacht perseverance • **Deireadh Fómhair Dearg** Red October
marascal machaire field marshal • **uirísliú** humiliation • **inlíocht** manoeuvre

Cath Kursk, an 5 Iúil go dtí an 15 Iúil 1943

I ndiaidh bhualadh na nGearmánach in Stalingrad, chruinnigh siad iad féin le chéile arís, agus thriail siad ionsaí nua – ar Kursk. I mí Iúil na bliana 1943 d'ionsaigh na Marascail Mhachaire, Kluge agus Manstein, cosaint mhíleata Kursk ón taobh ó thuaidh agus ó dheas, le milliún saighdiúir agus 2,700 tanc. Thosaigh an cath tancanna ba mhó riamh ann. Bhí na Rúisigh an-ullmhaithe, agus is cosúil go raibh siad eolach ar phleananna na Naitsithe. Buadh ar na Gearmánaigh i ndiaidh cath seacht lá ina raibh suas le 6,000 tanc.

*Léigear Leningrad
An 8 Meán Fómhair 1941 go dtí an 27 Eanáir 1944

Ar an 8 Meán Fómhair 1941, bhí an dara cathair ba mhó san Aontas Sóivéadach, Leningrad, timpeallaithe go hiomlán ag na Gearmánaigh. Thosaigh léigear, a mhair ón 8 Meán Fómhair 1941 go dtí an 27 Eanáir 1944 – 28 mí san iomlán. Fuair breis is trian de dhaonra na cathrach bás den troid nó den ocras. Scaoileadh breis is 100,000 buama anuas ar an gcathair, agus scaoileadh suas le 200,000 sliogán léi. Ba de bharr *dhiongbháilteacht an phobail a tháinig sí slán. Bhí an bua ag an Arm Dearg sa deireadh thiar, i mí Eanáir 1944, agus baineadh Léigear Leningrad.

Ruaigeadh na nGearmánach

I ndiaidh Chath Kursk, ghabh an tArm Dearg ar ais limistéir mhóra den Úcráin agus den Chrimé. Faoi dheireadh na bliana 1943, ba bheag nach raibh na Gearmánaigh ruaigthe as an Aontas Sóivéadach. Cé gur chuir an Bhreatain agus Meiriceá roinnt soláthairtí chuig an Aontas Sóivéadach tríd an Artach go dtí Murmansk, ba de bharr a n-iarrachtaí féin, ar an gcuid ba mhó, a bhain na Sóivéadaigh an bua.

Bua na Sóivéadach: Cúiseanna

* I rith an chogaidh d'éirigh Stailín as a pholasaí *géarleanúna agus d'iarr sé ar an bpobal aontú le chéile. Chuaigh sé i muinín an tírghrá Rúisigh agus thug sé '**Cogadh Mór an Tírghrá**' ar an bhfeachtas. Chun mórtas agus smacht a athchruthú san Arm, tugadh ar ais an seanstruchtúr *céimíochta, agus ba é an gnás inghlactha arís *cúirtéis a dhéanamh le *huachtaráin. Ainmníodh aonaid Airm as Ginearáil ó aimsir an tSáir a bhuaigh ar Napoléon in ionradh a rinne sé ar an Rúis sa bhliain 1812.

* Polasaí '**Rualoscadh na Talún**', bhain sé soláthairtí riachtanacha de na Naitsithe. Chuir Stailín córas ciondála ar bun chun a chinntiú go ndáilfí soláthairtí bia go cothrom i measc na Rúiseach. Rinneadh comhaontú *comhchúnaimh leis an mBreatain agus na Stáit Aontaithe, agus mar thoradh air sin sheol siadsan soláthairtí bia chuig an Aontas Sóivéadach tríd an Artach go dtí cuan Murmansk.

---

léigear siege • **diongbháilteacht** determination • **géarleanúint** persecution • **céimíocht** rank
cúirtéis salute • **uachtarán** superior • **comhchúnamh** mutual help

- Ó 1938 ar aghaidh, agus Stailín ag súil le hionsaí ón iarthar, d'ordaigh sé go mbogfaí na milliúin sibhialtach Sóivéadach agus lear mór innealra soir taobh thoir de Shléibhte na hÚraile. Bunaíodh monarchana nua, a bhí taobh amuigh de réimse buamála an *Luftwaffe*, sa réigiún *Cugais agus i Lár na hÁise. Bhíodh na monarchana sin ag síortháirgeadh arm don Arm Dearg i rith an chogaidh. Ba é an tanc T-34 ba mhó a tháirgidís, tanc a bhí i bhfad níos fearr ná a chomhthanc Gearmánach, an Pansar.

- Sna limistéir a ghabh na Gearmánaigh, theip orthu croí agus meon an phobail a bhreith leo. Chaith aonaid a roghnaíodh go speisialta as an *SS* agus as an *Gestapo*, ar ar tugadh **Einsatzgruppen** (Tascfhórsa), chaith siad le Slavaigh na Rúise mar *Untermenschen* (*fodhaoine). Mar fhreagra ar *chruálacht na nGearmánach, chuir grúpaí *frithbheartaíochta[+] (lch 174), a bhí ag gníomhú laistiar de fhronta an chogaidh, córas cogaíochta na Gearmáine ó mhaith, trí línte cumarsáide a scrios (i.e. bóithre, iarnróid, etc. a phléascadh).

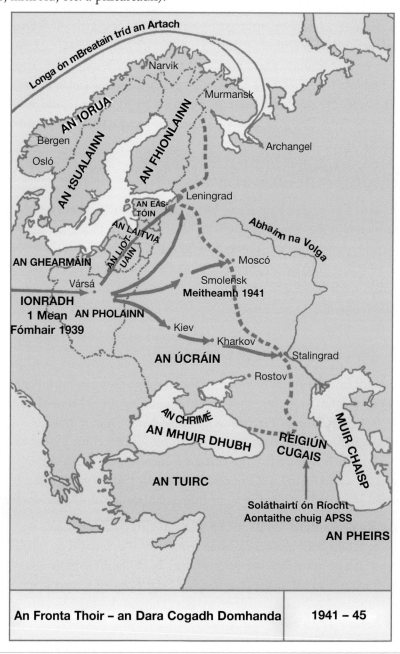

| An Fronta Thoir – an Dara Cogadh Domhanda | 1941 – 45 |

Cugas Caucasus • **fodhaoine** lesser people • **cruálacht** cruelty • **frithbheartaíocht** resistance

Ionradh ar an Iodáil, mí Iúil 1943

Faoi dheireadh 1943, mhothaigh Stailín gurbh iad saighdiúirí an Aontais Shóivéadaigh a bhí ag déanamh an chuid ba mhó den troid, agus go raibh níos mó díobh á marú ná a bhí de shaighdiúirí as tíortha eile. Thosaigh sé ag éileamh go mbunódh an Bhreatain agus Meiriceá fronta eile. Ní raibh an Bhreatain agus Stáit Aontaithe Mheiriceá ullamh fós chun ionradh a thosú ar an bhFrainc. Nuair a bhuail Churchill agus Roosevelt le chéile in Casablanca i dtuaisceart na hAfraice i mí Eanáir 1943, chinn siad go ndéanfaí ionradh ar an Iodáil sula ndéanfaí ionradh ar an bhFrainc.

Ar an 10 Iúil 1943, chuaigh airm na gComhghuaillithe i dtír sa *tSicil. D'éirigh go hiontach maith leo, agus gabhadh calafort Syracuse taobh istigh de dhá lá. Faoi mhí Mheán Fómhair bhí mórthír na hIodáile sroichte ag na Comhghuaillithe. Tháinig athrú intinne ar rialtas na hIodáile. Chuir Rí na hIodáile, Victor Emmanuel, Mussolini as oifig, agus gabhadh agus cuireadh i bpríosún é. Shaor *cománlaigh Ghearmánacha é agus cuireadh i gceannas é ar 'stát puipéid' i dtuaisceart na hIodáile, ar ar tugadh **Poblacht Salò**, mar gur as baile Salò a bhí an stát á riaradh. Bhunaigh an Marascal Pietro Badoglio Rialtas neamh-Fhaisisteach sa chuid eile den Iodáil. I mí Mheán Fómhair rinne sé sos cogaidh leis na Comhghuaillithe, agus ar an 30 Deireadh Fómhair 1943, d'fhógair sé cogadh ar an nGearmáin.

Bhrostaigh Hitler a chuid saighdiúirí go dtí deisceart na hIodáile chun dul chun cinn na gComhghuaillithe a stopadh. Throid na Gearmánaigh go fíochmhar agus bhunaigh siad líne chosanta ar an taobh ó thuaidh de Napoli. Lean an troid fhíochmhar ar feadh an gheimhridh, go háirithe timpeall ar mhainistir **Monte Cassino**. Ba mhall a rinne na Comhghuaillithe dul chun cinn, de bharr shléibhte agus aibhneacha na hIodáile. I mí na Bealtaine, tar éis d'airm na gComhghuaillithe a bhforsaí a neartú i rith an earraigh, rinne siad slad ar na Gearmánaigh. Ghéill an mhainistir scriosta in Monte Cassino ar deireadh, agus chuaigh na Comhghuaillithe chun cinn ó thuaidh. Gabhadh an Róimh i mí an Mheithimh 1944, agus faoi gheimhreadh na bliana sin bhí fórsaí na gComhghuaillithe i bhfoisceacht 160 km d'abhainn na Pó i dtuaisceart na hIodáile.

Bás Mussolini, an 28 Aibreán 1945

Níor gabhadh tuaisceart na hIodáile go dtí mí Aibreáin 1945. Rinne Mussolini iarracht *bhaothdhána chun éalú. Bhí *tearmann tairgthe ag Franco dó sa Spáinn ach bhí sé idir dhá chomhairle, agus, ar deireadh, thaistil sé i dtreo theorainn na hEilvéise. Ghabh trodaithe frithbheartaíochta de chuid na hIodáile é, tugadh triail ghairid neamhfhoirmiúil dó, agus lámhachadh é. Tugadh a chorp agus corp a *leannáin, Clara Petacci, go dtí cearnóg in Milano, áit ar cuireadh ar crochadh iad bunoscionn. Chaith na hIodálaigh seile agus bia lofa leis na coirp. Bhí admhaithe ag Mussolini, tamall gearr roimh a bhás, gurbh é an duine ba mhó é a raibh gráin air san Iodáil.

An tSicil Sicily • **cománlach** commando • **baothdhána** desperate • **tearmann** sanctuary • **leannán** lover

Comhdháil Tehran, 28 Samhain–1 Nollaig 1943

Bhuail Churchill, Roosevelt agus Stailín le chéile in Tehran i mí na Samhna 1943. *Sheas Stailín <u>air</u> gur chóir do na Comhghuaillithe ionradh a dhéanamh ar an bhFrainc chun an brú a bhaint den Aontas Sóivéadach san oirthear. Gheall na Comhghuaillithe go ndéanfaidís ionradh in 1944. D'aontaigh siad freisin go gcruthófaí institiúid idirnáisiúnta tar éis an chogaidh chun dul in áit *<u>Chonradh na Náisiún</u>.

▲ An Ginearál Bernard Montgomery (1887-1976) ag léiriú an bhealaigh do Cheannasaí Uachtarach na gComhghuaillithe, an Ginearál Dwight D. Eisenhower, agus iad ag amharc ar shaighdiúirí á n-oiliúint i Sasana le hionradh a dhéanamh ar an Normainn i rith an Dara Cogadh Domhanda.

▲ Saighdiúirí Meiriceánacha ag *spágáil isteach chuig na tránna i dtuaisceart na Fraince agus iad ag fágáil a *n-<u>árthaí dulta i dtír</u> ar D-Day, 6 Meitheamh 1944. Spreagadh ollmhór do dhaonra na dtíortha Eorpacha a bhí forghafa ag na Naitsithe, ba ea teacht na saighdiúirí.

Oibríocht *Overlord:* D-Day, 6 Meitheamh 1944

Ar an 6 Meitheamh 1944, rinne na Comhghuaillithe ionradh – a rabhthas ag súil le fada leis – ar an gcuid den Eoraip a bhí gafa ag na Naitsithe. 'Oibríocht *Overlord*' an códainm a bhí ar an ionradh, agus ba sa Normainn a thosaigh sé. An mhionphleanáil a bhí á déanamh ó dheireadh na bliana 1943 ba chúis, ar an gcuid is mó de, leis an rath a bhí air. Tarraingíodh siar as an Iodáil an Ginearál Briotanach, Bernard Montgomery, agus an Ginearál de chuid na Stát Aontaithe, Dwight D. Eisenhower. Ceapadh Eisenhower ina Cheannasaí Uachtarach ar fhórsa iomlán na gComhghuaillithe; ceapadh Montgomery ina Cheannasaí ar an bhFórsa Dulta i dTír.

Bhí córas cosanta láidir cósta tógtha ag na Gearmánaigh, ar ar tugadh '**an Balla Atlantach**', ag síneadh ón Ollainn ó dheas go dtí cósta na Spáinne. *Thuargnaíodh an *RAF* agus Aerfhórsa na Stát Aontaithe na suímh sin gach uile oíche. D'ionsaigh siad cathracha na Gearmáine freisin d'fhonn an tionsclaíocht throm a chur ó mhaith. Sna tíortha forghafa, *chiap na trodaithe frithbheartaíochta saighdiúirí na Gearmáine, trí iarnróid, droichid agus stáisiúin chumarsáide a scrios.

---

seas ar insist upon • **Conradh na Náisiún** League of Nations • **tuargain** pound • **ciap** harass
spágáil wade • **árthach dulta i dtír** landing craft

An tIonradh

4 Meitheamh: I ndiaidh roinnt laethanta de dhrochaimsir, thuar *Oifig na Meitéareolaíochta 24 uair an chloig d'aimsir shocair, ag tosú go deireanach sa tráthnóna ar an 5 Meitheamh. D'eisigh an Ginearál Eisenhower an t-ordú ionraidh.

5 Meitheamh: Ghlan 300 *scuabadóir mianach na mianaigh as Muir nIocht go dtí limistéar ar ar tugadh 'Picadilly Circus', agus is as sin a d'ionsódh 6,900 árthach cúig thrá a raibh na códainmneacha Utah, Omaha, Gold, Juno agus Sword orthu.

6 Meitheamh

00.15 a chlog   Scaoileadh paratrúipéiri Briotanacha agus Meiriceánacha as eitleáin taobh thiar de línte an namhad chun droichid a chosaint agus chun *mearú a chur ar na Gearmánaigh. Chomh maith leis sin chuir Eisenhower teachtaireachtaí códaithe chuig Gluaiseacht Frithbheartaíochta na Fraince, agus thosaigh siadsan ar shabaitéireacht. Scriosadh gach droichead ar an tSéin, laistíos de Pháras, i laethanta tosaigh mhí an Mheithimh agus gearradh breis is 950 líne iarnróid.

02.00 a chlog   Ghlan scuabadóirí mianach na bealaí chuig na tránna.

03.30 a chlog   Thosaigh bombardú an chabhlaigh ar na tránna. *Thuargain fiche a trí *cúrsóir agus 103 *scriostóir cosaint chladaigh na nGearmánach.

06.30 a chlog   Thuirling na chéad saighdiúirí ar na tránna a roghnaíodh. D'éirigh lena bhformhór tuirlingt go sábháilte, seachas ar *Omaha*, ar thubaiste a bhí inti dóibh, beagnach. Bhí an trá, a bhí sé mhíle ar fad, timpeallaithe ag aillte. An bombardú aeir agus mara a rinneadh, ní raibh sé cruinn, agus mharaigh meaisínghunnaí an namhad breis is 3,000 saighdiúir Meiriceánach ar an trá.

12.30 a chlog   Bhunaigh fórsaí na Breataine *ceann droichid ar thrá *Sword* agus bhí siad ag réiteach chun bogadh isteach faoin tír.

16.00 a chlog   Stop rannán Pansar Gearmánach *saighdiúirí coise na Breataine trí mhíle ó bhaile Caen sa Normainn.

19.00 a chlog   Rinne na Gearmánaigh frithionsaí ar thrá *Sword*. D'éirigh leis na Briotanaigh an t-ionsaí a ruaigeadh ar ais achar gearr ó na haillte.

24.00 a chlog   Faoi mheán oíche ar an 6 Meitheamh bhí 155,000 de shaighdiúirí na gComhghuaillithe agus breis is 1,000 tanc dulta i dtír sa Normainn. Maraíodh breis is 10,200 de shaighdiúirí na gComhghuaillithe agus tuairim is 9,000 Gearmánach san ionsaí.

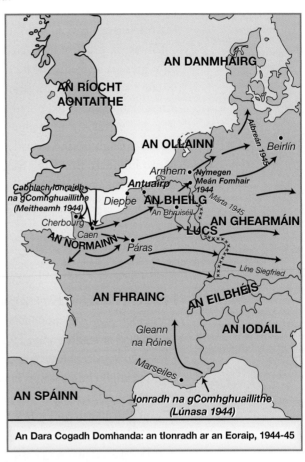

An Dara Cogadh Domhanda: an tIonradh ar an Eoraip, 1944-45

> ***Ceann Droichid:**
> Suíomh daingean a ghabhtar le haghaidh cosaint, agus ar cuidiú é chun ionsaithe a dhéanamh ina dhiaidh sin.

Oifig na Meitéareolaíochta Meteorological Office • **scuabadóir mianach** minesweeper
mearú distraction • **tuargain** pound • **cúrsóir** cruiser • **scriostóir** destroyer • **ceann droichid** bridgehead
saighdiúir coise infantry soldier

Na Comhghuaillithe ag Dul chun Cinn

De bhrí gur éirigh go maith leis na Comhghuaillithe agus iad ag dul i dtír, ba spreagadh ollmhór é sin do mhuintir na coda sin den Eoraip a bhí faoi fhorghabháil. Faoi dheireadh mhí Iúil bhí na Gearmánaigh ruaigthe as an Normainn agus bhí na Comhghuaillithe ag dul chun cinn i dtreo Pháras. I mí Lúnasa chuaigh arm faoi cheannas an Ghinearáil Mheiriceánaigh Patch i dtír i ndeisceart na Fraince, agus bhunaigh sé an dara fronta ar feadh Ghleann na Róine; chuir an dara fronta sin tuilleadh brú ar na Gearmánaigh. Saoradh Páras ar an 25 Lúnasa agus bhí an Ginearál de Gaulle ina cheann ar mhórshiúl *caithréimeach tríd an gcathair.

Idir an dá linn bhí na Ceanadaigh, a tháinig in éineacht le fórsaí Mheiriceá, ag dul chun cinn go tapa ar feadh chósta na Fraince. Shaor siad Dieppe ar an 1 Meán Fómhair 1944. Nuair a shroich fórsaí na Breataine Antuairp sa Bheilg trí lá dár gcionn, bhí iontas agus áthas orthu nuair a fuair siad amach go raibh an calafort gafa cheana féin ag fórsaí Fhrithbheartaíocht na Beilge; ba bheag dochar a bhí déanta don chalafort. Bhí na Meiriceánaigh imithe chun cinn le fuinneamh, agus shaor siad Lucsamburg ar an 10 Meán Fómhair. Bhí '**Líne Siegfried**' (líne chosanta na nGearmánach) sroichte acu faoi sin, agus iad ag ullmhú don ionsaí mór ar an nGearmáin.

*Cath na Boilsce, An 16 Nollaig 1944 – an 21 Eanáir 1945

I dtreo na Nollag in 1944, lainseáil Hitler frithionsaí armúrtha *baothdhána – an ceann deireanach aige – trí ardchlár na hArdennes. Nuair a thosaigh an t-ionsaí ag 5.30 a.m. ar an 16 Nollaig, ar feadh réimse 80 míle, ba i ngan fhios go hiomlán do na Comhghuaillithe é. Faoi cheo agus ceobhrán trom, nár lig d'eitleáin na gComhghuaillithe eitilt, chuaigh na Gearmánaigh chun cinn go tapa agus chruthaigh siad *boilsc i líne chosanta na gComhghuaillithe. Nuair a ghlan na spéartha, áfach, ar an 23 Nollaig, chuir eitleáin na gComhghuaillithe cuid mhór *d'fheithiclí armúrtha na nGearmánach ó mhaith. Stopadh dul chun cinn na nGearmánach sa deireadh thiar, agus faoin 21 Eanáir bhí na Gearmánaigh ruaigthe siar go dtí an líne ónar thosaigh siad. Chaill na Gearmánaigh breis is 100,000 fear, 1,600 eitleán agus 700 tanc i gCath na Boilsce – saighdiúirí agus trealamh a bhí ag teastáil go géar chun cur in aghaidh ionradh ar an *Reich* féin – ionradh a bhí ag teacht. Theip ar *fhiontar Hitler.

I dTreo an Bhua Dheireanaigh

Thrasnaigh saighdiúirí na Breataine agus Mheiriceá an Réin i mí an Mhárta 1945. Idir an dá linn ní raibh na Rúisigh díomhaoin. Ag an am céanna le *D-Day*, rinne an tArm Dearg ionsaí mór san oirthear. Faoi dheireadh na bliana 1944 bhí an Bhulgáir, an Rómáin, an chuid is mó den Ungáir, agus beagnach a leath den Pholainn gafa ag an Aontas Sóivéadach. Lean an tArm Dearg chun cinn i dtreo Vársá sa Pholainn. I mí Lúnasa, chuir Arm Baile na Polainne, a bhí spreagtha ag dul chun cinn na Rúiseach, éirí amach ar bun in éadan na nGearmánach. Lean cath fíochmhar ar feadh dhá mhí, inar maraíodh breis is 300,000 Polannach. Theip ar an Arm Dearg teacht i gcabhair orthu, á áitiú nárbh fhéidir sin a dhéanamh. Cé go mb'fhéidir gurbh in an fhírinne, is féidir freisin gur oir scrios Arm

---

caithréimeach triumphant • **Cath na Boilsce** Battle of the Bulge • **baothdhána** desperate
boilsc bulge • **feithicil armúrtha** armoured vehicle, armour • **fiontar** venture

Baile na Polainne, a bhí dílis don 'Rialtas ar Deoraíocht' i Londain, don Aontas Sóivéadach. Bhí pleananna ag Stailín do thodhchaí na Polainne (lch 119).

Comhdháil Yalta, 4-11 Feabhra 1945

I mí Feabhra 1945, bhuail Churchill, Roosevelt agus Stailín le chéile in Yalta sa Chrimé (leithinis san Úcráin). D'aontaigh siad ar na téarmaí seo a leanas:

Churchill, Roosevelt agus Stailín in Yalta i mí Feabhra 1945. B'as an gcomhdháil sin a tháinig na deighiltí a tháinig tar éis an Dara Cogadh Domhanda.

- Bhí an Ghearmáin le dí-armáil agus le roinnt ina ceithre *chrios; rachadh an Bhreatain, Stáit Aontaithe Mheiriceá, an tAontas Sóivéadach agus an Fhrainc i seilbh ar na criosanna sin.

- Na tíortha sin a ghabh an Ghearmáin, agus ar shaor na Comhghuaillithe iad, bheadh cead acu a rialtas féin a thoghadh.

- D'aontaigh siad go dtabharfaí an talamh Pholannach ar an taobh thoir de 'Líne Curson' ar ais don Aontas Sóivéadach. Ba thalamh í sin a fuair an Pholainn ón Rúis i rith an chogaidh idir an Rúis agus an Pholainn in 1921.

- Ceann de na fadhbanna ba mhó a bhí ag cruinniú Yalta ná cén rialtas a rachadh i gceannas ar an bPolainn: an 'Rialtas ar Deoraíocht' i Londain, ar thacaigh an Bhreatain agus Meiriceá leis, nó Coiste Polannach na Fuascailte Náisiúnta in Lublin (taobh amuigh de Mhoscó), ar thacaigh an tAontas Sóivéadach leis. Níor réitíodh an cheist sin i gceart in Yalta, cé gur ghlac Stailín leis go *n-áireofaí 'Polannaigh Londan' in aon rialtas nua.

- Gheall Stailín go nglacfadh an tAontas Sóivéadach páirt sa chogadh in éadan na Seapáine i ndiaidh an bhua ar an nGearmáin.

Na deighiltí a tháinig tar éis an chogaidh, b'as cruinniú Yalta a tháinig siad. Bhí fonn ar Roosevelt Stailín a shásamh toisc gur theastaigh uaidh go gcuideodh an tAontas Sóivéadach leis na Meiriceánaigh chun an tSeapáin a chloí. Ba bheag ar fad a d'fhéad na Stáit Aontaithe nó an Bhreatain a dhéanamh chun an *fairsingiú Sóivéadach a stopadh. Bhí Oirthear na hEorpa uile, ach an Ghréig, gafa ag an Aontas Sóivéadach cheana féin. Bhí molta ag Churchill, ag Comhdháil Tehran in 1943, go n-ionsódh na Comhghuaillithe Oirthear na hEorpa. B'fhéidir go bhfágfadh sin athrú ar an scéal, ach ba bheag tacaíocht a fuair an moladh sin ó na Meiriceánaigh; b'fhearr leosan ionradh a dhéanamh ar an Iodáil.

---

crios zone • **áirigh** include • **fairsingiú** expansion

An bhratach Shóivéadach á hardú os cionn Bheirlín i ndiaidh do na Rúisigh an chathair a ghabháil i mí na Bealtaine 1945, i gceann de na cathanna ab fhuiltí den chogadh uile.

Cath Bheirlín
An 19 Aibreán—
an 2 Bealtaine 1945

Faoin 11 Aibreán 1945 bhí abhainn na hEilbe sroichte ag saighdiúirí Mheiriceá, agus iad ag teacht níos gaire do Bheirlín. Bhí sé socraithe go n-ionsódh na Rúisigh Beirlín ón taobh thoir. Ón 19 Aibreán go dtí an 1 Bealtaine, bhí na Gearmánaigh agus an tArm Dearg ag troid ó shráid go sráid chun ceannas a fháil ar Bheirlín. Sheas fórsaí na Gearmáine, ina raibh *gráscar de shaighdiúirí as an Arm rialta, as an *SS* agus go háirithe as Ógra Hitler, in aghaidh an ionsaithe go dtí an 2 Bealtaine 1945. Meastar gur maraíodh breis is 100,000 Rúiseach i rith an ionsaithe. Rinne saighdiúirí Gearmánacha iarracht iad féin a cheilt trí éadach sibhialtaigh a chur orthu féin, mar go raibh eagla orthu go n-imreofaí díoltas orthu. I ndiaidh don Aontas Sóivéadach smacht a fháil ar Bheirlín, rinneadh mná Gearmánacha a *éigniú ar bhonn laethúil. Cheadaigh na ceannasaithe Sóivéadacha *creachadh áirithe, agus bhí cead ag gach saighdiúir líon teoranta earraí a chur abhaile.

Bás Hitler, an 30 Aibreán 1945

Ar an 30 Aibreán 1945, agus an tArm Dearg ag scrios Bheirlín le sliogáin, chuir Hitler lámh ina bhás féin ina *bhuncar, nach raibh i bhfad ón *Reichstag*, an áit ar tháinig sé i gcumhacht in 1933. An lá roimhe sin, phós sé Eva Braun, a mharaigh í féin freisin. D'ordaigh sé go ndófaí a gcorp. Ina *'Thiomna Deireanach' cheap sé an tAimiréal Karl Dönitz ina Cheannasaí ar an Tríú *Reich*. Dhiúltaigh sé a bheith freagrach as briseadh na Gearmáine, á áitiú nach raibh pobal na Gearmáine chomh maith is a bhí súil aige: cibé todhchaí a bhí i ndán dóibh, bhí sí tuillte acu.

Ghéill an tAimiréal Dönitz, gan choinníoll, do na Comhghuaillithe ar an 7 Bealtaine. D'fhógair Churchill an 8 Bealtaine ina lá saoire náisiúnta (**Lá an Bhua san Eoraip**). Bhí deireadh leis an gcogadh san Eoraip.

Comhdháil Potsdam,
An 17 Iúil—an 2 Lúnasa 1945

Tionóladh an mhór-chomhdháil dheireanach den Dara Cogadh Domhanda in iar-Phálás Hohenzollern (teaghlach Ríoga na Gearmáine, tráth) in Potsdam, lasmuigh de Bheirlín. Mhair an chomhdháil ón 17 Iúil go dtí an 2 Lúnasa 1945. Stailín a bhí ann thar ceann an Aontais Shóivéadaigh; an tUachtarán Truman thar ceann Stáit Aontaithe Mheiriceá (fuair Roosevelt bás i mí Aibreáin 1945). Tháinig Churchill ag tús na comhdhála, ach ghlac Ceannasaí Pháirtí an Lucht Oibre, Clement Attlee, a áit naoi lá dár gcionn, tar éis dó buachan in olltoghchán na Breataine ar an 26 Iúil 1945.

gráscar ragbag • **éigniú** rape • **creachadh** looting • **buncar** bunker • **tiomna** testament

D'aontaigh Stailín, Attlee agus Truman go bhfeidhmeodh 'Líne Oder-Neisse' ina teorainn nua idir an Ghearmáin agus an Pholainn. Bhí an Ghearmáin le roinnt ina ceithre chrios forghabhála. Na mionlaigh Ghearmánacha a bhí ina gcónaí sa Pholainn, san Ungáir agus sa tSeicslóvaic, bhí siad le cur abhaile chun na Gearmáine. Bhí binse fiosraithe le bunú chun *coirpigh chogaidh a chur ar a dtriail.

Is iondúil go nglactar leis gurbh é Stailín a ghnóthaigh in Potsdam toisc gur ghlac na ceannairí eile leis an gceannas a bhí aige ar Oirthear na hEorpa mar *fait accompli*. D'fhéadfaí a áitiú gurbh iad na conspóidí a tháinig chun cinn i measc na gceannairí in Potsdam a chuir tús leis an 'gCogadh Fuar'.

Forógra Potsdam

Agus ceannairí na gComhghuaillithe ag plé chruth nua na hEorpa in Potsdam, lean an cogadh in éadan na Seapáine san Oirthear. Ag an tús, dhá ionradh ar an tSeapáin a bhí beartaithe ag na Stáit Aontaithe. Bhí deisceart na Seapáine le gabháil in 1945, agus bhí Honshu, an t-oileán láir agus ba mhó, le gabháil in 1946. Nuair ba léir, áfach, go mbeadh líon an-ard *taismeach ann, thosaigh Truman ag smaoineamh ar **bhuama adamhach** a scaoileadh anuas ar an tSeapáin chun go ngéillfeadh sí go tapa.

Ar an 26 Iúil 1945 thug na Comhghuaillithe fógra deireanach don tSeapáin. D'éiligh 'Forógra Potsdam' go ngéillfeadh an tSeapáin gan choinníoll, go mbainfí di a himpireacht, agus go nglacfadh sí leis an bhforghabháil go dtí go n-athbhunófaí an daonlathas inti. Nuair a theip ar an tSeapáin freagra a thabhairt, thug Truman an t-údarás chun buamaí adamhacha a scaoileadh anuas ar Hiroshima (an 6 Lúnasa) agus Nagasaki (an 9 Lúnasa), ag comhlíonadh a gheall do phobal Mheiriceá go dtabharfadh sé an cogadh san Oirthear chun deiridh go tapa. Ghéill na Seapánaigh gan choinníoll.

Cé gurb é scaoileadh na mbuamaí adamhacha beart deireanach an Dara Cogadh Domhanda, is féidir breathnú air freisin mar chéad ghníomh an Chogaidh Fhuair. Is féidir a áitiú gur chinn Truman an buama a scaoileadh mar rabhadh do Stailín gan a chumhacht a leathadh níos faide ná Oirthear na hEorpa.

---

coirpeach criminal • **taismeach** casualty • **buama adamhach** atomic bomb

An Gnáthleibhéal

Scrúdaigh an cartún seo, a foilsíodh in *Daily Mail* ar an 23 Meitheamh 1941, agus freagair na ceisteanna seo:

1. Cén t-imeacht mór sa Dara Cogadh Domhanda a bhfuil an cartún ag tagairt dó?

2. Cén cháipéis atá ag titim as lámh Stailín?

3. Cén fáth ar dócha nach n-éireodh leis an gcomhaontú sin ón tús? Mínigh do fhreagra.

4. Cén fáth gur ghníomhaigh Hitler mar a rinne sé?

5. Cé na torthaí fadtéarmacha, don Ghearmáin, a bhí ar ghníomhartha Hitler?

Scríobh paragraf ar cheann amháin díobh seo a leanas:

1. Cath na Breataine.

2. Cath Stalingrad.

3. *Dul i dtír D-Day.

Freagair ceann amháin díobh seo a leanas:

1. Cé chomh héifeachtach, mar cheannaire cogaidh, a bhí Winston Churchill idir 1940 agus 1945?

2. Déan cur síos ar ról an Aontais Shóivéadaigh sa Dara Cogadh Domhanda.

An tArdleibhéal

1. Mínigh an chaoi ar éirigh go maith leis an nGearmáin ar dtús sa Dara Cogadh Domhanda, 1939-45, agus an chaoi ar buadh uirthi ar deireadh.

2. Déan cur síos ar ról an Aontais Shóivéadaigh sa Dara Cogadh Domhanda ó 1941 go dtí 1945.

3. Déan measúnú ar ról Winston Churchill i mbua na gComhghuaillithe sa Dara Cogadh Domhanda.

Ceisteanna bunaithe ar Dhoiciméid
An tArdleibhéal agus an Gnáthleibhéal

Léigh na doiciméid thíos agus freagair na ceisteanna a leanann. Sliocht atá i nDoiciméad A as óráid Hitler dá Ghinearáil ar an 31 Eanáir 1943, i ndiaidh ghéilleadh an Mharascal Machaire Paulus in Stalingrad. Is é atá i nDoiciméad B ná sliocht as ráiteas oifigiúil a chuir Hitler faoi bhráid phobal na Gearmáine faoin ábhar céanna trí lá dár gcionn.

Doiciméad A

Tá géillte acu ansin – go foirmiúil agus go hiomlán. Murach sin, dhúnfaidís na *ranganna, dhéanfaidís gráinneog díobh féin (theannfaidís le chéile go dlúth), agus lámhachfaidís iad féin lena n-urchar deireanach. Ba chóir don fhear sin (Paulus) é féin a lámhach faoi mar a rinne na seancheannasaithe a scaoil iad féin anuas ar a gclaíomh féin nuair a chonaic siad go raibh buaite orthu.

Caithfidh sibh a shamhlú go dtabharfar go Moscó é – agus samhlaígí an gaiste francach ansin. Síneoidh sé aon ní i Moscó. Admhóidh sé nithe, déanfaidh sé ráitis oifigiúla – tá mé cinnte de sin. Anois imeoidh siad síos fána na neamhspioradáltachta go dtí an leibhéal is ísle. Conas is féidir le duine a bheith chomh mór ina *mheatachán? Ní thuigim é.

Tá ar an oiread sin daoine bás a fháil, agus ansin tarraingíonn fear mar sin míchlú (déanann sé a bheag de) ar *laochas an oiread sin eile daoine ag an nóiméad deireanach. D'fhéadfadh sé gach buairt a sheachaint agus é féin a ardú suas chun na *síoraíochta agus chun na *neamhbhásmhaireachta náisiúnta – ach is fearr leis dul go Moscó!

An rud is mó atá do mo ghortúsa, is ea gur cheap mé ina Mharascal Machaire é, ina ainneoin sin. Bhí mé ag iarraidh an sásamh deireanach sin a thabhairt dó. Is é an Marascal Machaire deireanach é a cheapfaidh mé sa chogadh seo. <u>Ní breac é go mbeidh sé ar an bport.</u>

Doiciméad B

Tá cath Stalingrad thart. Sheas an Séú Arm leis an *mionna a thug siad go dtroidfidís go dtí an dé dheireanach; tá buaite orthu, faoi cheannasaíocht *eiseamláireach an Mharascal Machaire Paulus, ag namhaid ab fhearr ná iad, agus ag *tosca a bhí mífhabhrach dár bhfórsaí.

1. I nDoiciméad A, cén fáth a measann Hitler gur meatachán é Paulus?

2. I nDoiciméad A, cén eagla atá ar Hitler maidir le Paulus a dhul go Moscó?

3. Dar le Hitler i nDoiciméad A, cén rud is mó atá á ghortú?

4. Conas a chuireann Hitler síos ar Paulus i nDoiciméad B?

5. Mínigh cén fáth ar léirigh Hitler dhá dhearcadh *chontrártha faoi na himeachtaí in Stalingrad, mar atá siad i nDoiciméad A agus B?

---

rang rank • **meatachán** coward • **laochas** heroism • **síoraíocht** eternity
neamhbhásmhaireacht immortality
Ní breac é go mbeidh sé ar an bport Don't count your chickens until they're hatched
mionna oath • **eiseamláireach** exemplary • **toisc** circumstance • **contrártha** opposing

9

An Fhrainc faoi cheannas Vichy 1940–45

*Turnamh an Tríú Poblacht

Ba go mífhonnmhar a bhí an Fhrainc páirteach sa Dara Cogadh Domhanda. Ní raibh na polaiteoirí *tiomanta do chogaíocht iomlán. In 1939, bhí cuimhne rómhaith ag Daladier, Príomh-Aire na Fraince, ar thubaiste an Chéad Chogadh Domhanda. Chaill an Fhrainc glúin iomlán fear i rith an chogaidh, agus rinneadh damáiste mór dá réigiún tionsclaíoch san oirthuaisceart.

▲
Paul Reynaud (1876-1966) (ar deis) an tAire Airgeadais faoi Phríomh-Aire na Fraince, Daladier, ag fágáil an Élysée i ndiaidh comhdháil airí in 1939. Tháinig sé i *gcomharbas ar Daladier mar Phríomh-Aire in 1940.

'An Cogadh Bréige'

Tar éis thurnamh na Polainne, stop an troid go sealadach (An Cogadh Bréige). *Drôle de guerre* ('an cogadh bréige') a thug na Francaigh ar an tréimhse idir turnamh na Polainne i mí Mheán Fómhair, agus samhradh na bliana 1940. D'fhógair an Fhrainc cogadh ar an nGearmáin i mí Mheán Fómhair 1939, agus bhí a lán de mhuintir Pháras tar éis imeacht as an gcathair. I rith 'an Chogaidh Bhréige', d'fhill siad ar Pháras, agus osclaíodh na clubanna agus na bialanna arís. Theastaigh ó Daladier geilleagar na Fraince a chaomhnú i rith na tréimhse sin agus dhiúltaigh sé acmhainní a chur ar fáil chun *Aireacht Muinisin (roinn speisialta rialtais a stiúrann tionscal na n-arm le linn cogaidh) a bhunú. Chomh maith leis sin chuir an Aireacht Talmhaíochta in aghaidh iarrachtaí chun ciondáil a chur i bhfeidhm. Lean an t-achrann polaitiúil, ar chuid den saol é i gcónaí sa Tríú Poblacht. Bhí an ghráin dhearg ag Daladier agus Paul Reynaud, an tAire Airgeadais, ar a chéile. I mí an Mhárta 1940 cuireadh rialtas Daladier as oifig; rinneadh Príomh-Aire agus Aire Cosanta de Reynaud. Ní raibh ach tromlach de dhuine amháin ag an Rialtas sin sa pharlaimint.

*Go fiú iadsan nach meon *díomuachais (sásta glacadh leis go mbuafaí orthu) a bhí acu, chreid siad ar chaoi amháin nó ar chaoi eile gur cogadh gan doirteadh fola a bheadh ann don Fhrainc. Slán sábháilte taobh istigh de Líne Maginot, ligfeadh na saighdiúirí Francacha d'arm an namhad iad féin a *spíonadh amach le hionsaithe *éadairbheacha, agus ní ligfeadh an *t-imshuí Angla-Fhrancach na hamhábhair riachtanacha isteach sa Ghearmáin, rud a thachtfadh geilleagar na Gearmáine go mall. Shuigh arm na Breataine agus na Fraince – nach ndearna faic chun cuidiú leis na Polannaigh – gan gníomhú, ar a gcosaint, ag fanacht go n-ionsófaí iad. Drôle de guerre (cogadh bréige) a bhí ann ar feadh an gheimhridh sin.*

As ***A History of Modern France*** le Alfred Cobban, 1974.

---

turnamh fall • **tiomanta** committed • **Aireacht Muinisin** Ministry of Munitions • **comharbas** succession
díomuachas defeatism • **spíon** exhaust • **éadairbheach** fruitless • **imshuí** blockade

Ionradh ar an bhFrainc

Ba ar éigean a bhí Reynaud i gcumhacht nuair a tháinig deireadh leis an 'gCogadh Bréige'. I mí Aibreáin 1940, d'ionsaigh Hitler an Danmhairg agus an Iorua araon. Ar an 10ú Bealtaine, rinne na Gearmánaigh ionradh ar an mBeilg agus ar an Ollainn. Chuir ceannasaí míleata na Fraince, an Ginearál Maurice Gamelin, a chuid pleananna chun cabhrú leis *na Tíortha faoi Thoinn i bhfeidhm láithreach. Chruinnigh sé a chuid fórsaí ar an taobh ó thuaidh de theorainn na Fraince leis an mBeilg, ach rug Hitler ar na Francaigh gan choinne trí ionsaí a dhéanamh ar réigiún cnocach na hArdennes (féach an léarscáil ar lch 124). Faoin 15ú Bealtaine bhí na fórsaí Angla-Fhrancacha sa Bheilg agus san Ollainn, scoite ón gcuid eile d'fhórsaí na Fraince. Chuir Reynaud glaoch teileafóin ar Churchill, á rá: 'Tá an cath caillte againn.'

Pétain i gCeannas

Le teann éadóchais, chuir Reynaud Gamelin as oifig agus cheap sé an Ginearál Weygand ina áit. Chomh maith leis sin, glaodh ar ais ar an Marascal Henri Philippe Pétain, seanlaoch an Chéad Chogadh Domhanda, chun a bheith ina Thánaiste ag Reynaud. Bhí Pétain ochtó a ceathair bliain d'aois agus ina Ambasadóir chun na Spáinne in Maidrid.

Saighdiúir Francach a bhí in Pétain, a bhain cáil laochta amach mar chosantóir Verdun sa bhliain 1916, i rith an Chéad Chogadh Domhanda. Ceapadh ina *Ardcheannasaí é ar Fhórsaí na Fraince in 1917 agus ina Mharascal ar an bhFrainc in 1918. Bhí súil ag Reynaud go ndéanfadh *'sean-**Choncaire Verdun**' athbheochan ar mhuinín na bhFrancach. Bhí sé le fáil

▲ Saighdiúirí Francacha, agus iad ar meisce, ag géilleadh in 1940. Céard a léiríonn an grianghraf seo dúinn faoi dhearcadh na saighdiúirí faoin ionradh ar an bhFrainc?

"I make to France the gift of my person to help to mitigate her suffering."

▲ An Marascal Henri Philippe Pétain (1856-1951) i gcathaoir rothaí atá á coinneáil ag saighdiúir Naitsíoch. Cad atá an cartún ag iarraidh a rá faoin ngaol idir an Fhrainc faoi cheannas Vichy, agus Gearmáin na Naitsithe?

amach go luath, áfach, gur mheas Pétain go raibh an cogadh ionann is caillte.

Éirí as Reynaud

Aistríodh Rialtas na Fraince as Páras ar an 1 Meitheamh go dtí baile ó dheas ó Pháras darb ainm Tours. Ar an 14 Meitheamh, tháinig fórsaí na Gearmáine isteach i bPáras. Buille *coscrach do mheanma na bhFrancach ba ea gabháil Pháras. Bhí Reynaud anois curtha ó mhaith ag lucht an *díomuachais. Chreid an Ginearál Weygand, faoin am sin, nárbh fhéidir sos cogaidh a sheachaint. D'fhógair sé: 'Faoi cheann trí seachtaine tachtfar an Bhreatain Mhór mar a dhéanfaí le cearc.' Ar an 16 Meitheamh, d'éirigh Reynaud as a phost mar Phríomh-Aire. Tháinig Pétain ina áit. An lá dár gcionn chraol Pétain óráid don náisiún agus dhearbhaigh sé go raibh buaite orthu sa chogadh agus go gcaithfí sos cogaidh a shíniú leis na Gearmánaigh.

Na Tíortha faoi Thoinn The Low Countries • **Ardcheannasaí** Commander in Chief • **concaire** conqueror • **coscrach** shattering • **díomuachas** defeatism

A Fhrancacha… tá stiúradh Rialtas na Fraince tógtha agam orm féin inniu. Agus mé cinnte go bhfuil cion ag ár n-arm iontach orm… agus mé cinnte go bhfuil muinín ag an náisiún uile asam, tá mé do mo chur féin ar fáil don Fhrainc chun faoiseamh a thabhairt di ina *hanachain …Is go tromchroíoch a deirim go gcaithfimid deireadh a chur leis an troid. Chuaigh mé i dteagmháil aréir lenár gcéile comhraic (namhaid) chun a iarraidh air an bhfuil sé sásta bealaí a lorg in éineacht liomsa go hionraic, saighdiúir le saighdiúir, tar éis an chatha, trínar féidir deireadh a chur leis an troid.

▲ An Ginearál Charles de Gaulle (1890-1970) sa bhaile Francach Laval, go gairid i ndiaidh shaoradh an bhaile, ar an 24 Lúnasa 1944.

Níor aontaigh an Ginearál Charles de Gaulle leis an ngéilleadh, agus theith sé go Sasana. Ar an 18 Meitheamh 1940, i Sasana, rinne de Gaulle a chraoladh cáiliúil ar an *BBC*, inar fhógair sé go raibh sé chun ***Rialtas ar Deoraíocht**' a bhunú, agus d'iarr sé ar mhuintir uile na Fraince leanúint den *streachailt in aghaidh na Naitsithe. Ba bheag tacaíocht a fuair a achainí sa bhaile.

Iarraimse, an Ginearál de Gaulle, ag an am seo i Londain, ar oifigigh agus saighdiúirí na Fraince atá ar thalamh na Breataine faoi láthair, ar innealtóirí agus ar oibrithe oilte, teacht i dteagmháil liom.

Cibé a tharlaíonn, ná múchtar lasair frithbheartaíochta na Fraince. Ní mhúchfar.

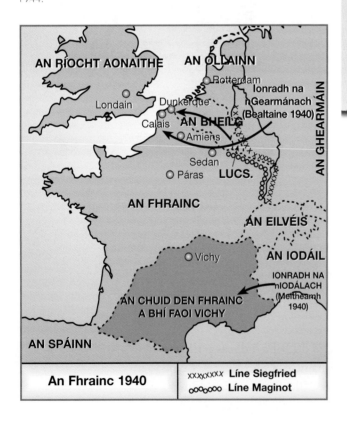

An Fhrainc 1940

xxxxxxxx Líne Siegfried
ooooooo Líne Maginot

Sos Cogaidh

Síníodh sos cogaidh idir na Francaigh agus na Gearmánaigh ar an 22 Meitheamh in Compiégn sa Fhrainc. *Sheas Hitler air go síneofaí an sos cogaidh sa charráiste céanna iarnróid inar ghlac an Marascal Foch, Ceannasaí Uachtarach Fhórsaí na gComhghuaillithe, le géilleadh na Gearmáine sa bhliain 1918.

Faoi théarmaí an tsos cogaidh, bhí tuaisceart agus iarthar na Fraince, Páras san áireamh, le forghabháil ag na Gearmánaigh. Bhí an chuid eile den Fhrainc le fanacht faoi smacht riailréime nua Francaí a bunaíodh i seanbhaile *spá darbh ainm Vichy. Bhí Pétain le bheith ina cheann ar an stát nua Francach.

---

anachain misfortune • **Rialtas ar Deoraíocht** Government in Exile • **streachailt** struggle
seas ar insist on • **spá** spa

Riailréim Vichy

Sula raibh Pétain deich lá i gcumhacht, vótáil *Teach na dTeachtaí agus an Seanad sa Fhrainc go dtabharfaí an chumhacht dó Bunreacht nua a dhréachtú. Tromlach ollmhór a bhí sa vóta – 569 in aghaidh 80. Thug Pétain cúl don Phoblacht láithreach, á fhógairt féin mar *Chief de l'État* (Ceann an Stáit) agus ní mar Uachtarán. 'An Stát Francach' a tugadh ar an riailréim. Pétain a bhí freagrach as gach ceapachán rialtais agus as rith na ndlíthe.

Sheas Pétain ar son na *suáilcí traidisiúnta, mar a bhí i *sluán Vichy: **'Teaghlach, Obair, Tír'**.

Níorbh fhada gur tháinig tréithe riailréim Vichy chun solais. Bhí sí an-choimeádach agus bhí sí frithdhaonlathach.

- Cuireadh deireadh le comhairlí áitiúla.

- Cuireadh cosc ar cheardchumainn, agus cuireadh corparáidí den chineál a bhí ag Mussolini ina n-áit; bhí na corparáidí ceaptha a bheith ag déanamh cúraim de chearta na n-oibrithe.

- Bhog an riailréim níos gaire don eaglais Chaitliceach; ba dheacra anois colscaradh a fháil. Bhí ceannas fós ag an stát ar an oideachas, áfach.

- Chuir tacaithe Vichy an milleán ar an Tríú Poblacht mar gheall ar thurnamh na Fraince in 1940. Gearradh pionós ar roinnt de na taoisigh dá dheasca sin. Cuireadh Daladier agus Blum i bpríosún, ach b'éigean iad a shaoradh in 1942 nuair nárbh fhéidir na cúiseanna ina gcoinne a chruthú. *Tugadh Blum ar láimh do na Gearmánaigh in 1942. Shaor fórsaí na Stát Aontaithe é as sluachampa géibhinn i mí na Bealtaine 1945.

An Frith-Sheimíteachas

Tháinig fuath Pétain do na Giúdaigh chun solais go luath:
- Sa bhliain 1940 cuireadh deireadh, le dlí, le toirmeasc (cosc) ar ráitis chiníocha sa phreas.

- Faoi théarmaí an ***Statut des Juifs*** (Reacht/Dlí na nGiúdach), aon duine ar Ghiúdaigh triúr dá s(h)eantuismitheoirí, glacadh leis gur Ghiúdach é/í féin. Níor ceadaíodh do na Giúdaigh post a bheith acu san Arm, sna cúirteanna, sa státseirbhís, sa mhúinteoireacht, sa phreas ná in aon oifig thofa.

- Gabhadh sócmhainní na dteaghlach saibhir Giúdach, mar shampla, na Rothschilds (baincéirí idirnáisiúnta Giúdacha).

- Ón mbliain 1942 ar aghaidh, chabhraigh riailréim Vichy leis na Naitsithe chun Giúdaigh a dhíbirt chuig na campaí báis in Oirthear na hEorpa.

An Marascal Henri Philippe Pétain (1856-1951), ceann Rialtas na Fraince i ndiaidh dóibh géilleadh.

An Geilleagar

D'fhág an sos cogaidh gur ag na Francaigh a bhí an chuid ba bhoichte den talamh. Ba ag na Gearmánaigh a bhí breis is 65% de thionsclaíocht na Fraince, agus 60% dá talamh talmhaíochta. Aon ní a bhí ó na Gearmánaigh, thug siad leo é: thóg siad airgead, bia-

---

Teach na dTeachtaí Chamber of Deputies • **suáilce** virtue • **sluán** slogan • **tabhair ar láimh** hand over

ábhair agus táirgí tionsclaíocha as an bhFrainc fhorghafa. Chuir an t-ionradh ar an bhFrainc in 1940 as don fhómhar freisin. Cuireadh *ciondáil dhian i bhfeidhm sa Fhrainc i rith gheimhreadh na bliana 1940-41 dá dheasca sin.

Caidreamh le Hitler

Chreid Pétain go docht go mbeadh a fhrith-Chumannachas ina *bhunchloch chun *comhpháirtíocht a bhunú idir an chuid den Fhrainc a bhí faoi Vichy, agus Gearmáin na Naitsithe. Bhí sé le fáil amach go tapa nach raibh aon rún ag Hitler déileáil go *comhionann leis an gcuid den Fhrainc a bhí faoi Vichy.

Léirigh Hitler a chuid tuairimí ag cruinniú le Pétain in Montroire sa Fhrainc i mí na Nollag 1940. Na hathruithe a bhí Pétain a lorg ar théarmaí an tsos cogaidh, theip air iad a fháil ó Hitler. Níor éirigh leis a bhaint amach go gcuirfí 1·9 milliún príosúnach cogaidh Francach ar ais. Léirigh Hitler a *fhuarchúis i leith Riailréim Vichy cúpla lá dár gcionn, nuair a dhíbir sé 70,000 Francach as an Lorráin, in oirthuaisceart na Fraince, go dtí stát Vichy, gan dul i gcomhairle le Pétain.

▲ Pierre Laval (ar deis) in éineacht le heaspaig Chaitliceacha in Vichy. Bhí Laval ina Leas-Cheann Stáit ag Pétain i Rialtas Vichy in 1940. Cén tuairim a bhí ag an Eaglais Chaitliceach faoi Stát Vichy, dar leat?

Laval agus an Comhoibriú+ (lch 176)

Ba é an phearsa cheannasach eile i Riailréim Vichy ná Pierre Laval, an *Leas-Cheann Stáit. Murarbh ionann agus Pétain, chreid Laval nárbh fhéidir gan géilleadh. Iar-Aire Gnóthaí Eachtracha de chuid na Fraince a bhí i Laval. *Síochánaí (in aghaidh cogaíochta) a bhí ann a rinne a chion tábhachtach féin chun *beartas géilleadh síthe na Fraince a chur i bhfeidhm roimh thús an chogaidh. Ba ar an bhfíor-eite chlé den Pháirtí Sóisialach a bhíodh sé, agus bhog sé ní b'fhaide ar deis i rith na 1920idí agus na 1930idí, agus bhí sé ina Leas-Cheann Stáit ag Pétain i Rialtas Vichy in 1940.

Ghlac Laval le ceannas na nGearmánach, agus rinne sé iarracht réiteach go maith leis na Naitsithe trí chomhoibriú leo:
Ní raibh cosúlacht ar bith ag Laval agus Pétain le

---

*Bhí an Fhrainc róramhar agus róshona. Bhain sí leas agus míleas as a saoirse. Agus is toisc go raibh an iomarca saoirse i ngach réimse den saol atáimid sa chruachás (trioblóid) ina bhfuilimid anois. Is fíor freisin – agus is le teann bróin a deirim é seo, toisc go bhfuil tubaiste (uafás) mhór tarlaithe dúinn – nach féidir ligean do na hinstitiúidí atá fós ann teacht as tubaiste chomh mór seo. Níl fonn orm an díospóireacht a dhéanamh teasaí, ach ba mhaith liom a chur i gcuimhne daoibh gur iomarca saoirse sna scoileanna a chuir deireadh linn. Bhí focal amháin ann a raibh cosc air inár scoileanna: an focal Patrie (tír dhúchais). Féach ar ár gcomharsana. Bhí an Iodáil, tráth, ar bhruach na *hainrialach (cíor thuathail). Ní fhéadfá na sráideanna a shiúl san oíche gan an baol a bheith ann go ndéanfadh *gramaisc, a bhí ar a ndícheall chun teacht i gcumhacht, ionsaí ort. Lean an ainnise an *díomua sa Ghearmáin, agus lean an chíor*

ar lean.

---

ciondáil rationing • **bunchloch** basis • **comhpháirtíocht** partnership • **comhionann** equal
fuarchúis indifference • **Leas-Cheann Stáit** Deputy Head of State • **síochánaí** pacifist
beartas géilleadh síthe policy of appeasement • **ainriail** anarchy • **gramaisc** mob • **díomua** defeat

> *thuathail an *ainnise, dá réir. Is ea, céard a rinne an dá chomharsa sin? Thug siad ar ais an *idé faoin tír dhúchais. Thosaigh siad trína mhúineadh don óige grá a bheith acu dá dtír, agus gurb í a dtír an teaghlach, an t-am atá thart, an sráidbhaile inar tógadh duine. Is iad sin na luachanna ar theip ar na múinteoirí iad a chur ina luí* (a spreagadh) *ar na páistí seo againne.*
>
> As óráid Pierre Laval don Tionól Náisiúnta, Vichy, 10 Iúil 1940.

chéile. Bhíodh teannas sa chaidreamh idir an bheirt i gcónaí. Ar an 13 Nollaig, chuir Pétain Laval as oifig mar Leas-Cheann Stáit, agus chuir an *tAimiréal Jean-François Darlan ina áit.

*Fearacht Laval, thosaigh Darlan ag comhoibriú. Ba é príomhaidhm Darlan ná smacht Vichy ar *choilíneachtaí na Fraince, a choinneáil. Theastaigh *bunáiteanna ó na Gearmánaigh sa chuid de thuaisceart na hAfraice a bhí faoi cheannas na Fraince, agus sa tSiria agus sa Liobáin. Shíl Darlan dá dtabharfadh sé bunáiteanna do na Gearmánaigh go bhfágfaí na coilíneachtaí faoi cheannas na Fraince. Dá bhrí sin, faoi *Dhréachtchonradh/Comhaontú na Bealtaine 1942, chuir sé na haerfoirt sa tSiria, a bhí faoi smacht na Fraince, ar fáil do *Luftwaffe* na Gearmáine. Ghríosaigh sé sin na Briotanaigh chun gnímh; d'ionsaigh siad an tSiria, le cabhair fhórsaí Saora Francacha de Gaulle. Ba ghearr go raibh garastún Vichy sa tSiria gafa ag na Briotanaigh.

Gníomhaíocht:

Ón eolas atá agat ar an bpolaitíocht i dTríú Poblacht na Fraince 1920-40 (Caibidil 6), an measann tú gur tuairim chóir í óráid Laval?

Filleadh Laval

I ndiaidh deireadh a theacht ar smacht Vichy ar an tSiria, d'éirigh Darlan, de réir a chéile, as polasaí an chomhoibrithe. Bhain sin geit as na Gearmánaigh, agus d'éiligh a nAmbasadóir in Vichy, Otto Abetz, go n-iarrfadh Pétain Laval ar ais chun a sheanphost mar Leas-Cheann Stáit. Ghéill Pétain do bhrú na nGearmánach ar an 17 Aibreán 1942. 'Is geall le teachtaire mé,' a dúirt sé le comhghleacaí go príobháideach. D'fhan Darlan ina *Ardcheannasaí ar an gCabhlach, cé nach raibh se ina Leas-Cheann Stáit a thuilleadh.

Forghabháil Stát Vichy

Chuaigh fórsaí na gComhghuaillithe i dtír i dtuaisceart na hAfraice ar an 11 Samhain 1942. Faoin am sin, an limistéar a bhí faoi cheannas Vichy, bhí sé forghafa ag na Gearmánaigh. Bhí an Fhrainc faoi smacht iomlán na nGearmánach. In ainneoin achainíocha ón nGinearál Weygand agus ó dhaoine eile, dhiúltaigh Pétain an Fhrainc a fhágáil chun dul ar a dhídean san Ailgéir. Ar an 18 Samhain 1942, bhronn Pétain a chumhacht uile ar Laval. Chuaigh Laval ar thaobh na nGearmánach arís, á rá go raibh na Naitsithe ag sábháil na hEorpa ón gCumannachas.

Chun an fhírinne a rá, ní raibh i Laval ach 'puipéad' de chuid na Naitsithe. Ag Fritz Sauckel, a ceapadh ina *Gauleiter* (Riarthóir) ar an bhFrainc i mí an Mheithimh 1942, a bhí an chumhacht uile. Níorbh fhéidir aon dlí a athrú gan cead na nGearmánach. Chaith Laval a lán dá chuid ama ag argóint in aghaidh éilimh Sauckel go gcuirfí na céadta mílte Francach chun na Gearmáine ina *n-oibrithe éigeantais. Den 1,575,000 a éilíodh, níor chuir Laval ar fáil ach 785,000. Theip ar Laval, áfach, stop a chur le díbirt na nGiúdach as Stát Vichy chuig na sluachampaí géibhinn.

---

ainnise misery • **idé** idea • **aimiréal** admiral • **fearacht** like • **coilíneacht** colony • **bunáit** base
dréachtchonradh protocol • **Ardcheannasaí** Commander in Chief • **oibrí éigeantais** forced labourer

Chuir na Gearmánaigh iallach ar Laval cuireadh a thabhairt do dhaoine ar chomhoibrithe amach is amach iad, teacht isteach sa rialtas. I mí na Nollag 1943, rinneadh Príomh-Rúnaí ar *an Aireacht Oird de Joseph Darnand, ceann an *Militia* (na Póilíní Rúnda), arbh fhuath le daoine iad. I mí an Mhárta 1944, rinneadh Aire Saothair de Marcel Deat, polaiteoir a bhí ar an bhfíor-eite dheas, agus ar thacaí de chuid na Naitsithe é.

Frithbheartaíocht

Ba go mall a d'fhás an fhrithbheartaíocht sa Fhrainc in aghaidh fhorghabháil na Naitsithe. De réir mar a lean díbirt na n-oibrithe, thosaigh frithbheartaíocht choiteann ag teacht chun cinn i gcoinne leatrom na Naitsithe. Bhíodh *Militia* na Fraince agus *Gestapo* na Gearmáine sa tóir ar fhórsaí na frithbheartaíochta, a bhí ag dul i méid mar go raibh fir a bhí ag éalú ón *obair éigeantais ag dul iontu. Gabhadh cuid acu, mar gur mhinic a *bhraith daoine iad; *céasadh iad ar dtús, agus ansin cuireadh go dtí na sluachampaí géibhinn iad (lch 174).

▲
De Gaulle ag máirseáil tríd an *Arc de Triomphe* i bPáras i ndiaidh shaoradh Pháras i mí Lúnasa 1945.

Deireadh Vichy

Nuair a chuaigh na Comhghuaillithe i dtír sa Normainn ar an 6 Meitheamh 1944 thuig Pétain agus Laval gur ghearr go mbeadh deireadh leo féin. Bhí ar Pétain agus Laval araon teitheadh as Vichy ar an 17 Lúnasa. Theith Pétain chun na hEilvéise ach cuireadh ar ais chun na Fraince é chun é a chur ar a thriail. Theith Laval chun na Gearmáine ar dtús, agus ina dhiaidh sin, chun na Spáinne. Cuireadh ar ais chun na Fraince eisean freisin, chun é a chur ar a thriail.

Mar chosaint ag a thriail, d'áitigh Pétain nach raibh ar a chumas *cinntí stuama a dhéanamh de bharr seanaoise. Mar sin féin, daoradh chun báis é. An bhreith báis de bharr *tréasa, a gearradh air, d'athraigh Charles de Gaulle í sin ina príosúnacht saoil. Cuireadh i bpríosún é ar Ile d'Yeu, oileán atá amach ó chósta thiar na Fraince, agus b'ansin a fuair sé bás in 1951. Tá conspóid i gcónaí faoina ról i bpolaitíocht na Fraince, agus ba thírghráthóir, níor *thréatúir, a bhí ann, dar le roinnt daoine.

Ní raibh an t-ádh céanna ar Laval. Daoradh chun báis, le *scuad lámhaigh, eisean. Tugadh an bás céanna sin do go leor daoine eile. Iad sin a *bhraith an Phoblacht trí chomhoibriú leis na Naitsithe, gabhadh iad agus lámhachadh iad. '*L'épuration*' (an purgú) a tugadh ar an bpróiseas sin. Meastar gur cuireadh idir 30,000 agus 40,000 duine chun báis sa Fhrainc sular tháinig údarás Charles de Gaulle i bhfeidhm.

An Aireacht Oird Ministry of Order • **obair éigeantais** forced labour • **braith** betray; inform on **céas** torture • **cinneadh** decision • **tréas** treason • **tréatúir** traitor • **scuad lámhaigh** firing squad

Measúnú ar Stát Vichy

I ndiaidh an chogaidh bhí daoine ann a chosain riailréim Vichy. D'áitigh roinnt Francach é seo a leanas: an comhoibriú stáit a rinne riailréim Vichy faoi cheannas Pétain agus Laval, gur shábháil sé pobal na Fraince óna thuilleadh leatroim fós ó na Naitsithe.

Os a choinne sin, áitítear gur beag a rinne riailréim Vichy chun a sibhialtaigh féin a chosaint ar an díbirt ollmhór a rinneadh orthu chun na Gearmáine, mar *oibrithe éigeantais. Chun an fhírinne a rá, ní bhfuair Stát Vichy faic as an gcomhoibriú a rinne sí go deonach.

Ceisteanna

An Gnáthleibhéal

Scríobh paragraf ar cheann amháin díobh seo a leanas:

1. Turnamh na Fraince, 1940.

2. An Marascal Pétain.

3. Deireadh Stát Vichy, 1944.

An tArdleibhéal

1. Mínigh teacht chun cinn agus turnamh riailréim Vichy sa Fhrainc, 1940-44.

2. 'Ní raibh i Stát Vichy ach stát puipéid de chuid na Gearmáine.' É sin a phlé.

---

oibrí éigeantais forced labourer

Léigh an doiciméad thíos agus freagair na ceisteanna a leanann. Is é atá sa doiciméad ná sliocht as óráid a thug an Marascal Pétain ar an 11 Deireadh Fómhair 1940.

A Chomh-Fhrancacha!

Ceithre mhí ó shin, d'fhulaing an Fhrainc ceann de na *díomuanna ba mheasa ina stair. Bhí a lán cúiseanna leis an díomua agus níor chúiseanna teicniúla iad go léir. Leis an bhfírinne a rá, ní raibh sa tubaiste ach léiriú, sa réimse míleata, ar laigí agus ar easnaimh na sean-riailréime. Faoi mar is eol dom go maith, thug a lán agaibh, áfach, gean don riailréim sin. Toisc gur bhain sibh leas as an gceart chun vótáil gach ceithre bliana, mheas sibh gur shibhialtaigh shaora i stát saor a bhí ionaibh. Cuirfidh mé iontas oraibh, más ea, nuair a déarfaidh mé go raibh an stát — ar chaoi nár tharla riamh i stair na Fraince — faoi chois ag lucht *sainleasa i rith an fiche bliain atá imithe thart. Ghlac comhghrúpaí de lucht leasa eacnamaíocha, agus buíonta de pholaiteoirí agus de *shiondacáitigh (sóisialaithe a chreid gur cheardchumainn ba chóir tíortha a rialú) seilbh air ar bhealaí éagsúla, ceann i ndiaidh a chéile, agus ag an am céanna ar uairibh. D'áitigh na grúpaí sin, go bréagach, go raibh siad ag feidhmiú ar son aicme an lucht oibre.

*Éagumasach (lag) ar fad a bhí an riailréim, agus shéan (dhiúltaigh dóibh) siad a gcuid prionsabal féin trí dhul i muinín <u>cumhachtaí forógra éigeandála</u> i gcás gach *géarchéim thromchúiseach a bhí ann. Ní raibh ann ach gur bhrostaigh an cogadh agus an díomua an réabhlóid pholaitiúil a raibh an tír ag druidim ina leith ar aon nós. Agus bac ar an riailréim ag ceisteanna polaitiúla intíre dá sórt, ní raibh ar a gcumas, ar an gcuid is mó, polasaí fiúntach eachtrach don Fhrainc a fhoirmiú (a phleanáil) agus a chur i gcrích. Agus iad spreagtha, dá bharr sin, ag náisiúnachas *paranóiach (faiteach) nó ag *síochánachas docht, ar léir easpa tuisceana agus laige ann, ní fhéadfadh a bheith mar thoradh ar ár bpolasaí eachtrach ach an tubaiste; ba ag an nóiméad sin díreach ba chóir dúinn a bheith flaithiúil agus láidir in éineacht, de bharr gur againne a bhí an bua. Thóg sé tuairim is cúig bliana déag orainn titim isteach sa *duibheagán inar thug an polasaí sin muid go cinnte. Lá amháin i mí Mheán Fómhair 1939, gan go fiú dul i gcomhairle le Tithe an Rialtais, d'fhógair an Rialtas cogadh. Bhí an cogadh sin ionann is caillte againn roimh ré. Ní raibh ar ár gcumas é a sheachaint, ná ullmhú faoina choinne.

1. Cén tubaiste a raibh Pétain ag tagairt di i dtosach na hóráide?

2. Cén fáth a measann Pétain nach raibh pobal na Fraince saor go hiomlán sular bunaíodh riailréim Vichy?

3. Dar le Pétain, cén chaoi ar láimhsigh Rialtas na Fraince gach géarchéim thromchúiseach?

4. Cén fáth ar mheas Pétain go raibh an cogadh 'ionann is caillte againn' nuair a fógraíodh é in 1939?

5. Cé chomh maith is a d'éirigh le Pétain bród náisiúnta na Fraince a athbheochan sa tréimhse 1940-44? (an tArdleibhéal amháin)

130

díomua defeat • sainleas special interest • siondacáiteach syndicalist • éagumasach impotent
cumhachtaí forógra éigeandála emergency decree powers • géarchéim crisis • paranóiach paranoid
síochánachas pacifism • duibheagán abyss

10 Fadhbanna Eacnamaíocha agus Sóisialta sa Bhreatain agus sa Ghearmáin sna Blianta Idirchogaidh, 1919-39

Geilleagar na hEorpa in 1919

Bhí fadhbanna móra eacnamaíocha agus sóisialta san Eoraip sna blianta idir an dá chogadh. Ba é an toradh a bhí ar fhadhb an bhoilscithe agus ar fhadhb na dífhostaíochta ná éilimh níos mó go bhfeabhsódh is go méadódh na rialtais na seirbhísí sóisialta a chuirfí ar fáil do shaoránaigh.

Eochairchoincheap: An Boilsciú

Is é a chiallaíonn boilsciú ná ardú ar phraghsanna, agus laghdú ar luach ceannaigh an airgid.

Nuair a tháinig deireadh leis an gCéad Chogadh Domhanda in 1918, chuaigh sé dian ar rialtais san Eoraip gnáthghníomhaíochtaí eacnamaíocha a chur ar bun arís agus tosca sóisialta a fheabhsú. Bhí suimeanna ollmhóra airgid faighte ar iasacht ag stáit Eorpacha leis an gcogadh a *mhaoiniú. De bharr an ardbhoilscithe, scuabadh chun siúil airgeadraí a bhí folláin roimhe sin, agus lagaíodh polaitíocht na hEorpa. Bhí praghsanna trí oiread níos airde sa Bhreatain in 1920, agus cúig oiread níos airde sa Ghearmáin, ná mar a bhí siad roimh an gcogadh. Thosaigh oibrithe ag éirí míshásta faoin mbearna a bhí ag fás idir iad féin agus aicmí saibhre.

Eochairphearsa: John Maynard Keynes

Bhí John Maynard Keynes, a rugadh agus a oileadh in Cambridge i Sasana, ar dhuine de na smaointeoirí eacnamaíochta ba mhó tionchar de chuid an fichiú haois. Mhúin sé eacnamaíocht in Ollscoil Cambridge ó 1906 go dtí 1908. Le linn an Chéad Chogadh Domhanda, bhí sé ag obair sa *Státchiste. Ba é ionadaí na roinne sin é ina dhiaidh sin ag Comhdháil Síochána Pháras in 1919.

Cháin Keynes go géar a oiread cúitimh a rabhthas ag súil leis ón nGearmáin. Ina leabhar, *The Economic Consequences of Peace* (1919), d'áitigh Keynes go ndéanfadh an cúiteamh ard an Ghearmáin a mhilleadh, is go dtiocfadh tuilleadh míshocrachta as. Ní dheachaigh a thuairimí i bhfeidhm ar na ceannairí polaitíochta, áfach, mar go raibh siadsan faoi bhrú uafásach ó phobal a bhí ag iarraidh díoltas a bhaint amach.

---

maoinigh finance • **státchiste** treasury

John Maynard Keynes (1883-1946), duine de na smaointeoirí eacnamaíochta ba mhó tionchar san fhichiú haois.

Tar éis an chogaidh, lean sé air ag cur comhairle ar rialtais dhifriúla de chuid na Breataine faoi pholasaí eacnamaíoch. I ndiaidh *Chliseadh Wall Street in 1929 agus an *spealadh a lean é, rinne Keynes argóint in aghaidh na tuairime go raibh ar chumas an mhargaidh eacnamaíoch é féin a cheartú i gcónaí. Chreid sé go bhféadfadh caiteachas rialtais ar oibreacha poiblí geilleagar spealta a *chobhsú trí phostanna a chruthú. Chuir sé an *<u>cur chuige</u> 'Keynesiach' maidir le *<u>cobhsaíocht eacnamaíoch</u> in iúl go soiléir ina leabhar *The General Theory of Employment, Interest and Money* (1936). Ní dheachaigh a chuid teoiricí i bhfeidhm ar pholasaí rialtais le linn na 1930idí.

Chuir 'Tuarascáil Beveridge', a foilsíodh in 1942, cuid de thuairimí Keynes san áireamh. Mhol an tuarascáil go dtabharfadh Rialtas na Breataine scéim árachais shóisialta isteach, ag freastal ar réimsí mar an dífhostaíocht agus liúntais teaghlaigh. Bhí tionchar freisin ag Keynes ar thoradh Chomhdháil Breton Woods in 1944, comhdháil as ar tháinig bunú an Bhainc Dhomhanda agus an Chiste Airgeadaíochta Idirnáisiúnta.

I ndiaidh an Dara Cogadh Domhanda, cuireadh fáilte níos mó roimh argóintí Keynes go bhféadfadh lánfhostaíocht teacht as *idirghabháil rialtais. Ghlac rialtais sa Bhreatain agus in Iarthar na hEorpa araon lena chuid teoiricí mar bhonn lena bpolasaí eacnamaíoch go dtí na 1970idí.

Fadhbanna Eacnamaíocha sa Bhreatain i ndiaidh an Chogaidh

Tháinig an Bhreatain as an gCéad Chogadh Domhanda agus a himpireacht slán agus a stádas idirnáisiúnta níos airde ná riamh. Ó thaobh an gheilleagair de, áfach, d'íoc sí go daor as an gcogadh.

Bhí geilleagar na Breataine ag meath go mall roimh an gcogadh. Bhí an Bhreatain tar éis ísliú ar thábla na náisiún tionsclaíoch. Bhí a sciar de thrádáil an domhain ag meath, agus laghdaigh a cuid easpórtálacha go mór le linn an chogaidh. Sa bhliain 1885, b'easpórtálacha as an mBreatain 17% de thrádáil an domhain; faoi mbliain 1913, bhí sin laghdaithe go 14%. Bhí cuid mhaith de thionsclaíocht na Breataine seanaimseartha agus bhí sí mall, ar an gcuid ba mhó, ag glacadh teicnící nua-aimseartha táirgthe chuici féin. Chuaigh na tionscail thraidisiúnta, *teicstílí agus an *longthógáil, mar shampla, i léig. Tharla sé sin, ar an gcuid ba mhó, mar thoradh ar dhul chun cinn na longthógála sna Stáit Aontaithe agus sa tSeapáin. Bhí an Bhreatain ag brath rómhór ar thionscal an ghuail mar fhoinse fuinnimh, fad is a bhí tíortha eile Eorpacha ag casadh ar an ola agus an hidrileictreachas.

---

cliseadh crash • **spealadh** depression • **cobhsaigh** stabilise • **cur chuige** approach
cobhsaíocht eacnamaíoch economic stability • **idirghabháil** intervention • **teicstíl** textile
longthógáil shipbuilding

132

Dífhostaíocht agus Corraíl Thionsclaíoch

Tháinig fadhbanna móra dífhostaíochta as an meath seasta a bhí ag teacht ar thionsclaíocht na Breataine. An borradh sealadach a tháinig in 1919, tháinig deireadh leis go luath, agus faoi fhómhar na bliana 1920 bhí breis agus 1·5 milliún fear gan obair.

An-chuid saighdiúirí a d'fhill abhaile bliain roimhe sin ina laochra cogaidh, ní raibh ar a gcumas obair a fháil anois. Idir sin agus tús an Dara Cogadh Domhanda in 1939, níor laghdaigh figiúr dífhostaíochta na Breataine faoi bhun an mhilliúin. Ba i dtuaisceart na Breataine agus i ndeisceart na Breataine Bige ba mheasa an dífhostaíocht – na háiteanna ina raibh na seantionscail.

Sa Bhreatain, i ndiaidh an chogaidh, tháinig méadú ar theannais thionsclaíocha idir an t-oibrí agus an fostóir. De réir mar a laghdaigh an brabús as an tionsclaíocht, d'fhéach na fostóirí leis an tuarastal a ísliú. Rinne siad é sin go háirithe i mianaigh ghuail na Breataine. Cuireadh iallach ar mhianadóirí glacadh le laghdú pá tar éis stailc trí mhí (ar theip uirthi) in 1921. I ndiaidh bhriseadh na mianadóirí, laghdaíodh tuarastail i dtionscal na hinnealtóireachta, na ndugaí, na longthógála, na dteicstílí, na clódóireachta agus an iarnróid.

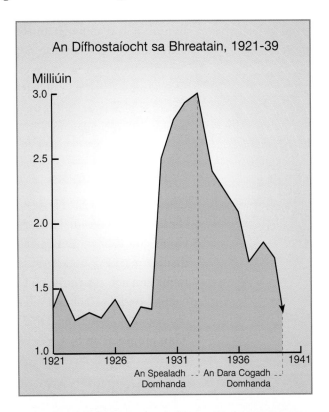

An Dífhostaíocht sa Bhreatain, 1921-39

Milliúin

An Spealadh Domhanda

An Dara Cogadh Domhanda

Fadhbanna i dTionscal an Ghuail

Bhí an chuma ar an scéal go raibh *cobhsaíocht ag filleadh ar an mBreatain nuair a d'éirigh le Rialtas Coimeádach Stanley Baldwin a théarma iomlán a chur isteach (1924-29) – an chéad rialtas iarchogaidh a rinne sin. Bhí an t-achrann tionsclaíoch ag maolú. Faoi 1925, bhí ísliú de 90% ar a oiread laethanta oibre a cailleadh de bharr stailce i gcomparáid le figiúr 1921. Bhí an dífhostaíocht laghdaithe freisin. Ar an ábhar sin, b'ait go raibh ollstailc sa Bhreatain in 1926.

B'as tionscal na mianadóireachta a tháinig an ollstailc. Buadh ar na mianadóirí in 1921, agus bhí an-chuid *gangaide ann fós. De réir mar a bhí tionscal an ghuail ag dul i léig, bhí úinéirí na mianach ag déanamh iarrachta a gcaillteanais a chúiteamh trína thuilleadh *ciorruithe pá a chur i bhfeidhm.

I Meitheamh na bliana 1925, d'fhógair úinéirí na mianach ciorruithe pá agus bhagair siad go ndéanfaí *frithdhúnadh ar na mianadóirí dá ndiúltóidís glacadh leis na coinníollacha nua. Dhiúltaigh ceannaire na mianadóirí, A.J. Cook, glacadh leis na coinníollacha

Stanley Baldwin (1867-1947), Príomh-Aire Coimeádach na Breataine sna 1920idí.

---

cobhsaíocht stability • **gangaid** bitterness • **ciorrú** cut-back • **frithdhúnadh** lockout

agus d'iarr ar cheardchumainn eile dul ar stailc leis na mianadóirí in ollstailc. Ar an **'Aoine Dhearg'** (31 Iúil 1925), d'éirigh leis cur ina luí ar a chomhghleacaithe i *gComhairle na gCeardchumann (*TUC*) tacú leis na mianadóirí.

Chun ollstailc a sheachaint, rinne an Príomh-Aire Baldwin *idirghabháil agus bhunaigh sé Coimisiún Ríoga leis an bhfadhb a scrúdú. Idir an dá linn, chuirfí na ciorruithe pá ar fionraí, agus d'aontaigh an Rialtas *fóirdheontas a thabhairt do thionscal an ghuail ar feadh tamaillín, as airgead poiblí.

Bhí an chuma ar an scéal gur bhain na mianadóirí bua mór ar an Aoine Dhearg. Ba é fírinne an scéil ná go raibh Rialtas Baldwin ag moilleadóireacht. Bhí siad ag baint leasa as an am le pleananna a dhéanamh le cinntiú gurb é an cur isteach is lú a bheadh ann i gcás go mbeadh ollstailc ann.

Coimisiún Samuel

Cheap an Rialtas Sir Herbert Samuel, iar-aire de chuid an Pháirtí Liobrálaigh, ina cheann ar choimisiún chun deacrachtaí i dtionscal an ghuail a fhiosrú. Nuair a d'eisigh an Coimisiún Ríoga a thuarascáil i mí an Mhárta 1926, mhol sé roinnt *tionscnaimh fhadtéarmacha chun an tionscal a fheabhsú. Sa ghearrthéarma, áfach, mhol sé nach raibh rogha ann ach ciorruithe pá a chur i bhfeidhm. Mhol sé freisin go gcuirfí leathuair an chloig breise le seachtain oibre na mianadóirí le hiarracht a dhéanamh go ndéanfaí an tionscal níos *iomaíche. Dhiúltaigh Cook do Thuairisc Samuel agus ghlac sé an mana **'Gan pingin as an bpá, gan nóiméad leis an lá'.**

An *Ollstailc, 1926

Chuaigh na mianadóirí ar stailc ar Lá Bealtaine. Agus drogall áirithe orthu, d'ordaigh Comhairle na gCeardchumann (*TUC*) do na hoibrithe iarnróid, na hoibrithe iompair, na dugairí, agus do na clódóirí dul amach, ag taobhú leo. Rinne breis agus dhá mhilliún oibrithe é sin agus thosaigh ollstailc ag meán oíche ar an 3ú lá de Bhealtaine 1926.

Ní raibh mórán *neamhoird ann, rud a chuir an-díomá ar Chomhairle na gCeardchumann (*TUC*). D'oibrigh plean *teagmhais an Rialtais go maith. Baineadh feidhm as saighdiúirí, póilíní, mic léinn agus daoine eile le leoraithe agus busanna a thiomáint, le longa a *dhíluchtú agus le soláthairtí a dháileadh. Bhí an **British Gazette** ag an Rialtas le nuacht a scaipeadh, agus Winston Churchill ina eagarthóir air.

*'Tá an Ollstailc i bhfeidhm, ag tabhairt *dhúshlán díreach an rialtais tofa. B'fhánach an mhaise iarracht a dhéanamh *beagní a dhéanamh dá leithéid de dhúshlán, sa mhéid is go bhfuil iarracht ar siúl ag níos lú ná 4,000,000 oibrí i seirbhísí riachtanacha na tíre, a dtoil a bhrú ar 42,000,000 saoránach Briotanach.*

*Is d'aon ghnó atá an stailc ar siúl, le *dúmháladh a dhéanamh ar an náisiún. Ní mór don náisiún seasamh go daingean agus go diongbháilte gan géilleadh.*

As eagarfhocal Winston Churchill in **British Gazette**, 6 Bealtaine 1926.

Comhairle na gCeardchumann Trade Union Council • **idirghabháil** intervention • **fóirdheontas** subsidy
tionscnamh initiative • **iomaíoch** competitive • **ollstailc** general strike • **neamhord** disorder
teagmhas contingency • **díluchtaigh** unload • **dúshlán** challenge
• **beagní a dhéanamh de** to minimise • **dúmháladh** blackmail

Theastaigh ó roinnt *Coimeádach de chuid na heite deise, mar shampla Churchill, go ngníomhódh an Rialtas níos déine i gcoinne na stailceoirí, trí cheannairí ceardchumainn a *ghabháil. Níor ghlac Baldwin lena chomhairle, ar eagla go ndéanfadh sé cúrsaí ní ba mheasa. Ghlac Rí Seoirse V ról síochána chuige féin freisin, ag gríosú fostóirí gan pionós a ghearradh ar na hoibrithe.

Deireadh na Stailce

Nuair ba léir nach ngéillfeadh an Rialtas, lorg formhór cheannairí na gceardchumann comhaontú. D'fheidhmigh Sir Herbert Samuel mar idirghabhálaí. Mhol sé go gcruthófaí Bord Náisiúnta Pá le haghaidh thionscal an ghuail. Idir an dá linn, ní fhéadfaí pá na mianadóirí a ísliú.

Ar an 12 Bealtaine, d'aontaigh Comhairle na gCeardchumann (*TUC*) deireadh a chur leis an stailc. Ní dheachthas i gcomhairle leis na mianadóirí i dtaobh an chinnidh sin. Bhraith siadsan go ndearnadh *feall orthu, agus dhiúltaigh siad filleadh ar a gcuid oibre. Sheas na mianadóirí an fód go ceann sé mhí eile. Le teann cruatain, shleamhnaigh siad ar ais chun a gcuid oibre agus bhí orthu glacadh le huaireanta níos faide agus pá níos lú.

Bhí dea-thorthaí agus drochthorthaí ar an stailc. Cé gur buadh ar na ceardchumainn, go háirithe na mianadóirí, ba *rabhadh í do na fostóirí faoina amaidí is a bhí sé pá a ghearradh. Sna blianta i ndiaidh 1926, socraíodh easaontais phá go sciobtha, ar an gcuid ba mhó, mar nár theastaigh ó fhostóirí dul sa seans maidir le stailc mhór eile.

> *Sa doiciméad thuas, conas a mheasann Churchill gur bagairt dhíreach do dhaonlathas na Breataine is ea an Ollstailc?*

Cliseadh Wall Street, 1929

I ndeireadh na 1920idí tháinig feabhas beag ar gheilleagar na Breataine. Laghdaigh an dífhostaíocht go dtí thart ar aon mhilliún de réir mar a tháinig infheistíocht nua, agus a tháinig athbheochan ar an trádáil. Tháinig deireadh tobann leis sin go léir le cliseadh *Stocmhalartán Wall Street i mí Dheireadh Fómhair 1929 agus nuair a thosaigh an Spealadh Mór.

Mhéadaigh an dífhostaíocht sna Stáit Aontaithe ó mhilliún amháin in 1929 go dtí 13 mhilliún faoi 1933 (níos mó ná an ceathrú cuid den *líon saothair). Bhí tionchar ag cliseadh gheilleagar na Stát Aontaithe ar an Eoraip de réir mar a chrap an trádáil dhomhanda go dtí nach raibh inti ach an tríú cuid den trádáil a bhí ann roimhe sin.

▲ Tá tiománaí bus, ar *saorálaí é, á thionlacan ag póilín agus é ag fágáil an *bhusárais le linn Ollstailc 1926. Cad chuige, dar leat, a bhfuil an póilín ina theannta?

▲ Oibrithe ag siúl chun a gcuid oibre le linn na hOllstailce. Léiríonn an radharc seo nach raibh córas rómhaith iompair phoiblí ann.

Coimeádach Conservative • **gabh** arrest • **feall** betrayal • **rabhadh** warning
stocmhalartán stock exchange • **líon saothair** work force • **saorálaí** volunteer • **busáras** depot

I *mborradh eacnamaíoch, bíonn éileamh ar tháirgí, bíonn rath ar an tionsclaíocht, agus laghdaíonn an dífhostaíocht. I *meathlú eacnamaíoch bíonn *rósholáthar táirgí ann, ach ní bhíonn dóthain airgid ann chun iad a cheannach. Dá dheasca sin tagann laghdú nó ísliú mór ar chúrsaí tionsclaíochta nó trádála, agus dá bharr sin tagann méadú ar an dífhostaíocht. Nuair a theipeann ar gheilleagar teacht as meathlú laistigh de roinnt blianta, bíonn 'spealadh' ann.

Toradh ar Chliseadh Wall Street in 1929 ba ea spealadh dian eacnamaíoch na 1920idí is na 1930idí déanacha ar fud an domhain. Leath toradh an Chliseadh go tapa ar fud an domhain de bharr gurbh iad na Stáit Aontaithe a bhí ag soláthar 40% de na táirgí tionsclaíocha ar fud an domhain. Dúnadh monarchana agus gnólachtaí agus d'ardaigh an dífhostaíocht go gasta de réir mar a tháinig deireadh le hiasachtaí agus infheistíocht Mheiriceánach go dtí tíortha na hEorpa.

Rialtas Pháirtí an Lucht Oibre sa Bhreatain

Chuir olltoghchán na Breataine in 1929 Páirtí an Lucht Oibre ar ais i gcumhacht. Bhunaigh Ramsay McDonald rialtas mionlaigh Lucht Oibre le tacaíocht ó 59 Liobrálaí.

Nuair a thosaigh *an Spealadh Mór i mí Dheireadh Fómhair na bliana 1929, chruthaigh sé fadhbanna móra do Rialtas Pháirtí an Lucht Oibre. Ní raibh taithí ag McDonald agus a chuid airí ar chúrsaí eacnamaíocha, agus bhí deacracht acu ag láimhseáil na bhfadhbanna a chruthaigh an meathlú eacnamaíoch.

Dífhostaíocht

De réir mar a leath an spealadh ar fud an domhain, thosaigh an dífhostaíocht ag ardú go mór sa Bhreatain. Laghdaigh an t-éileamh ar tháirgí na Breataine. Chiallaigh an t-ardú ar an dífhostaíocht gur tháinig laghdú ar airgead as cáin ioncaim chuig an Rialtas. Ag an am céanna bhí níos mó airgid ná riamh á íoc amach acu i *sochair dhífhostaíochta. Faoin mbliain 1932, bhí 2·7 milliún daoine dífhostaithe.

Thosaigh fir ghnó ón iasacht, a raibh suimeanna ollmhóra airgid infheistithe acu sa Bhreatain, ag malartú a gcuid punt ar airgeadraí eile mar an dollar, nó ar ór. Mhothaigh siad go raibh an punt Steirling róbhaolach lena bheith ina seilbh acu ag tráth nuair a bhí geilleagar na Breataine ag meath go han-ghasta. Chruthaigh sé sin éileamh ollmhór ar an bpunt (*aistarraingt scaoill ar airgead) agus bhí baol ann go mbeadh *féimheacht ann de réir mar a chuaigh na *cúlchistí i mBanc Shasana i léig.

Fir dhífhostaithe le linn an Spealadh, ag feitheamh lasmuigh den *mhalartán oibre le scéala faoi dheiseanna oibre.

---

borradh boom • **meathlú** slump • **rósholáthar** oversupply
An Spealadh Mór The Great Depression • **sochar** benefit • **aistarraingt scaoill** panic withdrawal
féimheacht bankruptcy • **cúlchiste** reserve • **malartán oibre** labour exchange

*Briseadh Rialtas an Lucht Oibre

I bhfianaise na géarchéime sin, dhá rogha a bhí ag an Rialtas Lucht Oibre. An chéad rogha ná go bhféadfaidís an caiteachas a ísliú agus airgead a fháil ar iasacht ó bhainc iasachta chun a gcúlchistí a réiteach. Thacaigh Seansailéir an Státchiste, Philip Snowden, agus Banc Shasana, leis an bplean gníomhaíochta sin. An dara rogha ná go bhféadfadh an Rialtas an punt **a *dhíluacháil**. Laghdódh sé sin trádáil an phuint ar airgeadraí eile, mar ba lú an méid dollar a cheannódh an punt dá bharr. D'fhéadfadh an díluacháil an trádáil a neartú trí earraí na Breataine a dhéanamh níos saoire agus níos iomaíche ar mhargadh an domhain.

Bheartaigh McDonald ar chomhairle Bhanc Shasana a leanúint. Ardaíodh cánacha agus íslíodh tuarastal na státseirbhíseach. Íslíodh sochair dhífhostaíochta de 10%. Measadh go sábhálfaí £76 milliún ina iomláine.

Cé gur thacaigh An Páirtí Coimeádach agus na Liobrálaithe leis an gcinneadh, níor ghlac codanna áirithe de Pháirtí an Lucht Oibre ná de ghluaiseacht na gceardchumann leis. Na daoine a bhí in aghaidh na scéime, d'áitigh siadsan gur leag na moltaí ualach rómhór ar an lucht oibre. Tháinig scoilt sa rialtas faoin gceist agus d'éirigh an Príomh-Aire McDonald as ar an 24 Lúnasa, 1931.

Rialtas Náisiúnta sa Bhreatain

Ar an lá céanna ar éirigh McDonald as, thionóil ceannairí na mórpháirtithe polaitíochta cruinniú. Chuaigh siad i gcomhairle leis an Rí, agus bhunaigh siad Rialtas Náisiúnta ina raibh gach páirtí. Ba é Ramsay McDonald Taoiseach an Rialtais nua, agus ba é Stanley Baldwin, Ceannaire na gCoimeádach, an Tánaiste. Bhí tromlach Pháirtí an Lucht Oibre in éadan an Rialtais Náisiúnta, agus mar thoradh air sin díbríodh McDonald agus a lucht tacaíochta as Páirtí an Lucht Oibre.

> ***Díluacháil:**
> Ísliú ar luach airgeadra in aghaidh airgeadraí eile. Mar shampla, d'fhéadfadh €1 a bheith = $1, ach dá ndéanfaí díluacháil air, d'fhéadfadh gur €2 a bheadh = $1. Is minic a d'fhéadfadh an geilleagar feabhsú dá bharr sin mar go bhféadfadh easpórtálacha a bheith níos saoire – agus níos *iomaíche dá réir sin – ar mhargadh an domhain.

Olltoghchán, Deireadh Fómhair 1931

I mí Dheireadh Fómhair 1931, chuir an Rialtas Náisiúnta roimhe údarás a fháil ó mhuintir na Breataine trí olltoghchán a fhógairt. Bhí Páirtí an Lucht Oibre, agus mionlach as an bPáirtí Liobrálach faoi cheannas Lloyd George, in éadan an Rialtais Náisiúnta. Ba é an toradh a bhí ar an olltoghchán ná bua ollmhór ag an Rialtas Náisiúnta. Bhuaigh Páirtí Náisiúnta Lucht Oibre McDonald 13 shuíochán, bhuaigh na Liobrálaithe 18 suíochán, agus 473 shuíochán a bhuaigh na Coimeádaigh. Níor bhuaigh Páirtí an Lucht Oibre ach 52 suíochán.

Ceannairí an Rialtais Náisiúnta, Stanley Baldwin (ar clé) agus Ramsay McDonald.

---

briseadh fall • **díluacháil** devalue • **iomaíoch** competitive

D'fhan McDonald ina Phríomh-Aire. Ba Choimeádaigh – an páirtí ba mhó – 11 aire as an 20 aire Rialtais, áfach. Ba é Stanley Baldwin an duine ba chumhachtaí sa Rialtas, agus tháinig an Coimeádach, Neville Chamberlain, in áit Philip Snowdon ina Sheansailéir ar an Státchiste.

Eochairchoincheap: An *Cosantachas

Is polasaí eacnamaíoch é an *Cosantachas, atá ceaptha le tionscail *intíre a chosaint trí chánacha (a dtugtar taraifí nó dleachtanna orthu uaireanta) a chur ar tháirgí iompórtáilte. Is é is bun leis ná praghas na dtáirgí iompórtáilte (atá níos saoire) a ardú, chun *tomhaltóirí a ghríosú lena gcuid airgid a chaitheamh ar tháirgí a dhéantar sa tionscal intíre. Is é an cosantachas malairt na saorthrádála, córas ina mbíonn earraí saor ó tharaifí.

Leasuithe Eacnamaíocha

D'éirigh leis an Rialtas Náisiúnta an geilleagar a *chobhsú le bearta a thug Neville Chamberlain isteach.

- ***An Bille um Dhleachtanna ar Allmhairí** (iompórtálacha), Feabhra 1932: Chuir an bille sin dleachtanna ar iompórtálacha áirithe. Ba chosaint é ag déantóirí na Breataine, agus chuir sé deireadh le polasaí saorthrádála a bhí ceadaithe ag gach uile Rialtas sa Breatain ó 1846.

- Féachadh le córas *<u>**fabhar impiriúil trádála**</u> a bhunú. Ag comhdháil in Ottawa Cheanada, i mí Iúil-Lúnasa 1932, d'fhéach Chamberlain le tabhairt ar an Astráil, ar an Nua-Shéalainn agus ar Cheanada na taraifí ar thrádáil idir náisiúin an *Chomhlathais a ísliú. Ní raibh ach toradh teoranta ar an gcomhdháil mar go raibh leisce ar go leor de na *Tiarnais (baill den Chomhlathas) taraifí a ísliú mar go raibh siad ag iarraidh a ngeilleagar féin a chosaint.

- Féachadh le tionscal na cruach a athbheochan trí tharaifí a chur ar chruach ón iasacht. Bunaíodh **Cónaidhm Iarainn agus Cruach na Breataine**. Cuireadh *<u>oibreacha</u> nua <u>cruach</u> ar bun i nGleann Ebbw agus in Corby sa Bhreatain Bheag, ach cáineadh an chónaidhm go géar mar nár cheadaigh siad monarcha dá leithéid a thógáil in Jarrow in oirthuaisceart Shasana, áit a raibh an dífhostaíocht ab airde sa tír.

- Tugadh iasachtaí saora do Chuideachta *Loingseoireachta Cunard le *sólínéir mar an *Queen Mary* agus an *Queen Elisabeth* a thógáil.

---

*Comhlathas:
*Comhlachas de stáit ina raibh an Bhreatain agus formhór a *hiarchoilíneachtaí.

---

cosantachas protectionism • **intíre** domestic • **tomhaltóir** consumer • **cobhsaigh** stabilise
An Bille um Dhleachtanna ar Allmhairí Import Duties Bill
fabhar impiriúil trádála imperial trading preference • **comhlathas** commonwealth • **tiarnas** dominion
oibreacha cruach steelworks • **comhlachas** association • **iarchoilíneacht** former colony
loingseoireacht shipping • **sólínéar** luxury liner

An Dífhostaíocht ag Leanúint ar aghaidh

Faoi dheireadh na bliana 1937 bhí an dífhostaíocht laghdaithe go dtí 1·4 milliún. Tháinig feabhas mór ar gheilleagar lár na tíre agus an deiscirt. An chúis ba mhó a bhí leis sin ná gur bunaíodh tionscail nua in Coventry agus Oxford, mar shampla déantúsaíocht gluaisteán. Lean dífhostaíocht ard, áfach, i gceantair a bhí dírithe ar na tionscail ní ba shine, mar shampla mianadóireacht guail agus *longthógáil. '**Dífhostaíocht struchtúrach**' a thugtar uirthi sin de bhrí gur locht ar struchtúr an gheilleagair is cúis léi, seachas géarchéim i ngeilleagar an domhain.

I dTuaisceart Shasana, in Albain agus sa Bhreatain Bheag a bhí an chuid ba mhó den dífhostaíocht. Bhí dífhostaíocht ollmhór i mbailte áirithe i gceantair a bhí go dona ó thaobh an gheilleagair de. In 1934 bhí tuairim is 68% den *líon saothair in Jarrow, in oirthuaisceart Shasana, agus 62% den líon saothair in Merthyr Tydfil, sa Bhreatain Bheag, dífhostaithe.

> ***Míchothú:**
> Easpa den bhia a theastaíonn ón gcolainn chun í a choinneáil ag feidhmiú i gceart.

Cás-staidéar: Máirseáil Jarrow, mí Dheireadh Fómhair 1936

Máirseálacha Ocrais

Dar le mórán daoine ba iad na 1930idí '**tríochaidí an ocrais**'. Ba le linn na mblianta sin a tháinig meath ar mhórán tionscal traidisiúnta in oirthuaisceart Shasana. Bhí an *míchothú ar a lán de na daoine dífhostaithe.

Bhí sochair dhífhostaíochta (an dól) íseal, is níor chuidiú mór iad leis an gcruatan a laghdú. Sa bhliain 1931 cuireadh míshásamh mór ar dhaoine i gceantair ina raibh dífhostaíocht ard nuair a tugadh isteach *tástáil acmhainne; ba é ba thástáil acmhainne ann ná gur cuireadh ioncam iomlán an teaghlaigh san áireamh sula raibh duine i dteideal an dóil. Níor mhair an dól ach 26 seachtain (leathbhliain). Tháinig ísliú 10% ar an dól in 1931, rud a rinne an scéal níos measa. Bunaíodh *an **Bord Cúnamh Dífhostaíochta** in 1934 le cúram a dhéanamh do riachtanais daoine a bhí dífhostaithe go fadtéarmach. Níorbh fhiú mórán ar chor ar bith an cúnamh a chuir an bord ar fáil, is ba bheag athrú a chuir sé ar na coinníollacha ainnise ina

Foinse A

▲
Is tuairim é an cartún seo le David Low, a foilsíodh in 1935, ar mhí-éifeachtacht an Rialtais agus iad ag plé leis an mbochtaineacht. Tagairt atá ann do Neville Chamberlain, a bhí ina Sheansailéir ar an Státchiste ó 1931 go 1935.

---

longthógáil shipbuilding • **dífhostaíocht struchtúrach** structural unemployment
líon saothair workforce • **míchothú** malnutrition • **tástáil acmhainne** means test
An Bord Cúnamh Dífhostaíochta Unemployment Assistance Board

raibh daoine dífhostaithe ag maireachtáil. I gcás mórán daoine, ba é a ndícheall fanacht beo le *dínit éigin. Duine de na daoine a tháinig tríd an ainnise, ba í bean duine darbh ainm Pallas í; longthógálaí ba ea a fear. Seo sliocht uaithi as an leabhar *Time to Spare* le Felix Greene, a foilsíodh in 1935:

Foinse B

*Dá mba rud é go raibh obair againn, ba shaol eile ar fad a bheadh againn. Ar an iomlán, thart ar bhliain amháin oibre a bhí ag m'fhear céile as dhá bhliain déag go leith. Bhí aghaidh álainn aige nuair a phós mé é ach anois níl ann ach na cnámha is an craiceann. Nuair a phós mé é bhí sé scafánta (sláintiúil) agus bhí post maith aige. Bhí sé ag tuilleamh idir ocht bpunt agus deich bpunt in aghaidh na seachtaine. Is *seamadóir ciotógach loinge é – ceird ar chóir dó a lán airgid a thuilleamh aisti. Níl mórán seamadóirí ciotógacha ann.*

*Chaill sé a phost thart ar cheithre mhí tar éis dom é a phósadh, agus is ar éigean a thuigimse cad is pá seachtaine ann. Tar éis na streachailte go léir féin, níl mo *mheasúlacht caillte agam. Thart ar thrí nó ceithre bliana ó shin, d'éiríodh liom comórtas a bhuachan go fiú don teach ab fhearr ó thaobh glaineachta agus tís (a bheith cúramach le hairgead) de. Éadach deisithe leapa ar fad a bhí agam, ach bhí sé glan. Ba ar éigean a d'aithneofá an bunéadach agus a raibh de phaistí air. Ní rachadh mo chuid páistí ar scoil agus poll ina mbríste. Tagann siad chugamsa. Tá sé phaiste ar bhríste mo mhac is sine faoi láthair; deir mé leis go mbeidh sé níos teo, go háirithe sa gheimhreadh. Cuidíonn m'fhear céile liom leis an *dearnáil; mé féin a dhéanann an phaisteáil. Níl ann ach go bhfuil an t-ochtú paiste curtha agam i léine dá chuid. Bainim na muinchillí as ceann amháin is cuirim i gceann eile iad – aon seift le leanúint ar aghaidh.*

Mar agóid i gcoinne coinníollacha den chineál sin, thosaigh daoine dífhostaithe ar *'**mháirseálacha ocrais**' sna 1930idí. Ba í Gluaiseacht Náisiúnta na nOibrithe Dífhostaithe (*NUWM*) a d'eagraíodh formhór na máirseálacha sin. In 1933, mháirseáil breis agus 2,000 oibrithe ó thuaisceart Shasana go Londain. Rinneadh a thuilleadh máirseálacha ocrais in 1934 agus in 1936. Ba é an ceann ba cháiliúla de na máirseálacha sin ná *'<u>Crosáid Jarrow</u>' i mí Dheireadh Fómhair 1936. Tá cur síos sa sliocht thíos ag Wal Hannington, Cumannaí agus ball den *NUWM*, ar an gcaoi ar thug máirseálacha ocrais 1933 ar an Rialtas roinnt nithe a ghéilleadh do na daoine dífhostaithe:

Foinse C

*Spreag máirseáil ocrais 1933 éileamh náisiúnta ar *<u>chur chuige</u> *daonnachtúil ón Rialtas. Ní fhéadfadh an Rialtas éalú as sin; chuir an mháirseáil as go mór dóibh, agus b'éigean dóibh cúlú de bharr na corraíle (agóidíocht) a chothaigh sí. Roimh an máirseáil, dúirt Chamberlain, Seansailéir an Státchiste, i bParlaimint na Breataine, nár ghá an gearradh siar ar na sochair do dhaoine dífhostaithe a chur ar ceal. Mhaígh sé go raibh daoine dífhostaithe níos fearr as ná mar a bhí siad in 1931 de bharr an laghdú ar an gcostas maireachtála. Thug an mháirseáil air an chaint sin a tharraingt siar; agus nuair a thug sé isteach Cáinaisnéis 1934, d'fhógair sé go raibh beartaithe ag an Rialtas an gearradh siar de 10% a rinneadh ar na scálaí do dhaoine dífhostaithe i mbearta *barainneachta 1931, é sin a chur ar ceal.*

ar lean.

---

dínit dignity • **seamadóir** riveter • **measúlacht** respectability • **dearnáil** darning
máirseáil ocrais hunger march • **Crosáid Jarrow** Jarrow Crusade • **cur chuige** approach
daonnachtúil humane • **barainneacht** economy

> *Ní raibh baint ag ceannasaíocht oifigiúil Pháirtí an Lucht Oibre le máirseáil an ocrais. Ach, i ndiaidh don Seansailéir a fhógairt go gcuirfí an gearradh siar ar ceal, d'fhoilsigh an* Daily Herald *grianghraf de scuaine lasmuigh den mhalartán oibre; seo an ceannteideal a bhí ar an ngrianghraf* 'The unemployed men will benefit by the concession which Labour, by its campaign, has won from the Government'*; ba shampla maith é sin d'iriseoireacht *dhalba *dhínáireach.*
>
> *Níor tháinig deireadh leis an troid in aghaidh an Rialtais nuair a cuireadh an gearradh siar ar ceal. Bhí an Bille Dífhostaíochta ag dul tríd an bParlaimint, agus bhí feachtas nua á ullmhú ag an ngluaiseacht in aghaidh na dífhostaíochta chun cur i gcoinne a fheidhmiú. Laistigh de bhliain, bhuaigh na daoine dífhostaithe ar an Rialtas go trom arís maidir leis an reachtaíocht sin.*
>
> As **Unemployed Struggles 1919-36: My Life and Struggles Amongst the Unemployed**, le Wal Hannington, 1977.

An Dífhostaíocht in Jarrow

Baile beag tionsclaíoch ba ea Jarrow, a bhí sé mhíle soir ó Newcastle-Upon-Tyne, in oirthuaisceart Shasana. Go dtí deireadh na 1920idí, bhí neart oibre le fáil i gclós longthógála Palmer. Ar feadh tamaill bhí an clós ar cheann de na hoibreacha longthógála ba dhea-riartha agus ba nua-aoisí san Eoraip; Mark Palmer a bhunaigh é i lár an naoú haois déag. De bharr géariomaíochta ó chuideachtaí longthógála Meiriceánacha agus Seapánacha, áfach, dúnadh é faoi dheireadh in 1935. Ba é an toradh a bhí air sin ná gur tháinig dífhostaíocht uafásach in Jarrow, áit a bhí ina 'bhaile *borrach' go dtí sin. Tháinig dífhostaíocht uafásach sa bhaile mar thoradh ar an dúnadh.

Faoi mhí Mheán Fómhair 1935, nuair a bhí oibreacha iarainn agus clós longthógála Jarrow araon dúnta, bhí 72·9% de líon saothair an bhaile as obair. Ceann amháin as gach dhá shiopa sa bhaile, bhí sé dúnta. De réir mar a mhéadaigh an líon daoine a bhí as obair, tháinig an bhochtaineacht. Fuair a lán naíonán bás de bharr drochthithíochta agus *míchothú. Seo cur síos ar an mbaile, a rinne duine de na daoine a bhí ina chónaí ann: 'ceantar bréan, salach, atá ag titim anuas, agus é lán *eitinne (tinneas)'. Rinne Ellen Wilkinson, Teachta Parlaiminte áitiúil Pháirtí an Lucht Oibre, an gearán seo:

> *Is é fírinne lom an scéil ná má bhíonn ar dhaoine maireachtáil, agus leanaí a shaolú agus a thógáil, i ndrochtheach, gan a ndóthain bia, íslítear a n-acmhainn ar ghalair agus faigheann siad bás sular chóir dóibh bás a fháil.*
>
> As **The Town that was Murdered: The Life Story of Jarrow** le Ellen Wilkinson, 1939.

Thug an scríbhneoir Sasanach, J.B. Priestly, cuairt ar Jarrow in 1934. Seo tuairisc ghruama as a leabhar *English Journey*, a foilsíodh in 1934:

dalba brazen • **dínáireach** shameless • **borrach** booming • **míchothú** malnutrition
an eitinn consumption, tuberculosis

Níl ach abairt ghearr amháin sa treoirleabhar i dtaobh Jarrow: 'Baile gnóthach [35,590 áitritheoirí (daoine)]; tá oibreacha móra iarainn agus clóis longthógála ann.' Tá sé in am é sin a leasú mar seo a leanas: 'Baile díomhaoin, scriosta (35,590 áitritheoirí agus iad neamhchinnte cad atá i ndán dóibh), a raibh oibreacha móra iarainn ann tráth, agus a bhfuil rian den longthógáil fós ann.'

Níl éalú in aon áit in Jarrow ón ainnise shíoraí atá ann anois, mar is baile lucht oibre go huile is go hiomlán é. D'fhéadfadh sráid bheag amháin a bheith níos ainnise ná ceann eile, ach is mar a chéile iad go léir don strainséir. Bhí an chuma ar an scéal go raibh gach dara siopa dúnta go buan. Pé áit a ndeachamar bhí fir ag *fálróid – ní na scórtha díobh ach na céadta is na mílte díobh. Bhí an chuma ar an mbaile go raibh sé gafa i Sabóid (an seachtú lá den tseachtain, tugtha don adhradh agus don sos) síoraí (leanúnach) sceirdiúil, bheo bhocht. An aghaidh a bhí ar na fir, ba í aghaidh thuirseach chaite an phríosúnach cogaidh í. Strainséir as sibhialtacht imigéiniúil, thiocfadh sé nó sí ar an tuairim láithreach, agus é ag breathnú ar staid na háite agus ar na daoine a chónaigh ann, gur chuir Jarrow isteach go mór ar impire éigin *neamhaí agus go raibh pionós á ghearradh anois air (ar Jarrow). Ní chreidfeadh an strainséir go deo sinn dá ndéarfaimis leis go raibh an baile seo, go teoiriciúil, chomh maith le baile ar bith eile, agus nár choirpigh a raibh vóta acu na daoine a bhí ann.

An Mháirseáil

Ba iad comhairle baile Jarrow agus Teachta Parlaiminte Pháirtí an Lucht Oibre in Jarrow, Ellen Wilkinson, a d'eagraigh an mháirseáil. B'fhada Wilkinson – sárchainteoir agus eagraí polaitiúil – ag troid ar son chearta an lucht oibre. Thacaigh sí go láidir leis na máirseálacha ocrais a d'eagraigh an *NUWM* roimhe sin. Chaith sí tréimhse ghairid ina ball de Pháirtí Cumannach na Breataine sular toghadh í ina Teachta Parlaiminte ag Páirtí an Lucht Oibre do Middlesborough Thoir in 1924.

Rinne *<u>Comhairle Buirge</u> Jarrow cinneadh ar an 20 Iúil 1936 máirseáil a eagrú as Jarrow go Londain le hiarratas ó na daoine dífhostaithe in Jarrow a chur faoi bhráid na Parlaiminte. Ar mhaithe le tacaíocht na bpáirtithe ar fad a fháil don mháirseáil, bheartaigh baill Chomhairle Buirge Jarrow an mháirseáil a eagrú neamhspleách ar an *NUWM*; an chúis a bhí leis sin mar gurbh í an tuairim choitianta ná go raibh ceangal láidir ag an *NUWM* leis an bPáirtí Cumannach. Go deimhin, roghnaíodh an téarma 'Crosáid' in ionad 'máirseáil' le hidirdhealú a dhéanamh idir an mháirseáil seo agus na cinn a d'eagraigh an *NUWM*.

I ndiaidh scrúdú leighis, roghnaíodh buíon de dhá chéad máirseálaí. Cuireadh boinn agus sála nua faoi bhróga gach fear agus tugadh dhá phéire stocaí dó. Níor tugadh cuireadh do mhná máirseáil.

Moladh ag léirsiú mór de dhaoine dífhostaithe go mba chóir do na daoine dífhostaithe in Jarrow máirseáil go Londain agus a insint do mhuintir Shasana ar a mbealach síos faoin tslí ar caitheadh leo. B'in mí Iúil 1936. Ní raibh ann ach go raibh Páirtí an Lucht Oibre tar éis tromlach a bhuachan ar Chomhairle an Bhaile. Bheartaigh an Méara dá mba rud é go raibh máirseáil le bheith ann go gcaithfeadh sí a bheith ina máirseáil de chuid an bhaile, is é sin go mbeadh gach uile shaoránach ag tacú léi – ón Easpag go dtí an

---

fálróid hanging about • **neamhaí** celestial • **Comhairle Buirge** Borough Council

fear gnó. B'iomaí máirseáil ocrais a rinne fir a bhí lán éadóchais, as na *ceantair anáis. Daoine a bhí go maith as, dhiúltaigh siad do na máirseálacha sin, á rá gur 'léirsithe cumannacha' a bhí sna máirseálacha, amhail is go mba leor é sin mar mhíniú. Thairg slua mór fear dul ar an máirseáil, ach ní fhéadfaimis arm a bhreith linn. Faoi dheireadh, roghnaíodh 200 fear, agus rinne oifigeach leighis na buirge gach duine acu a scrúdú.

As **The Town that was Murdered: The Life Story of Jarrow** le Ellen Wilkinson, 1939.

*Crosáid Jarrow

Ar an gcúigiú lá de mhí Dheireadh Fómhair 1936, d'fhág 200 máirseálaí halla an bhaile in Jarrow agus chuir chun bóthair ar shiúlóid 300 míle go Londain. Thug siad bosca darach leo ina raibh iarratas a bhí sínithe ag 11,000 duine de mhuintir Jarrow. Bhí banna orgán béil i gceann na máirseála, agus Labradór (an madra). Bhí beirt dochtúir, bearbóir agus grúpa iriseoirí i dteannta na máirseálaithe. D'fhan Ellen Wilkinson, an *Bardasach J.W. Thompson, Méara Jarrow, i dteagmháil leis na máirseálaithe, agus shiúil siad sa mháirseáil anois is arís.

Foinse F

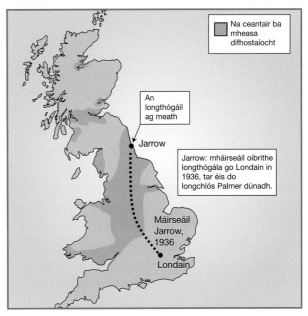

Foinse G

Ní máirseáil ocrais í seo ach máirseáil agóide. Is léir a aontaithe is atá an agóid atá á déanamh ag Jarrow leis an gcuid eile den tír: tá aontú chomh láidir sin ann gur aontaigh na páirtithe polaitíochta atá ar Chomhairle Baile Jarrow nach mbeidh aon toghcháin ann an tSamhain seo. Ní féidir, de réir dlí, leis an mbaile feoirling (pingin) d'airgead an cháiníocóra a chaitheamh ar an léirsiú seo; ina ainneoin sin, tá éirithe leis an Méara ciste na máirseála a mhéadú trí thart ar 200,000 litir a sheoladh go dtí bardais eile, go dtí ceardchumainn, comharchumainn agus go dtí cumainn dá leithéid; cé gur as ciste na máirseála a íocadh as na litreacha sin, tá £850 sa chiste anois agus táthar ag súil go mbeidh £1,000 cruinn ann sula sroichfidh na máirseálaithe an Marble Arch ar an 31 Deireadh Fómhair.

Níl aon pholaitíocht ag baint leis an máirseáil seo. Níl ann ach go bhfuil baile Jarrow ag rá 'Cuir obair ar fáil dúinn.' I measc na máirseálaithe tá fir de chuid Pháirtí an Lucht Oibre, Liobrálaithe, Tóraithe (Coimeádaigh), agus Cumannaí nó dhó, ach tá siad ar fad aontaithe. Tá beannacht na hEaglaise acu; go deimhin, bheannaigh Easpag Ripon (an Dr Lunt) iad, agus thug síntiús £5 dóibh, nuair a chuir siad chun bóthair inniu. Thug Easpag Jarrow (an Dr Gordon) a bheannacht dóibh freisin.

As **The Manchester Guardian**, Dé Máirt, 13 Deireadh Fómhair 1936.

ceantar anáis distressed area • **crosáid** crusade • **bardasach** alderman

D'iompair bus athláimhe, a ceannaíodh ar £20, trealamh riachtanach – mar shampla blaincéid, éadaí *uiscedhíonacha agus *soláthairtí *garchabhrach. Ghluais *slua tosaigh, faoi cheannas Harry Stoddart (ball de Pháirtí an Lucht Oibre) agus Rodney Suddick (ball den Pháirtí Coimeádach) chun tosaigh ar an máirseáil le lóistín na hoíche a eagrú. B'iomaí cineál lóistín ar fhan na fir ann, ag brath ar *fhlaithiúlacht mhuintir na mbailte inar stop siad i gcomhair na hoíche. In Barnsley, thug Comhairle an Bhaile saorchead isteach do na fir i linn snámha théite an bhaile.

Thug na fir faoin mbóthair ag 8.45 a.m. gach maidin dá máirseáil 25 lá go Londain. Shiúil siad ar feadh 50 nóiméad san iarraidh, agus ghlac siad sos 10 nóiméad ina dhiaidh sin. Cuireadh ceapairí agus deochanna ar fáil go rialta. Ar dhóigh, b'fhearr an bia a bhí á ithe ag cuid mhaith de na máirseálaithe ná mar a bhíodh acu sa bhaile:

Foinse H

Is cinnte nach máirseáil ocrais atá sa mháirseáil seo, agus a bhfaca mé de cheapairí uibhe agus bradáin, agus a leithéidí, á n-ithe ag na máirseálaithe inniu. Tá na fir breá folláin ag an mbia, agus níor thit ach beirt acu as ar chúiseanna drochshláinte i 90 míle máirseála, nach mór. Tá siad i dteagmháil le Jarrow an t-am ar fad, is má thagann post ar fáil d'fhear atá ag máirseáil, rachaidh sé ar ais go Jarrow láithreach.

*Tá an chuma ar an scéal go bhfuil an t-eagrú nach mór *foirfe. Tá cóir iompair acu – bus a ceannaíodh ar £20 agus í curtha in oiriúint – a ghluaiseann chun tosaigh orthu leis an trealamh codlata, agus éadaí *uiscedhíonacha, a chaitear mar a chaithfeadh *bandolero iad, le haghaidh gach fear. Tá 1s 6p d'airgead póca, agus dhá stampa 1p in aghaidh na seachtaine ag gach fear, cúram dochtúra, bearbóir (agus bearradh lena n-aghaidh sin nach bhfuil go maith le rásúr), *caibléireacht, lóistín na hoíche i hallaí druileála, i scoileanna, in institiúidí eaglaise, agus i halla an bhaile go fiú. Tá slua tosaigh acu freisin, i.e. Harry Stoddart, ionadaí Pháirtí an Lucht Oibre in Jarrow, agus R. Suddick ionadaí an Pháirtí Choimeádaigh; bíonn an bheirt sin ag oibriú i dteannta a chéile, ag socrú lóistín agus ag fáil hallaí le haghaidh cruinnithe.*

As **The Manchester Guardian**, Dé Máirt, 13 Deireadh Fómhair 1936.

Crosáid Jarrow, 26 Deireadh Fómhair 1936. Máirseálaithe as Jarrow ag tarraingt ar Bedford ar a mbealach go Londain lena n-iarratas.

Tionchar na Máirseála

Shroich Crosáid Jarrow Londain ar an 1 Samhain. D'ainneoin thacaíocht an phobail – a léiríodh le linn na máirseála – ní raibh freastal maith ar a léirsiú i gCúinne Pháirc Hyde. Ba bhotún mór a bhí ina gcinneadh gan máirseáil go dtí an Pharlaimint in Westminster. Ina áit sin, lig siad d'Ellen Wilkinson a n-iarratas a chur i láthair le linn díospóireachta ar an dífhostaíocht i *dTeach na dTeachtaí ar an 4 Samhain. In óráid phaiseanta, d'achainigh sí ar an Rialtas *bearta práinneacha a thabhairt isteach le cruatan mhuintir Jarrow a mhaolú. An chluas bhodhar a tugadh dá hachainí. Dhiúltaigh an Príomh-Aire

uiscedhíonach waterproof • **soláthairtí** supplies • **garchabhair** first-aid • **slua tosaigh** advance party
flaithiúlacht generosity • **foirfe** perfect • **bandolero** highwayman • **caibléireacht** cobbling
Teach na dTeachtaí House of Commons • **beart** measure

Stanley Baldwin bualadh le toscaireacht ó na fir, á rá go raibh sé róghnóthach. Chuir sin díomá mhór ar lucht eagraithe na máirseála.

Cé gur thuill máirseáil Jarrow bá an náisiúin, ní dhearna an Rialtas mórán le cruatan an bhaile a laghdú. Rinne *an Aireacht Saothair iarracht méid na dífhostaíochta in Jarrow a cheilt trí *mhalartán oibre Jarrow a nascadh leis an malartán in Hebburn, baile atá in aice láimhe. Ba bhaile níos saibhre é Hebburn agus ní raibh an oiread céanna dífhostaíochta ann; d'fhág an nascadh sin gur dhífhostaíocht de 39% a bhí sa cheantar ar fad. Rinne Ellen Wilkinson gearán cráite faoin tslí ar theip ar Pháirtí an Lucht Oibre agus ar Chomhairle na gCeardchumann tacaíocht cheart a thabhairt do na máirseálaithe.

Foinse I

*Beag beann ar fad ar an máirseáil seo againne, mháirseáil daoine dífhostaithe as Albain, as an mBreatain Bheag, as Cumberland, Durham agus Yorkshire go Londain lena ngearáin faoin Tástáil Acmhainne agus faoi rialacháin an Bhord Cúnamh Dífhostaíochta a chur in iúl. Níor thaitin na máirseálacha le Comhdháil na gCeardchumann, agus d'aontaigh Coiste Pháirtí an Lucht Oibre leo. Ní fhéadfadh aon duine a rá gur Chumannaithe a spreag Máirseáil Jarrow, ach gan dabht ar bith bhí beirt Chumannaí inár measc, agus cuid mhaith Tóraithe. Dá mba rud é gur thacaigh Páirtí an Lucht Oibre leis na máirseálacha, go ndearna siad achainí ar son *comhpháirtíochta (aontacht) leo, ansin, faoin am a raibh Londain sroichte ag na fir sin, ní hamháin ó Jarrow ach ó gach cuid den tír, ba leor an tacaíocht a bheadh múscailte i ngach áit, le go gcroithfí Rialtais Baldwin as a *mbogás (neamhshuim).*

As ***The Town that was Murdered: The Life Story of Jarrow*** le Ellen Wilkinson, 1939.

Cé go raibh an dífhostaíocht sa Bhreatain laghdaithe faoi dheireadh 1937, lean na *tosca sna ceantair bhochtaineachta ag dul in olcas. Tháinig cúlú eacnamaíochta in 1938 agus tháinig ardú eile ar an dífhostaíocht. Faoi dheireadh na bliana sin, 1·8 milliún a bhí as obair. Tá léargas sna táblaí seo a leanas ar an dífhostaíocht i dtionscail mhóra agus i réigiúin sa Bhreatain le linn 'Thríochaidí an Ocrais'.

An Aireacht Saothair Ministry of Labour • **malartán oibre** labour exchange
comhpháirtíocht solidarity • **bogás** complacency • **tosca** conditions

145

Foinse J

Céatadán na dífhostaíochta i dtionscail mhóra i gcomparáid leis an *meán náisiúnta:

	1929	1932	1936	1938
Gual	18.2	41.2	25.0	22.0
Cadás	14.5	31.1	15.1	27.7
Longthógáil	23.2	59.5	30.6	21.4
Iarann agus cruach	19.9	48.5	29.5	24.8
An meán i ngach tionscal	9.9	22.9	12.5	13.3

Foinse K

Céatadán na n-oibrithe a bhí dífhostaithe i réigiúin éagsúla sa Bhreatain Mhór:

	1929	1932	1937
Londain agus Oirdheisceart Shasana	5.6	13.7	6.4
Iardheisceart Shasana	8.1	17.1	7.8
Lár tíre	9.3	20.1	7.2
Tuaisceart Shasana	13.5	27.1	13.8
An Bhreatain Bheag	19.3	26.5	22.3
Albain	12.1	27.7	15.9

Tugadh *fóirithint éigin ar Jarrow nuair a bunaíodh clós *longscartála agus oibreacha innealtóireachta ann in 1938. Mar sin féin, ní raibh aon straitéis ag an Rialtas chun an dífhostaíocht fhadtéarmach a laghdú. Lean an fhadhb go dtí 1939, nuair a thosaigh Rialtas na Breataine ar chlár atharmála de bharr a n-imní i dtaobh forleathnú na Naitsithe san Eoraip; spreag sé sin an geilleagar agus laghdaigh an dífhostaíocht.

meán average • **fóirithint** relief • **longscartáil** ship-breaking

Foinse L

▲ Foilsíodh an cartún seo le David Low in 1939. Léiríonn sé an gaol idir táirgeadh arm agus an laghdú ar an dífhostaíocht.

Athrú Sóisialta sa Bhreatain

Le linn an Chéad Chogadh Domhanda, thuig Rialtas na Breataine go raibh luach saothair éigin tuillte ag an lucht oibre ar a gcuid íobairtí. Gheall an Príomh-Aire, Lloyd George, 'tithe a bheadh oiriúnach do laochra' a thógáil. Le linn na tréimhse idir an dá chogadh, thug rialtais i ndiaidh a chéile reachtaíocht isteach leis an dífhostaíocht, an t-árachas, an t-oideachas, an tsláinte agus an tithíocht a leasú. Glacadh leis mar pholasaí go raibh idirghabháil an stáit riachtanach lena leithéidí de leasuithe a thabhairt isteach.

Sochar Dífhostaíochta

Ba í an dífhostaíocht an fhadhb ba phráinní ag rialtais sa tréimhse idir an dá chogadh.

- Mhéadaigh *an tAcht um Árachas Dífhostaíochta 1920 an sochar dífhostaíochta ó 7 go 15 scillinge in aghaidh na seachtaine ar feadh 15 seachtaine in aghaidh na bliana. Formhór na n-oibrithe a bhí ar thuarastal faoi bhun £250 in aghaidh na bliana, bhí siad sa scéim sin. Anois bhí árachas in aghaidh na dífhostaíochta ar dhá thrian den líon saothair, nach mór.

- In 1921 chuir rialtas Lloyd George leis an Acht um Árachas Dífhostaíochta. Faoi sin, íocadh sochar ar feadh dhá thréimhse 16 seachtaine sa bhliain. Tugadh sochair *neamhchúnantaithe' ar na híocaíochtaí breise. Chiallaigh sé sin nach raibh aon árachas sóisialta íoctha ina leith ag na hoibrithe. Rinneadh tástáil acmhainne ar an gcineál íocaíochta sin, agus tugadh an '**dól**' uirthi ar ball. Ní bhfuair ach daoine a bhí

An tAcht um Árachas Dífhostaíochta Unemployment Insurance Act
neamhchúnantaithe uncovenanted

beo bocht de bharr dífhostaíochta an t-airgead sin. Mar sin féin, ba chéim mhór chun tosaigh é sin mar go raibh glactha ag an Rialtas le freagracht éigin maidir le haire a thabhairt do dhaoine dífhostaithe.

- Cheadaigh **an tAcht Dífhostaíochta 1934**, a thug an Rialtas Náisiúnta isteach, sochar a íoc ó aois 14 bliana. Bhí tástáil acmhainne an-dian san Acht sa mhéid is go bhféadfaí sochar a dhiúltú do dhuine dá mbeadh baill eile dá theaghlach ag obair.

Tithíocht

Gealltanas Lloyd George 'tithe oiriúnach do laochra' a thógáil, níor cuireadh i gcrích go hiomlán é; ach rinneadh dul chun cinn éigin maidir le tithíocht shóisialta a thógáil.

- Chuir **Acht Tithíochta Addison 1919** airgead tirim ar fáil d'údaráis áitiúla chun tithe a thógáil don lucht oibre. Faoi dheireadh 1922, bhí breis is 213,000 teach nua tógtha.

- Cheadaigh **Acht Wheatley 1924** d'údaráis áitiúla deontais bhliantúla a thabhairt chun tithe *comhairle a thógáil. Ligtí na tithe sin ar cíos leis an lucht oibre. Socraíodh cíosanna ar an leibhéal ar a raibh siad roimh an gcogadh, rud a chiallaigh go mbeadh an lucht oibre in ann íoc astu. Faoi 1933, bhí breis is 500,000 teach mar iad tógtha.

- Chuir **Acht Tithíochta Greenwood 1930** *fóirdheontais rialtais ar fáil d'údaráis áitiúla chun deireadh a chur le *slumaí.

Chuir an Rialtas Náisiúnta cuid dá gcuid scéimeanna ar fionraí le linn an mheathlú eacnamaíoch a tháinig sna blianta 1931-34, féachaint leis an gcaiteachas a smachtú.

Oideachas

Bhí Acht Oideachais Fisher 1918 bunaithe ar an tuairim go raibh oideachas maith ag dul do pháistí an lucht oibre. San Acht, cuireadh oideachas éigeantach ar fáil do gach aon duine suas go 14 bliana d'aois. D'fhéadfadh Údaráis Áitiúla *'scoileanna leanúna' a chur ar fáil le aghaidh daltaí suas go 16 bliana d'aois, freisin. Chomh maith leis sin, bhíothas le naíonraí a oscailt dóibh sin faoi bhun 5 bliana d'aois. I bprionsabal, bhí an tAcht *an-fhorásach, ach ó 1921 ar aghaidh, de réir mar a chuaigh an geilleagar in olcas, níor cuireadh a lán *d'fhorálacha an Achta i bhfeidhm de bharr *ciorruithe rialtais.

Faoi 1939 ní raibh ach líon beag de pháistí an lucht oibre ag críochnú a gcuid oideachais dara leibhéal.

---

comhairle council • **fóirdheontas** subsidy • **sluma** slum • **scoil leanúna** continuation school
forásach progressive • **foráil** provision • **ciorrú** cut-back

Measúnú

Tháinig feabhas mór ar thosca sóisialta sa tréimhse idir an dá chogadh mar go raibh an stát níos gníomhaí ina leith. D'ardaigh caiteachas an rialtais ar sheirbhísí sóisialta ó £22 milliún in 1913 go dtí £204 milliún faoi 1935. Mar sin féin, níor dhéileáil an rialtas go sásúil le hárachas sláinte agus le hoideachas, agus chiallaigh sin nár éirigh lena lán daoine a raibh cónaí orthu i gceantair bhochta éalú as *gaiste na bochtaineachta.

Fadhbanna Eacnamaíocha sa Ghearmáin i ndiaidh an Chéad Chogadh Domhanda

Chuir an Chéad Chogadh Domhanda geilleagar na Gearmáine faoi bhrú ollmhór. Níor baineadh *imshuí na gComhghuaillithe ar chalafoirt na Gearmáine go dtí gur síníodh Conradh Versailles ar an 28 Meitheamh 1919. Bhí bás faighte den ocras ag breis is ceathrú milliúin Gearmánach faoin am sin. Faoi théarmaí Chonradh Versailles, chaill an Ghearmáin 75% dá hacmhainní *amhiarainn, 25% dá *fosú guail agus 15% dá talamh *arúil.

Cúiteamh

Ba mheasa fós a bhí deacrachtaí eacnamaíocha na Gearmáine de bharr éileamh na gComhghuaillithe go n-íocfadh sí cúiteamh as an damáiste a rinneadh le linn an Chéad Chogadh Domhanda. In 1921 d'aontaigh an Coimisiún Cúitimh faoi dheireadh gur fiacha de £6,600 milliún a bhí ar an nGearmáin. Bheadh uirthi an t-airgead a aisíoc ina *thráthchodanna bliantúla de £100 milliún. Ba é barúil an eacnamaí as an mBreatain, John Maynard Keynes, go raibh a thrí oiread ansin is a bhí d'acmhainn ag Rialtas na Gearmáine a íoc. Dhiúltaigh na Comhghuaillithe glacadh le híocaíochtaí móra *comhchineáil (gual, iarann, ceimiceáin, etc.) ar eagla go mbeadh tionchar aige sin ar a dtionscail féin. Dhá rogha a bhí ag Rialtas na Gearmáine. D'fhéadfaidís cánacha a ardú, nó airgead a fháil ar iasacht, le híoc as na haisíocaíochtaí bliantúla. Bheartaigh an Rialtas ar iasachtaí móra a fháil, de bharr nach mbeadh an pobal róshásta dá n-ardóidís na cánacha.

*Forghabháil na Rúire

Rinne na Gearmánaigh gearán ag comhdháil i Londain i mí na Nollag 1922 nach raibh ar a gcumas íocaíochtaí cúitimh na bliana dár gcionn a íoc. Dhiúltaigh na Francaigh d'achainí na nGearmánach go gcuirfí ar athlá na híocaíochtaí go dtí go mbeadh airgeadra na Gearmáine, an *marg, *cobhsaithe. Nuair a theip ar na Gearmánaigh an tráthchuid a íoc i mí Eanáir 1923, bhris ar fhoighne Phríomh-Aire na Fraince, Poincaré, agus chuir sé trúpaí Francacha isteach sa Rúir le híocaíocht a bhaint trí sheilbh a fháil ar sholáthairtí iarainn, cruach agus guail.

Ba é an freagra na nGearmánach air sin ná *frithbheartaíocht shíochánta. Nuair a dhiúltaigh na hoibrithe Gearmánacha obair a dhéanamh, cuireadh mianadóirí Francacha chun na Rúire. Chuir sé sin Rialtas na Gearmáine le báiní agus thosaigh siad ag priontáil

---

gaiste trap • **imshuí** blockade • **amhiarann** iron ore • **fosú** deposit • **arúil** arable
tráthchuid instalment • **comhchineáil** in kind • **forghabháil** occupation • **marg** mark
cobhsaigh stabilise • **frithbheartaíocht** resistance

airgid le mianadóirí na Rúire a íoc as gan obair a dhéanamh. Chosain an caillteanas táirgeachta a dhá oiread ar Rialtas na Gearmáine is a chosnódh an cúiteamh bliantúil.

Nóta bainc billiún marg, a eisíodh ar an 25 Deireadh Fómhair 1923.

*forbhoilsciú

Chuir iasachtaí agus priontáil airgid tús leis an mboilsciú ba mhó i stair na Gearmáine. Faoi 1923 bhí thart ar 1,783 *clóphreasanna ag priontáil nótaí páipéir de lá agus d'oíche. Ba é gnáthráta malairte *mharg na Gearmáine ná 15 mharg in aghaidh an £1 Steirling. Laistigh de thréimhse ghairid tháinig méadú mór ar an *ráta malairte:

Eanáir 1922	760 marg	= £1 steirling
Eanáir 1923	72,000 marg	= £1 steirling
Samhain 1923	16,000,000,000 marg	= £1 steirling

D'ardaigh praghsanna go gasta de réir mar a laghdaigh luach an mhairg. 300 billiún marg a bhí ar leathphunt úll, agus faoi mhí na Samhna 1923, 360 billiún marg a chosain lítear bainne. D'fhéadfadh praghas cupán caife dúbailt san am a thógfadh sé é a ól. Bhí ar fhostóirí a gcuid oibrithe a íoc gach maidin ionas go bhféadfaidís dul ag siopadóireacht ag am lóin sula n-ardódh na siopadóirí na praghsanna san iarnóin. Faoin tuath, chuaigh an-chuid daoine i muinín *babhtála, is é sin, bia agus breosla, seachas airgead, an íocaíocht a tugadh dóibh ar a gcuid oibre.

Tá cuntas ag Konrad Heiden ar an gcruatan a bhí ann de bharr an bhoilscithe, ina leabhar 'Der Führer: Hitler's Rise to Power', a foilsíodh in 1944:

*Ar thráthnónta Aoine in 1923, bhíodh scuainí fada *d'oibrithe láimhe agus *d'oibrithe bóna bháin ag feitheamh lasmuigh d'oifig phá na monarchana móra Gearmánacha, na siopaí *ilrannacha, na mbanc agus na n-oifigí… Sheasaidís go léir ina línte, ag stánadh go mífhoighneach ar an gclog leictreach, ag bogadh ar aghaidh go mall, go dtí gur shroich siad an fhuinneog faoi dheireadh agus gur tugadh mála lán de nótaí páipéir dóibh… Agus a mála acu, ghluaiseadh na daoine go tapa chun na doirse agus fuadar fúthu, na daoine óga ina measc ag rith. Théidís de rúid chuig an siopa bia – áit a mbíodh scuaine cheana féin… Nuair a shroichfeá an siopa, bhí seans ann go bhfaighfeá punt siúcra ar dhá mhilliún marg, ach faoin am ar shroich tú an cuntar, ní bhfaighfeá ar dhá mhilliún marg ach leathphunt, agus deireadh bean an tsiopa nach raibh ann ach go raibh luach an dollair imithe in airde arís.*

forbhoilsciú hyperinflation • **marg** mark • **clóphreas** printing press • **ráta malairte** exchange rate
babhtáil bartering • **oibrí láimhe** manual worker • **oibrí bóna bháin** white-collar worker
ilrannach departmental

Chruthaigh an tréimhse fhorbhoilscithe cruatan ollmhór. De réir mar a laghdaigh luach an mhairg go dtí nárbh fhiú tada é, chuaigh an *fíorphá i léig agus thit an tóin as *coigiltis saoil. B'oibrithe bóna bháin (oifige), agus státseirbhísigh ar thuarastail *sheasta ba mhó a d'fhulaing. Laghdaigh tacaíocht na meánaicme do Phoblacht Weimar.

Níor fhulaing gach aon duine mar gheall ar an bhforbhoilsciú. Iadsan a raibh morgáiste agus iasachtaí eile seasta acu, bhí siad in ann bainc a aisíoc leis an airgeadra boilscithe. Ní hamháin go raibh *tionsclaithe in ann a bhfiacha a aisíoc, ach bhí siad in ann gnólachtaí iomaitheoirí ní ba lú, a bhí ag streachailt, a cheannach. Ba é an toradh ná gur éirigh lucht an tsaibhris ní ba shaibhre.

*Téarnamh

I mí Lúnasa 1923 d'iarr Freidrich Elbert, an chéad Uachtarán ar Phoblacht Weimar, ar Gustav Stresemann rialtas a chur le chéile. Thosaigh an Ghearmáin ar thréimhse *chobhsaí eacnamaíochta faoi Stresemann, a bhí ina Sheansailéir ar feadh tréimhse ghairid in 1923, agus a bhí ina Aire Gnóthaí Eachtracha ó 1923 go dtí go bhfuair sé bás in 1929.

Ba é an chéad chéim a thug Stresemann ná deireadh a chur le forghabháil na Rúire. Thuig sé dá leanfadh tionsclaíocht na Gearmáine ag meath sa Rúir, gur dheacair don Ghearmáin teacht chuici féin. Chuir Stresemann roimhe an marg a chobhsú agus tosú ag íoc cuid de na híocaíochtaí cúitimh arís. Thuig sé go gcaithfeadh an Ghearmáin a léiriú go raibh fonn comhoibrithe uirthi maidir leis na híocaíochtaí cúitimh, má bhí an Fhrainc agus an

Iarradh ar Gustav Stresemann (1878-1929) rialtas a chur le chéile sa Ghearmáin in 1923.

Bhreatain chun beagán a ghéilleadh di. Ar an ábhar sin, i mí na Samhna 1923 d'ordaigh Stresemann deireadh a chur leis an bhfrithbheartaíocht shíochánta, agus thosaigh sé ag seachadadh amhábhair chúitimh as an Rúir arís. D'fhág na Francaigh is na Beilgigh an Rúir ina dhiaidh sin.

Ar an 15 Samhain 1923 thug Hjalmar Schacht, uachtarán an *Reichsbank*, marg nua isteach, marg nach raibh bunaithe ar luach an óir ach ar mhorgáiste de luach na talún agus na tionsclaíochta go léir sa Ghearmáin. An *Rentenmark* a glaodh air, agus bhí sé inmhalartaithe ar aon trilliún amháin de na sean-mharganna páipéir.

Plean Dawes, 1924

In mí Aibreáin 1924, chuir an baincéir Meiriceánach, Charles G. Dawes, plean nua le chéile chun cuidiú le téarnamh eacnamaíoch na Gearmáine. Leagadh amach sceideal rialta d'íocaíochtaí cúitimh ón nGearmáin. Cé nár íslíodh suim iomlán na n-aisíocaíochtaí cúitimh, tugadh tuilleadh ama don Ghearmáin le hiad a íoc. Bheadh ar an nGearmáin £50 milliún sa bhliain a íoc go ceann cúig bliana ina dhiaidh sin. D'ardódh an tsuim go dtí £125 milliún ó 1929 ar aghaidh.

---

fíorphá real wage • **coigilteas** savings • **seasta** fixed • **tionsclaí** industrialist • **téarnamh** recovery
cobhsaí stable

Fuair an Ghearmáin iasacht de 800 milliún marg freisin. B'airgeadaithe Meiriceánacha ba mhó a thug an iasacht, mar go raibh a fhios acu go mbeadh an Ghearmáin ina margadh le haghaidh táirgí agus infheistíocht Mheiriceánach sa todhchaí.

Plean Young, 1929

In 1928 rinne Stresemann gearán arís eile faoi cheanndánacht na gComhghuaillithe i dtaobh an chúitimh. Bunaíodh coiste saineolaithe faoi stiúir an bhaincéara Mheiriceánaigh, Owen D. Young, leis an scéal a scrúdú. Cuireadh Plean Young le chéile in 1929; dúirt sé go n-ísleofaí an cúiteamh go dtí £2,000 milliún. Tugadh go dtí 1988 don Ghearmáin leis an airgead a aisíoc.

Is é a dúirt Stresemann: 'Is máistrí sinne arís inár dteach féin.' Mar sin féin, dhamnaigh an eite dheas sa Ghearmáin an plean, ag maíomh go gcruthódh sé *'daoirse eacnamaíoch' do dhá ghlúin Ghearmánach sa todhchaí. Dúirt siad freisin gurbh ionann glacadh leis an bplean agus glacadh le ciontacht i dtaobh an chogaidh. Bhí an boc mór nuachtán agus scannán, Alfred Hugenberg, chomh maith le Hitler, chun tosaigh i bhfeachtas láidir in aghaidh an phlean.

Forleathnú Tionsclaíochta agus Feabhsúcháin Shóisialta

Faoi dheireadh na 1920idí bhí tionsclaíocht na Gearmáine ar ais ar a leibhéal réamhchogaidh táirgeachta, nach mór. Faoi 1927, bhí 79% dá leibhéal réamhchogaidh sroichte ag an ngual, 68% ag an *muciarann, agus 86% ag an gcruach. Bhí cairtéil ollmhóra tionsclaíochta, mar shampla na *Cruach-cheártaí Aontaithe agus an chuideachta poitigéireachta IG-Farben, go mór chun tosaigh arís. Tháinig feabhas, chomh maith, ar thosca sóisialta sa Ghearmáin le linn bhlianta Stresemann. D'ardaigh an pá níos airde ná a leibhéal réamhchogaidh agus tugadh isteach scéimeanna sóisialta agus sláinte.

Mar sin féin, níor éirigh chomh maith sin le téarnamh eacnamaíoch na Gearmáine sa tréimhse 1924-29. Faoi 1928 bhí 1·8 milliún duine dífhostaithe go fóill. Bhí an téarnamh eacnamaíoch ag brath rómhór, go fóill, ar iasachtaí gearrthéarmacha Meiriceánacha.

Níor tháinig an biseach céanna ar an talmhaíocht is a tháinig ar an tionsclaíocht. Bhí na praghsanna mall ag ardú agus níor tháinig aon fheabhas ar chás na bhfeirmeoirí beaga. Bhí breis is 20% de thalamh *arúil na Gearmáine i seilbh níos lú ná 1% de na húinéirí talún. Gheobhadh Hitler agus an Páirtí Naitsíoch cuid mhaith tacaíochta i gceantair thuaithe ina dhiaidh sin, lena ngealltanais maidir le leasú na talmhaíochta.

Ó Bhorradh go *Cliseadh

Tháinig deireadh le téarnamh eacnamaíoch na Gearmáine nuair a tháinig an Spealadh Mór, i ndiaidh Chliseadh Wall Street in 1929 (lch 135). Tháinig deireadh le hinfheistíocht Mheiriceánach sa Ghearmáin, agus iarradh ar ais na hiasachtaí. Tháinig meath ar easpórtálacha na Gearmáine de réir mar a thosaigh tíortha eile ag cosaint a ngeilleagair. Bhí dhá mhilliún dífhostaithe faoi dheireadh 1929. Faoi mhí Eanáir 1933 bhí sé sin ardaithe go sé mhilliún, trian de na fir fhásta go léir sa tír. Bhí ar bhainc dúnadh, agus arís eile chaill Gearmánaigh a *gcoigilteas. Ba mheasa a chuaigh an spealadh sin i bhfeidhm ar an nGearmáin ná an cliseadh eacnamaíoch in 1923.

---

daoirse eacnamaíoch economic enslavement • **muciarann** pig iron • **arúil** arable • **cliseadh** bust
coigilteas savings

Teacht chun cinn na Naitsithe sa Ghearmáin

Bhí dhá chliseadh eacnamaíoch ann laistigh de shé bliana, agus chuir sin ina luí ar an-chuid Gearmánach nach ndeachaigh córas daonlathach Phoblacht Weimar mórán chun leasa dóibh. Ní raibh an tArd-Chomhrialtas – ina raibh trí cinn de na páirtithe ba mhó, na Daonlathaithe Sóisialta, An Lárpháirtí Caitliceach agus Páirtí an Phobail – in ann aontú ar réiteach ar an ngéarchéim. Thit an comhaontas as oifig in 1930 nuair a chuir na Daonlathaithe Sóisialta in aghaidh phlean an Rialtais sochair dhífhostaíochta agus seanphinsin a ghearradh siar. Ní raibh ceannaire láidir ag na daoine *measartha a bhí i measc lucht tacaíochta Phoblacht Weimar. Cailleadh Gustav Stresemann trí seachtaine roimh Chliseadh Wall Street.

Bhunaigh Heinrich Brüning rialtas nua ar an 30 Márta 1930, rialtas a rinne iarracht meath an gheilleagair a stop trí bhuiséad *díbhoilscitheach a thabhairt isteach. Ardaíodh cánacha, agus íslíodh pá agus íocaíochtaí leasa shóisialta ar mhaithe le caiteachas an stáit a laghdú. Bhí an pobal go mór in aghaidh na mbeart sin, agus tugadh '**Seansailéir an Ocrais**' ar Brüning.

Bhí gach cuid den phobal naimhdeach dá mholtaí. Mhínigh André François-Poncet, Ambasadóir na Fraince i mBeirlín, é sin i dtuairisc chuig Páras i mí Mheán Fómhair 1931:

Heinrich Brüning (1885-1970), a chuir rialtas nua le chéile sa Ghearmáin i mí an Mhárta 1930; tugadh 'Seansailéir an Ocrais' air.

> **Buiséad *Díbhoilscitheach:**
> Buiséad arb é a aidhm caiteachas rialtais a laghdú.

*Creideann an Seansailéir gur féidir leis an ghéarchéim a réiteach trí *dhíbhoilsciú géar ordúil a dhéanamh. Tá sé ag gearradh pá, tuarastal agus pinsean, rud atá ag cruthú míshásaimh i measc oibrithe, státseirbhíseach agus pinsinéirí. Tá sé ag tabhairt isteach *rialú praghsanna, rud atá ag cur fearg ar na feirmeoirí, agus *rialúchán ar na bainc, rud a bhfuil lucht airgeadais ag cur ina choinne. Tá sé ag tarraingt *mhíghnaoi na dtionsclaithe air féin mar go dteastaíonn uaidh praghas bunábhar a ísliú. Tá gach aon duine míshásta leis.*

I mí na Bealtaine 1932, de bharr mhíghnaoi an phobail ar a chuid polasaithe, cuireadh Brüning as oifig faoi dheireadh. Níor éirigh puinn níos fearr leis na daoine a tháinig ina áit, Franz von Papen, agus ina dhiaidh sin, Kurt von Schleicher. Agus cúrsaí mar a bhí,

---

measartha moderate • **díbhoilscitheach** deflationary • **díbhoilsciú** deflation
rialú praghsanna price control • **rialúchán** control • **míghnaoi** dislike

Cuid den Chéad Phlean Ceithre Bliana (1932-36) ba ea scéimeanna oibreacha poiblí, mar shampla tógáil *Autobahnen* (mótarbhealaí).

thosaigh muintir na Gearmáine ag cur muiníne i bpáirtithe ní *b'antoiscí, ag lorg réitigh; réitigh sin an bealach do Hitler teacht i gcumhacht i mí Eanáir 1933 (lch 26).

Polasaí Eacnamaíoch na Naitsithe

Ceann de na cúiseanna ba mhó a bhain le teacht chun cinn an Pháirtí Naitsíoch ná gealltanas Hitler deireadh a chur leis an ngéarchéim eacnamaíoch. Cé go raibh an spealadh domhanda ag cúlú nuair a tháinig Hitler i gcumhacht, fós féin bhí an chuma air gur éirigh leis torthaí an-mhaith a bhaint amach. Ba í an dífhostaíocht an fhadhb ba mhó. Ar theacht i gcumhacht do Hitler, d'fhógair sé: 'An bhreith a thabharfaidh an stair orainn ná ar éirigh linn obair a chur ar fáil.' In 1933 bhí sé mhilliún daoine dífhostaithe sa Ghearmáin; faoi 1936 bhí sin laghdaithe go dhá mhilliún, agus faoi 1939 bhí lánfhostaíocht ann. Mar sin féin, ní míniú iomlán ar athbheochan eacnamaíoch na Gearmáine gur míorúilt eacnamaíoch Naitsíoch a bhí inti. Faoin am a tháinig na Naitsithe i gcumhacht in 1933, bhí feabhas ag teacht ar gheilleagar an domhain.

Oibreacha Poiblí

Faoi Hitler, bhí an chuma ar an scéal go raibh an Ghearmáin ag bláthú. Chuathas i ngleic leis an dífhostaíocht sna blianta 1933-36. Tugadh faoi scéimeanna móra oibreacha poiblí, mar shampla *Autobahnen* (mótarbhealaí), ospidéil, scoileanna agus monarchana a thógáil. Tugadh rialacháin isteach ag cosc innealra a úsáid le bóithre a thógáil a fhad is a bhí dífhostaíocht ann. In 1934 tosaíodh ar fhorleathnú mear a dhéanamh ar thionscal na n-arm, tionscal a thug fostaíocht do líon mór oibrithe. Chomh maith leis sin, mhaolaigh an *coinscríobh, a tugadh isteach in 1935, an dífhostaíocht. Tugadh liúntas pósta do mhná a d'fhan sa bhaile, agus laghdaigh sin líon na mban ar an margadh fostaíochta.

Hjalmar Schacht

An Dr Hjalmar Schacht (1877-1970), Uachtarán an **Reichsbank** agus *draíodóir airgeadais na 1930idí.

Ba é an Dr Hjalmar Schacht, Uachtarán an *Reichsbank*, an duine ba mhó tionchar ar pholasaí eacnamaíoch na Naitsithe idir 1933 agus 1937. Faoina

---

antoisceach extreme • **coinscríobh** conscription • **draíodóir** wizard

threoirsean, cuireadh bonn faoi thionsclaíocht na Gearmáine arís. Thug an Rialtas iasachtaí do thionsclaithe chun iad a spreagadh lena monarchana a thabhairt suas chun dáta. Rinneadh *calcadh ar an ús ar fad ar iasachtaí eachtracha. Síníodh comhaontuithe trádála déthaobhacha (dhá thaobh) le tíortha de chuid Oirthear na hEorpa agus Mheiriceá Theas, agus d'easpórtáil an Ghearmáin earraí déantúsaíochta chucu sin agus fuair sí soláthar d'amhábhair shaora ar ais.

*Átarcacht

B'fhuath le Hitler a bheith ag brath ar thíortha eile le haghaidh bunábhair riachtanacha. Bheartaigh sé é sin a athrú le polasaí ar ar glaodh átarcacht, agus bhí súil aige go dtiontódh an átarcacht an Ghearmáin ina stát *leordhóthanach. Ba í an átarcacht príomhaidhm an Phlean Ceithre Bliana, a seoladh in 1936. Cuireadh Herman Göring i gceannas ar an bplean sin. Rinne eolaithe Gearmánacha iarracht *Ersatz* nó ábhair *ionaid (malairt) a chruthú. Rinneadh ábhair ionaid i gcás an pheitril, na hola agus na olla, ach bhí siad níos costasaí agus ní raibh siad chomh héifeachtúil leis na bunábhair.

Níor éirigh leis an bPlean Ceithre Bliana a spriocanna a bhaint amach. Faoi 1939, ní raibh ach 45% dá sprioc sroichte ag an ola shintéiseach. Bhí an Ghearmáin ag iompórtáil 20% dá bia, agus 33% dá hamhábhair go fóill. Nuair a theip ar an bpolasaí, ba léir go ndéanfadh Hitler ionradh ar an Aontas Sóivéadach, áit a raibh neart bunábhar.

'Fuil agus Ithir'

D'ainneoin gur chuir idé-eolaíocht na Naitsithe béim ollmhór ar 'fhuil agus ithir' agus ar *shuáilce shaol na tuaithe, bhí an talmhaíocht lag. Na gealltanais a thug na Naitsithe go leasófaí an talmhaíocht, níor cuireadh i gcrích iad. An dlí ar *Nua-eagrú Thuathánaigh na Gearmáine, a tugadh isteach i mí an Mheithimh 1933, níor éirigh leis na heastáit mhóra a roinnt. Dhúbail praghas na talún *arúil idir 1932 agus 1938, agus bhí ar fheirmeoirí beaga agus meánacha éirí as an talmhaíocht. Níor thuill sclábhaithe feirme ach thart ar leath an phá a íocadh leo sin a bhí ag obair i dtionsclaíocht agus i dtrádáil. Tháinig laghdú de 300,000 ar líon na sclábhaithe feirme sna 1930idí, mar go ndeachaigh a lán acu ar imirce go dtí bailte tionsclaíochta ar thóir pá níos fearr.

Cé chomh maith is a d'éirigh le Polasaí Eacnamaíochta na Naitsithe?

Gan amhras, bhí *rath ar pholasaí eacnamaíochta na Naitsithe. Laghdaíodh an dífhostaíocht agus tháinig athbheochan faoi gheilleagar na Gearmáine. Mar sin féin, ní fhéadfaí costas ollmhór na scéimeanna oibreacha poiblí agus an chlár atharmála a sheasamh go deo.

D'ainneoin infheistíocht ollmhór na Gearmáine i dtionsclaíocht, bhí roinnt bunábhar, mar shampla ola agus rubar, de dhíth uirthi. Theip ar an talmhaíocht a spriocanna a shroicheadh, agus lean an Ghearmáin uirthi ag brath ar iompórtálacha bia. Chreid Hitler go réiteodh sé ganntanas bunábhar na Gearmáine tríd an nGearmáin a fhorleathnú soir (*Lebensraum*), áit a raibh soláthar níos mó d'arbhar agus d'ola (lch 108).

---

calc freeze • **átarcacht** autarky • **leordhóthanach** self-sufficient • **ionaid** substitute • **suáilce** virtue
Nua-eagrú Thuathánaigh na Gearmáine New Formation of German Peasantry • **arúil** arable
rath success

An Gnáthleibhéal

Déan staidéar ar an gcartún seo thall agus freagair na ceisteanna seo thíos. Tá an cartún seo, a foilsíodh san iris *aorach (magúil) *Punch*, ag trácht ar bhunú Rialtas Náisiúnta sa Bhreatain i mí Lúnasa 1931.

1. Cén polaiteoir Briotanach atá ina phoitigéir sa chartún?

2. Ainmnigh na trí pháirtí a bhí sa Rialtas Náisiúnta.

3. An buidéal a bhfuil 'Liberalism' scríofa air, cad chuige ar lú é ná na buidéil eile?

4. Cad chuige ar bunaíodh Rialtas Náisiúnta sa Bhreatain i mí Lúnasa 1931?

5. Déan cur síos ar dhá pholasaí a chuir an Rialtas Náisiúnta i bhfeidhm leis an ngeilleagar a fheabhsú.

Scríobh alt ar cheann amháin díobh seo a leanas:

1. John Maynard Keynes.

2. An Ollstailc sa Bhreatain in 1926.

3. Crosáid Jarrow.

4. Forbhoilsciú sa Ghearmáin in 1923.

An tArdleibhéal

1. Pléigh tionchar eacnamaíoch agus sóisialta an Spealadh Mhóir ar an mBreatain agus ar an nGearmáin, 1929-39.

2. Déan cur síos ar láidreachtaí agus laigí gheilleagar na Gearmáine le linn na tréimhse 1929 go dtí 1939.

3. 'B'fhadhb mhór í an dífhostaíocht sa Bhreatain i gcaitheamh na mblianta *idirchogaidh.' É sin a phlé.

Ceisteanna bunaithe ar Dhoiciméid
An tArdleibhéal agus an Gnáthleibhéal

Ceisteanna Cás-staidéir: Máirseáil Jarrow

Déan staidéar ar Fhoinsí A go L ar leathanach 139 go 147, agus freagair na ceisteanna seo a leanas.

Triail Tuisceana

1. I bhFoinse A, cad iad na comharthaí de dhrochthithíocht atá curtha sa chlós, le hais na bpáistí, ag an gcartúnaí David Low?

2. Cén tslí bheatha a bhí ag fear céile Bhean Pallas? (Foinse B). Mínigh cad chuige a mbeadh duine éigin den cheird sin as obair i lár na 1930idí.

3. Dar le Foinse C, cén phríomhchúis a bhí le Máirseálacha an Ocrais in 1933?

4. I bhFoinse C, cad chuige ar mheas Chamberlain nár ghá an gearradh siar ar an sochar dífhostaíochta a chur ar ceal?

5. I bhFoinse D, cé a chuir fir dhífhostaithe Jarrow i gcuimhne don scríbhneoir J.B. Priestley?

6. I bhFoinse E, iad sin a bhí níos fearr as, cén tuairim a bhí acu faoi mháirseálaithe na 1930idí luatha?

7. Féach ar an léarscáil (Foinse F). Luaigh dhá cheantar arbh iontu ab airde an dífhostaíocht.

8. I bhFoinse G, cad chuige ar mheas an t-iriseoir nár 'mháirseáil ocrais' a bhí i Máirseáil Jarrow?

9. Dar le Ellen Wilkinson i bhFoinse I, cén tuairim a bhí ag Páirtí an Lucht Oibre agus Comhdháil na gCeardchumann i leith grúpaí a bhí ag máirseáil go Londain neamhspleách ar Chrosáid Jarrow?

10. Féach ar Fhoinse J. Cén bhliain arbh airde an dífhostaíocht sna tionscail atá liostaithe?

11. Cé acu de na tionscail atá liostaithe i bhFoinse J a raibh an ráta dífhostaíochta ab airde acu idir 1929 agus 1936?

12. Tar éis duit breathnú ar Fhoinse K, ainmnigh an réigiún den Bhreatain arbh ann a bhí an leibhéal ab ísle dífhostaíocht idir 1929 agus 1937.

13. Cén réigiún sa Bhreatain, liostaithe i bhFoinse K, arbh ann a bhí an ráta dífhostaíochta ab airde in 1932?

14. Féach ar Fhoinse L. Cén tionscal nua a bhí ag cruthú na bpríomhdheiseanna fostaíochta?

15. Dar leis an gcartúnaí i bhFoinse L, cén tionchar a bheadh ag an tionscal sin ar an daonra?

Comparáid

1. I bhFoinse A, conas a dhéanann an cartúnaí David Low comparáid idir caighdeán maireachtála na bpáistí sa chlós, agus caighdeán maireachtála na bpolaiteoirí sa charr?

2. I bhFoinse B, déan comparáid idir *stíl mhaireachtála Bhean Pallas agus a clann sular chaill a fear céile a phost, agus ina dhiaidh sin.

3. I bhFoinse D, déan comparáid idir na cuntais ar Jarrow atá (i) sa treoirleabhar, agus (ii) ag J.B. Priestley.

4. Déan cur síos ar an difríocht a bhí idir eagrú Chrosáid Jarrow i bhFoinse E, agus máirseálacha a eagraíodh roimhe sin (Foinse C).

5. Cé mhéad d'aontú atá idir Foinse G agus Foinse I nach Cumannaithe a spreag máirseáil Jarrow? Mínigh do fhreagra.

6. Déan comparáid idir an dearcadh atá i bhFoinse G agus i bhFoinse I maidir le tacaíocht Pháirtí an Lucht Oibre do Chrosáid Jarrow.

7. Cé mhéad den mhilleán a chuireann Foinse A agus Foinse C ar Neville Chamberlain, Seansailéir an Státchiste, faoi na deacrachtaí eacnamaíocha le linn na 1930idí luatha?

Léirmheas

1. I bhFoinse A, cé dó is fabhraí an cartúnaí, dar leat: do na daoine nó don Rialtas? Mínigh do fhreagra.

2. An gceapann tú gur cuntas cothrom é an cartún (Foinse A) ar an staid eacnamaíoch sa Bhreatain in 1935? Mínigh do fhreagra. D'fhéadfadh gur chuidiú duit na figiúirí i bhFoinsí J agus K.

3. An bhfuil aon rian den *chlaonadh i bhFoinse C, dar leatsa?

4. Cé acu, dar leat, an cuntas fabhrach nó mífhabhrach ar Mháirseáil Jarrow is ea an tuairisc i bhFoinse H? Mínigh do fhreagra.

5. Ba í Ellen Wilkinson, duine a ghlac páirt i gCrosáid Jarrow, a scríobh Foinse I. Cé chomh hiontaofa is atá a cuntas, dar leat? Mínigh do fhreagra.

6. I bhFoinse L, an bhfuil an cartúnaí fabhrach, dar leat, do na tionsclaithe a bhí ag cruthú postanna nua i dtionscal na n-arm?

Comhthéacsú

1. Tabhair cuntas gairid ar an staid eacnamaíoch as ar tháinig 'Máirseálacha an Ocrais' sna 1930idí.

2. Tá tagairt i bhFoinse I don 'tástáil acmhainne' agus don Bhord Cúnamh Dífhostaíochta. Cé na feidhmeanna a bhí acu sin?

3. Cé chomh héifeachtach is a bhí polasaithe an Rialtais Náisiúnta ag déileáil le fadhbanna eacnamaíocha an Spealadh Mhóir?

4. Tabhair cuntas gairid ar an gcaoi ar dhéileáil an Stát Naitsíoch sa Ghearmáin leis an dífhostaíocht le linn na mblianta 1933-39.

5. Féach ar na figiúirí i bhFoinsí J agus K. An féidir leat a mhíniú cén fáth ar thosaigh staid na fostaíochta i dtionscail mhóra ag feabhsú faoi 1938?

11 Geilleagar an Aontais Shóivéadaigh, 1920-39

Caipitleachas Stáit

Nuair a tháinig an ceannaire Cumannach Leinín (lch 47) i gcumhacht in 1917, bhí geilleagar na Rúise scriosta. An chúis ba mhó a bhí leis sin ná an fhaillí a bhí déanta air leis na blianta ag an Sár, chomh maith le cruatain a bhain le ról na Rúise sa Chéad Chogadh Domhanda. Níor mhór slacht a chur go práinneach ar an gcóras tionsclaíochta agus talmhaíochta araon.

Sa chóras Cumannach, tugtar an ghníomhaíocht eacnamaíoch ar fad faoi smacht an stáit. Bíonn na monarchana, na bainc agus an talamh i seilbh an rialtais, ar mhaithe le leas an phobail. Ar theacht i gcumhacht do Leinín, áfach, i mí Dheireadh Fómhair 1917, d'áitigh sé nach bhféadfaí é sin a bhaint amach láithreach gan cur isteach go mór ar an ngeilleagar. Ar an ábhar sin, ar feadh tréimhse ghairid, ó mhí Dheireadh Fómhair 1917 go dtí mí an Mheithimh 1918, lig an Rialtas Cumannach don chóras caipitleach seanbhunaithe fanacht mar a bhí go dtí go bhféadfaí an Cumannachas a chur i bhfeidhm i gceart. Bhí monarchana, gnólachtaí agus bainc le fanacht san earnáil phríobháideach, faoi shúil ghéar an Pháirtí Chumannaigh. Tugadh 'Caipitleachas Stáit' ar an *idirthréimhse (tréimhse ghairid idir eatarthu) sin.

Cumannachas Cogaidh

In 1918, agus cogadh cathartha ag bagairt, chuir Leinín roimhe geilleagar na Rúise a *chlaochlú. Thug sé isteach *bearta éigeandála eacnamaíocha; 'Cumannachas Cogaidh' a tugadh orthu sin. Mhaígh Leinín gur 'riachtanas míleata, seachas riachtanas eacnamaíoch' a bhí sa Chumannachas Cogaidh. Ba ag an am sin a bheartaigh Leinín an Cumannachas a thabhairt isteach sa Rúis in áit an chórais Chaipitligh a bhí ann go dtí sin.

Rinneadh an talamh, na tionscail agus na gnólachtaí a *náisiúnú (i.e. ghlac an stát seilbh orthu). Gach monarcha a raibh breis is cúigear fostaithe inti, tháinig sí faoi smacht an stáit. Cuireadh cosc ar thrádáil phríobháideach agus bunaíodh 'Banc an Phobail'.

Riaradh an geilleagar ar bhealach míleata. Bunaíodh Ardchomhairle Eacnamaíoch (**Gosplan**) leis an ngeilleagar a phleanáil. Ordaíodh do na *tuathánaigh aon arbhar breise a bhí acu a thabhairt don stát ar phraghas seasta. D'fhógair an Rialtas gur ghá na bearta diana sin leis an ngeilleagar a choinneáil ag feidhmiú le linn an chogaidh chathartha, agus le cinntiú go sroichfeadh soláthairtí riachtanacha bia na cathracha.

Daoine i scuaine i gcomhair aráin le linn Chogadh Cathartha na Rúise (1918-20).

---

idirthréimhse transitional period • **claochlaigh** transform • **beart éigeandála** emergency measure
náisiúnaigh nationalise • **tuathánach** peasant

Torthaí an Chumannachais Chogaidh

Faoi dheireadh an Chogaidh Chathartha in 1920, bhí geilleagar na Rúise ina stad. Bhí an táirgeacht thionsclaíoch laghdaithe go dtí faoi bhun 15% dá leibhéal *réamhchogaidh. Bhí an córas iompair ina stad. Bhí deireadh tagtha leis an *trádáil eachtrach agus bhí an córas airgeadais tite as a chéile. Bhí an margadh dubh faoi bhláth. Bhí na tuathánaigh ag táirgeadh a ndóthain bia dóibh féin, agus ag diúltú an *barrachas a chur chuig na cathracha.

Cuireadh an *Cheka* (na póilíní rúnda, lch 49) chun na tuaithe le harbhar a éileamh le gunnaí. Agus gorta ag bagairt orthu, thréig na hoibrithe tionsclaíochta na monarchana agus theith siad chun na tuaithe ar thóir bia. Rinne *triomach dian in 1920 cúrsaí ní ba mheasa. Le linn 1921-22, bhí gorta uafásach sa Rúis, agus fuair breis is ceithre mhilliún duine bás.

Ba é an toradh a bhí air sin ná gur tháinig díomá mhór ar mhórán Rúiseach; dar leo, níor cuireadh gealltanais *'Réabhlóid Phobail' 1917 i gcrích. Gheall *April Thesis* Leinín in 1917 'síocháin, arán agus talamh'.

Éirí Amach Kronstadt

I mí an Mhárta 1921, chuaigh na mairnéalaigh i *mbunáit chabhlaigh Kronstadt – dream a bhí ina dtacaithe dílse ag na Boilséivigh (Cumannaithe) go dtí sin – chun *ceannairce (lch 51). D'éiligh siad go gcuirfí deireadh le deachtóireacht na mBoilséiveach. Theastaigh toghcháin shaora uathu, saoirse chainte, agus go mbeadh cead ag gach páirtí den eite chlé

páirt a ghlacadh sa rialtas. Bhain an tÉirí Amach croitheadh as na Cumannaithe, ach ba é a bhfreagra air ná foréigean agus brúidiúlacht ollmhór. Chuaigh Trotsky i gceannas ar an Arm Dearg leis an éirí amach a chur faoi chois. Rinneadh *ár ar mhórchuid mairnéalach. Mar sin féin, thuig Leinín go raibh sé in am athmhachnamh a dhéanamh ar a pholasaí eacnamaíoch. Dúirt sé go raibh an t-éirí amach in Kronstadt cosúil le *'splanc thintrí a shoilsigh an réaltacht'. I mí an Mhárta 1921 d'fhógair sé 'Polasaí Nua Eacnamaíoch'.

▲ Daoine ag fáil bháis leis an ocras i ngorta na Rúise, 1921-22.

An Polasaí Nua Eacnamaíoch (PNE)

Thug Polasaí Nua Eacnamaíoch Leinín (PNE) *lamháltais fhairsinge don fhiontraíocht phríobháideach:

• Éiríodh as arbhar a ghabháil go héigeantach. D'íocfadh tuathánaigh cáin stáit ar bhia-ábhair, feasta. D'fhéadfaí na *barra *barrachais go léir a dhíol ar bhrabús ar an margadh oscailte.

• Sa tionsclaíocht, ceadaíodh fiontair bheaga phríobháideacha. Gnólachtaí nach raibh fostaithe iontu ach níos lú ná fiche oibrí, cuireadh ar ais faoi úinéireacht phríobháideach iad.

---

réamhchogadh pre-war • **trádáil eachtrach** foreign trade • **barrachas** surplus • **triomach** drought
réabhlóid phobail people's revolution • **rialúchán** control • **ciondáil** rationing • **bunáit** base
ceannairc mutiny • **ár** massacre • **splanc thintrí** lightning flash • **lamháltas** concession • **barr** crop
barrachas surplus

- D'fhan tionscail mhóra (mar shampla gual, cruach agus ola), an córas iarnróid, agus na bainc, i seilbh an stáit. B'in 90% de thionsclaíocht na Rúise.

- Spreagadh *infheistíocht eachtrach.

Dar le roinnt de bhaill mhóra an Pháirtí, Trotscaí san áireamh, gur chúlú ón gCumannachas a bhí sa PNE, is bhí olc orthu go raibh 'aicme shaibhir' nua ag teacht chun cinn. D'aithin Leinín, áfach, go gcaithfí géilleadh áirithe (lamháltais) a dhéanamh chun go sábhálfaí an réabhlóid. Dúirt sé gurbh fhearr, ag an bpointe sin, céim amháin ar gcúl a thabhairt, ionas go bhféadfaí dhá chéim chun tosaigh a thabhairt níos deireanaí. I mí Dheireadh Fómhair 1921, mhínigh Leinín na cúiseanna a bhí leis an bpolasaí nua *d'fhíréin an Pháirtí ag Comhdháil i Moscó:

> Bhíomar ag súil, trí *fhoraitheanta an rialtais *Phrólatáirigh (lucht oibre), institiúidí stáit a *mhaoiniú, agus dáileadh táirgí stáit a eagrú ar bhonn Cumannach, i dtír a bhí petit bourgeois (*íos-mheánaicmeach)! Is léir don saol go ndearnamar botún. Theastaigh roinnt idirthréimhsí mar an Caipitleachas Stáit agus an Sóisialachas le hullmhú don athrú go dtí an Cumannachas. Ní mór duit iarracht a dhéanamh, ar dtús, droichid bheaga a thógáil; tabharfaidh na droichid sin tír de ghabháltais bheaga thuathánacha, tríd an gCaipitleachas Stáit, go dtí an Sóisialachas.

De réir a chéile, d'athbheoigh an PNE geilleagar na Rúise go maith. Atosaíodh ar an trádáil eachtrach mar go raibh fonn ar thíortha na hEorpa leas a bhaint as margadh na Rúise mar go raibh brabús le déanamh air. Faoi 1926 bhí an tionsclaíocht agus an talmhaíocht tagtha chucu féin, nach mór, go dtí an leibhéal ina raibh siad in 1913.

*An Sóisialachas in aon Tír Amháin

Nuair a fuair Leinín bás in 1924, tháinig Stailín i gcumhacht agus thug sé faoi gheilleagar níos pleanáilte a chur in áit an PNE. Bhí tionchar ag teoiric Stailín, '**Sóisialachas in aon Tír Amháin**' (lch 57) ar a pholasaí eacnamaíoch sna blianta 1928 go dtí 1941. Ba é an smaoineamh a bhí aige ná an Cumannachas a leathadh go dtí codanna eile den domhan, agus an dul chun cinn mór a bhí déanta ag geilleagar an Aontais Shóivéadaigh mar *eiseamláir aige, seachas é a dhéanamh leis an lámh láidir. Chreid sé dá ndéanfadh sé tír nua-aoiseach thionsclaíoch den Aontas Sóivéadach, go mbeadh sé ina eiseamláir de *ghaisce an Chumannachais; thabharfadh sé sin ar náisiúin eile an bóthar céanna a leanúint. Mar sin féin, sula bhféadfadh Stailín tús a chur le tionsclú an Aontais Shóivéadaigh, bheadh air an córas talmhaíochta a dhéanamh níos éifeachtúla.

Eochairchoincheap: *Comhsheilbhíocht

Ba é a bhí sa Chomhsheilbhíocht ná polasaí ina nascfaí le chéile feirmeacha beaga agus feirmeacha *meánmhéide ina *ngabháltas mór amháin. Dhá chineál *comhfheirme a bhí ann:

- **Kolkhozy:** Ba chomharchumainn de chuid na dtuathánach iad seo, inar *chomhthiomsaigh na feirmeoirí a gcuid acmhainní; dhíol siad a dtáirgí leis an stát ar phraghas seasta. Bhí trealamh nua-aoiseach le haghaidh an *Kolkhozy* ar fáil ar cíos ó stáisiúin trealaimh, a d'fhreastalaíodh ar réigiúin áirithe.

---

infheistíocht eachtrach foreign investment • **fíréan** faithful person • **foraithne** decree
prólatáireach proletarian • **maoinigh** finance
An Sóisialachas in aon Tír Amháin Socialism in One Country • **eiseamláir** example • **gaisce** achievement
comhsheilbhíocht collectivisation • **meánmhéid** medium-sized • **gabháltas** holding
comhfheirm collective farm • **comhthiomsaigh** pool

161

- **Sovkhozy:** B'fheirmeacha stáit, a riaradh an rialtas, iad seo. Fostaíodh oibrithe feirme ina bhfostaithe stáit. Ní raibh an oiread céanna *Sovkhozy* ann agus a bhí *Kolkhozy*, agus ba mhinic iad mí-éifeachtúil de bharr an chur isteach a rinne *maorlathas mór stáit (an státseirbhís) orthu.

An Chomhsheilbhíocht: na Cúiseanna a bhí léi

(a) Ní raibh táirgeadh an bhia ag sásamh an éilimh a bhí air i gceantair uirbeacha. Dá ndéanfaí tionsclú mór, bheadh gá le tuathánaigh le dul ag obair sna monarchana sna cathracha. Bheadh ar an táirgeadh talmhaíochta a bheith ní b'éifeachtúla, agus gan a oiread céanna daoine a bheith fostaithe leis.

(b) Ní chuirfí i gcrích tionsclú an Aontais Shóivéadaigh ach amháin dá n-iompórtálfaí innealra as an Iarthar. An chaoi a n-íocfaí air sin ná trí earraí talmhaíochta a easpórtáil.

(c) Ní raibh talamh phríobháideach, a bhí ceadaithe faoin PNE, ag teacht leis an gCumannachas.

Bhí tuathánaigh na Rúise, ag an am sin, inroinnte ina dhá n-aicme, na *Cúlacaigh, a bhí saibhir, agus na *Múisicigh, a bhí níos boichte. Ba é plean Stailín ná na feirmeacha a chumasc ina bhfeirmeacha móra ar a nglaofaí 'comhfheirmeacha'. Chuir na feirmeoirí ní ba bhoichte suas le polasaí na comhsheilbhíochta, agus d'fháiltigh siad roimhe de bharr gur thug sé cosaint éigin dóibh ar an ngorta, ar bhagairt é de shíor. Bhí na Cúlacaigh, a raibh rath orthu ó PNE Leinín, go nimhneach i gcoinne an chórais sin, áfach, de bhrí gurbh iadsan ba mhó a bheadh thíos leis. Agus iad ag féachaint le pleananna Stailín a threascairt, ghearr siad siar ar a dtáirgeadh, dhóigh siad a bhfeirmeacha agus mharaigh siad a mbeostoc.

Bean ag tiomáint tarracóir ar chomhfheirm sa Rúis in 1929.

	1928	1938
Caoirigh	146 milliún	42 milliún
Eallach	200 milliún	34 milliún

Laghdaigh an táirgeacht talmhaíochta go mór, agus tháinig gorta dá bharr sin sna blianta 1932-33. D'ainneoin sin, *sheas an Rialtas <u>air</u> go soláthródh na tuathánaigh an oiread céanna arbhair is a sholáthair siad cheana, chun pobal na gcathracha a bheathú. Ba é an rud a rinne Stailín ná na Cúlacaigh a ionsaí. D'fhógair sé in 1929, 'Ní mór dúinn frithbheartaíocht na haicme seo a scriosadh i gcath oscailte. Céim é seo

---

maorlathas bureaucracy • **Cúlacach** Kulak • **Múisiceach** Muzhik • **seas ar** insist on

i dtreo an pholasaí chun deireadh a chur leis na Cúlacaigh, mar aicme.' Bailíodh teaghlaigh Chúlacacha le chéile agus cuireadh go campaí oibre éigeantais (***gulag***) sa tSibéir agus i dtuaisceart na Rúise iad. Cailleadh na milliúin de ghalar, de ghorta agus de chrua-aimsir. Faoi 1940 bhí comhfheirmeacha déanta de 97% den talamh shaothraithe.

An Chomhsheilbhíocht: Torthaí

(a) D'imigh na Cúlacaigh as, mar aicme. Meastar gur fhulaing suas le 10 milliún Cúlacach díbirt éigeantach, bochtaineacht nó bás.

(b) Bhí mórán de na comhfheirmeacha mí-éifeachtúil. An lá roimh ionradh na nGearmánach in 1941, ní raibh an táirgeadh talmhaíochta ar ais fós go dtí an leibhéal ar a raibh sé in 1928.

(c) D'fhulaing a lán daoine go géar de bharr chur i bhfeidhm na comhsheilbhíochta.

(d) Rinne sé dochar fadtéarmach d'earnáil na talmhaíochta, agus theip uirthi freastal ar riachtanais an Aontais Shóivéadaigh le linn an Dara Cogadh Domhanda.

Tá cur síos sa sliocht thíos ag Eugene Lyons, iriseoir Meiriceánach a bhí i Moscó idir 1928 agus 1929, ar thionchar na comhsheilbhíochta ar cheantar tuaithe na Rúise:

> Baineadh a gcuid *sealúchais go léir de dhaonra a bhí chomh mór le daonra uile na hEilvéise nó na Danmhairge; ní a gcuid talún agus a dteach agus a n-eallach agus a gcuid uirlisí amháin a baineadh díobh, ach ba mhinic a bhaintí an t-éadach, an bia agus na gréithe tí deireanacha a bhí acu díobh; ansin ruaigeadh amach as a sráidbhaile iad. Bailíodh le chéile le beaignití (lanna ar raidhfilí) iad i stáisiúin iarnróid, pacáladh trí chéile (gan aird) isteach i gcarráistí eallaigh agus *lasta iad. Seachtainí ina dhiaidh sin caitheadh amach as na traenacha iad i réigiúin fhoraoiseachta reoite an Tuaiscirt, i bhfásaigh na hÁise Láir – pé áit a raibh oibrithe de dhíth – agus cead acu a bheith beo ansin, nó bás a fháil. Ar imeall an tsráidbhaile a raibh cónaí orthu go dtí sin, a caitheadh cuid den *raic dhaonna seo, gan foscadh gan bhia, i míonna úd an gheimhridh; fúthu féin a bhí sé saol nua a chruthú dóibh féin, dá bhféadfaidís é, ar thalamh a bhí *rósheasc le saothrú a dhéanamh uirthi roimhe sin.
>
> Fuair na deicheanna de mhílte díobh bás den fhuacht, den ghorta, agus de ghalair a bhí forleathan, agus iad ag taisteal; is ní *leomhfadh aon duine buille faoi thuairim a thabhairt faoin líon díobh a fuair bás san fhásach.

Na Pleananna Cúig Bliana, 1928-41

Chuir Stailín '**an Chéim Mhór chun Tosaigh**' chun cinn, a chuirfeadh tionsclú na Rúise i gcrích. Mheas Stailín freisin gur ghá an Rúis a thionsclú má bhí riailréim na gCumannaithe le teacht slán.

---

sealúchas belongings • **lasta** freight • **raic** wreckage • **seasc** barren • **leomh** dare

In óráid cháiliúil in 1931, d'fhógair Stailín:

*Má laghdaímid an luas (luas an tionsclaithe), fágfar ar gcúl muid. Agus iad sin a fhágtar ar gcúl, buaitear orthu. Léiríonn stair na sean-Rúise gur buadh uirthi de shíor de bharr a *iargúlta is a bhí sí – iargúltacht mhíleata, chultúrtha, pholaitiúil agus thionsclaíoch. Táimid idir caoga agus céad bliain taobh thiar de na príomhthíortha. Caithfimid an bhearna sin a dhúnadh i ndeich mbliana. Déanaimis é sin nó scriosfaidh siad muid.*

Bhíothas le tionsclú na Rúise a chríochnú trí shraith de phleananna cúig bliana a chur i bhfeidhm.

An Chéad Phlean Cúig Bliana 1928-33

Cuireadh an Chéad Phlean Cúig Bliana faoi bhráid an Pháirtí in 1928. Bhí sé dírithe ar thionsclaíocht throm agus ar tháirgeadh earraí a bhí riachtanach do dhul chun cinn an gheilleagair. Bhíothas chun lánleas a bhaint as acmhainní ollmhóra ola agus guail na Rúise. Tógadh monarchana, stáisiúin chumhachta, bóithre, scaglanna ola, agus iarnróid nua, mar shampla Damba Dnieprostroi agus Oibreacha Mótair Gorky. Tógadh iarnród nua freisin idir an tSibéir agus an Turcastáin. Bhog oibrithe go hionaid nua tionsclaíochta i *Sléibhte na hÚraile, in Donbass agus in iarthar na Sibéire.

Socraíodh *cuótaí do mhonarchana agus d'oibrithe, ach bhí caighdeán na n-earraí íseal ar dtús de bharr easpa scile. Na spriocanna a leagadh síos sa Phlean, bhí siad *ró-uaillmhianach, agus dobhainte amach. D'ainneoin na bhfadhbanna sin, d'ardaigh an táirgeadh as cuimse, agus d'ardaigh an t-ioncam náisiúnta ó 27 billiún rúbal go 45 billiún rúbal faoi 1932. Ba bheag nár mhéadaigh an táirgeacht leictreachais faoi thrí le linn na mblianta céanna.

An Dara Plean Cúig Bliana 1933-38

Bhí aidhmeanna an Dara Plean Cúig Bliana ní ba réadúla. Bhí drochthús ar an bplean de bharr gur tháinig gorta i rith 1932-33. Sa phlean sin, dhírigh Stailín ar an oideachas agus ar earraí tomhaltais (éadaí, earraí tí, etc.). Tógadh scoileanna agus coláistí teicniúla agus feabhsaíodh an caighdeán múinteoireachta. Idir 1928 agus 1940 bhain breis is 300,000 Rúiseach céim amach san innealtóireacht nó sa tionsclaíocht. Ní dhearnadh faillí sa tionsclaíocht throm sa Phlean; lean táirgeadh an ghuail agus an leictreachais ag feabhsú le linn an Dara Plean Cúig Bliana; níor éirigh chomh maith le tionscal na hola agus tionscal na dteicstílí. De bharr theacht chun cinn Hitler sa Ghearmáin in 1933, tugadh tús áite do thionscal na cosanta, a mhéadaigh a tháirgeacht faoi thrí, ag druidim le deireadh an phlean seo.

Tháinig feabhas ar an gcumarsáid inmheánach le críochnú Chanáil Mhoscó-An Volga agus Chanáil *na Mara Báine. Ba le linn na tréimhse sin freisin a tháinig 'Gluaiseacht Stakhanov' (lch 165) ar an bhfód mar ghné de pholasaí eacnamaíoch an Aontais.

---

iargúlta backward • **Sléibhte na hÚraile** Ural mountains • **cuóta** quota • **uaillmhianach** ambitious
An Mhuir Bhán White Sea

An Tríú Plean Cúig Bliana 1938-41

Ba í an bhagairt ó Ghearmáin na Naitsithe (bagairt a bhí ag méadú ar feadh an ama) ba phríomhchúis leis an Tríú Plean Cúig Bliana. Bhí an plean sin bunaithe go hiomlán, nach mór, ar thionscal na n-arm. Aistríodh monarchana níos faide soir, ar an taobh thall de Shléibhte na hÚraile, agus go fiú fad leis an tSibéir. Shábháil sé sin an Rúis le linn an Dara Cogadh Domhanda de bhrí go raibh formhór na monarchana thar *raon buamála an *Luftwaffe*. Faoi 1939 bhí an ceathrú cuid (¼) den bhuiséad náisiúnta á chaitheamh ar chosaint. Tháinig deireadh tobann leis an bplean sin le hionradh na Gearmáine ar an Rúis i mí an Mheithimh 1941 (lch 108).

Faoi na 1930idí, bhí an tAontas Sóivéadach ar an dara tír ba thionsclaithe ar domhan (ba é na Stáit Aontaithe an chéad tír); tír thalmhaíochta a bhí san Aontas roimhe sin. D'ainneoin roinnt deacrachtaí, tháinig méadú as cuimse ar an táirgeacht thionsclaíoch le linn ré na bPleananna Cúig Bliana.

	1927	1930	1932	1935	1937	1940
Gual (milliún tonnaí)	35	60	64	100	128	150
Cruach (milliún tonnaí)	3	5	6	13	18	18
Ola (milliún tonnaí)	12	17	21	24	26	26
Leictreachas (milliún cileavata)	18	22	20	45	80	90

Gluaiseacht Stakhanov

Ar an 30 Lúnasa 1935, tuairiscíodh gur bhain Alexei Stakhanov, mianadóir as Donbass, breis is 100 tona guail i *seal amháin deich n-uaire an chloig oibre. *Go saorga a rinne sé a éacht mhór: bhí oibrithe eile ag tacú leis, mar shampla, chun an gual a *shluaisteáil ar shiúl. Rinne Stailín mórán bolscaireachta as sin, agus saolaíodh 'Ord na Stakhanovites'. Bronnadh duaiseanna airgid, cuairteanna chuig an Kremlin, boinn, agus laethanta saoire go dtí an Mhuir Dhubh orthu siúd a bhain an duais. Cuireadh a n-ainm freisin ar *Cláir Chéimíochta' i monarchana.

Chruthaigh an ghluaiseacht éad freisin, áfach, i measc meithleacha d'oibrithe a bhí ag iomaíocht lena chéile. Rinneadh cuid mhaith *sabaitéireachta, agus laghdaigh na caighdeáin sábháilteachta. Bhí 33,000 timpiste thionsclaíoch san Aontas Sóivéadach le linn ré na bPleananna Cúig Bliana.

Alexei Stakhanov, mianadóir as Donbass, ar dúradh gur bhain sé breis is 100 tona guail i seal amháin deich n-uaire an chloig oibre sa Rúis le linn na bPleananna Cúig Bliana; is as sin a tháinig 'Gluaiseacht Stakhanov'.

---

raon range • **seal** shift • **saorga** artificial • **sluaisteáil** shovel • **clár céimíochta** honours board
sabaitéireacht sabotage

Coinníollacha Oibre agus Sóisialta

Baineadh leas freisin as modhanna caipitleacha eile leis na hoibrithe a spreagadh, mar shampla rátaí *tascoibre agus bónais. Tugadh isteach *difreálacha pá in 1933: íocadh pá níos airde leo sin a raibh scileanna agus oideachas níos fearr acu. Dá sáródh oibrithe an cuóta bliantúil táirgthe, roinnfí 10% den bhrabús breise eatarthu. Ba ghnách, áfach, go mbíodh na cuótaí ró-ard, agus b'annamh a bhaintí amach iad.

D'fheabhsaigh an pá go mall, agus tógadh scéimeanna nua tithíochta i gcathracha mar Mhoscó. Ba ghnách nach mbíodh árasáin na n-oibrithe tógtha go maith, agus bhíodh troscán agus *earraí tomhaltais gann. Bhíodh ceardchumainn ann ach ba bheag a bhí iontu seachas áis bholscaireachta le haghaidh polasaithe rialtais.

Bhí seirbhísí leighis agus ospidéil in aisce, agus bhí ceart agat ar phinsean seanaoise, de réir dlí, ó 1936. Ní i gcónaí a bhíodh airgead ar fáil le híoc as na seirbhísí sin, áfach.

Sa sliocht thíos, le Andrew Smith, Meiriceánach a bhí ag obair i monarcha i Moscó ag an am, tá cuntas ar choinníollacha maireachtála gnáthoibrí tionsclaíochta:

> *Tascobair:
> Obair a n-íoctar an t-oibrí uirthi de réir an méid earraí a tháirgeann sé/sí.

> Bhí thart ar 500 leaba chúng sa seomra, agus tochtanna orthu a bhí líonta le tuí nó duilleoga triomaithe. Ní raibh aon philiúr ná blaincéid ann… Ní raibh aon leaba ag roinnt daoine, agus chodail siadsan ar an urlár nó i mboscaí adhmaid. I gcásanna áirithe, chodail *seal oibre amháin sna leapacha i rith an lae agus seal eile san oíche. Ní raibh aon *spiaraí ná ballaí ann le príobháideachas éigin a thabhairt… Ní raibh aon chófraí ná vardrúis ann mar nach raibh ag gach duine ach an t-éadach a bhíodh air ó lá go lá.
>
> As '**I was a Soviet Worker**' le Andrew Smith, 1936.

*Forbhreathnú

D'fhorbair an tAontas Sóivéadach a gheilleagar go mór faoi cheannasaíocht Stailín. I dtréimhse réasúnta gairid, rinneadh mórchumhacht tionsclaíochta den Rúis – tír a bhí ina tír iargúlta talmhaíochta roimhe sin. Caithfear glacadh le tionsclú an Aontais Shóivéadaigh le linn na bPleananna Cúig Bliana mar cheann de na héachtaí ba mhó de chuid Stailín. Ba le linn na tréimhse sin a thosaigh an tAontas Sóivéadach ag teacht chun tosaigh mar cheann de chumhachtaí móra an domhain. Ba mhinic a d'fhulaingíodh muintir an Aontais go géar as ucht an dul chun cinn sin, áfach.

---

tascobair piecework • **difreálach** differential • **earra tomhaltais** consumer good • **seal** shift
spiara partition, screen • **forbhreathnú** overview

Ceisteanna

An Gnáthleibhéal

Déan staidéar ar na táblaí thíos agus freagair na ceisteanna a leanas.

	Arbhar an Fhómhair (ina mhilliúin tonnaí)
1913	80.0
1922	50.3
1925	72.5

	Beostoc (ina milliúin)		
	Capaill	Eallach	Muca
1916	35.5	58.9	20.3
1922	24.1	45.8	12.0
1925	27.1	62.4	21.8

1. Cén bliain inar shroich an táirgeacht talmhaíochta sa Rúis an leibhéal ab ísle aici?

2. Mínigh cad chuige ar tharla sé sin.

3. Thug Leinín an Polasaí Nua Eacnamaíoch (PNE) isteach in 1921. Ag baint úsáide as na sonraí sna táblaí, mínigh tionchar an PNE ar earnáil talmhaíochta na Rúise sa tréimhse 1922-25.

An tArdleibhéal

1. Le linn na tréimhse 1920-39 rinneadh cumhacht talmhaíochta den Rúis – tír a bhí ina tír iargúlta talmhaíochta roimhe sin. Mínigh an chaoi a ndearnadh é sin.

2. Déan cur síos ar pholasaithe Leinín agus Stailín sna blianta idir an dá chogadh domhanda.

12 An tSochaí le linn an Dara Cogadh Domhanda

Réamhrá

Bhí tionchar i bhfad ní ba dhírí ag an Dara Cogadh Domhanda ar *shibhialtaigh na dtíortha a bhí páirteach ann ná mar a bhí ag an gCéad Chogadh Domhanda. Ba chogadh é ina raibh pobal iomlán tíortha áirithe páirteach; bhí an pobal ina mbaill de na fórsaí armtha, ina n-oibrithe i dtionscal a bhí bainteach leis an gcogadh, ina sibhialtaigh a d'fhulaing *bombardú ón aer, nó ina *n-íospartaigh i bpolasaí *olldíothaithe.

*An Fronta Baile

An 'fronta baile' a thugtar ar dhaonra sibhialtach tíre atá i mbun cogaíochta, agus gníomhaíochtaí an daonra sin. An tionchar a bhí ag an Dara Cogadh Domhanda ar fhronta baile na dtíortha sin a bhí páirteach sa chogadh, ba thionchar é nach bhfacthas riamh cheana. Bhí cuid mhór *míchaoithiúlachta ann. Cuireadh *lánmhúchadh i bhfeidhm go docht san oíche, agus de bharr ganntanas peitril, gearradh siar go dian ar an gcóras iompair phoiblí. Ba ghá na bóithre agus na hiarnróid chun trúpaí a bhogadh ó áit go háit, agus dá bhrí sin iarradh ar shibhialtaigh laghdú go mór ar a dtaisteal. Bhí gach uile rud gann, ó bhia go *hearraí maisíochta.

Na tíortha go léir a bhí i mbun cogaíochta, rinne siad cinsireacht ar an nuacht, agus chuir siad teorainn leis an eolas a tugadh don phobal ginearálta. Mheabhraíodh póstaeir de shíor don phobal: 'Cuireann Caint Mhíchúramach an Bheatha i mBaol'. Sa chuid den Eoraip a bhí faoi chois ag na Naitsithe, ba *chion é éisteacht le craoltaí raidió de chuid na gComhghuaillithe, agus d'fhéadfaí tú a chur chun báis dá bharr.

*Ciondáil

De réir mar a neartaigh ionsaithe na nU-Bhád ar lánaí *loingseoireachta, tugadh isteach córas ciondála bia sa Bhreatain. In mí Eanáir 1940 tugadh leabhar ciondála do gach duine sa tír. D'fhéadfaí cúpóin as an leabhar ciondála a mhalartú, sna siopa áitiúla, ar thae, siúcra, im, margairín, *sailleanna cócaireachta, feoil, bagún, uibheacha, etc. Ba é seo a leanas a bhí i gciondáil thipiciúil bhia do dhuine fásta ar feadh seachtain amháin: ocht n-unsa siúcra, dhá unsa ime, trí unsa ola chócaireachta, ceithre unsa bagúin, agus trí phionta bainne.

Ní dhearnadh glasraí úra, torthaí ná ispíní a chiondáil, ach ní i gcónaí a bhídís ar fáil. Ní raibh aon rian de thorthaí *neamhdhúchasacha (iompórtáilte) ar sheilfeanna na siopaí, mar shampla bananaí agus oráistí. Ní dhearnadh beoir ná tobac a chiondáil mar gur measadh gur ghá iad sin le *meanma na ndaoine a choinneáil ard. Mar sin féin, bhí siad chomh gann is a bhí gach rud eile. Tháinig meath ar chaighdeán na beorach mar gur tosaíodh á déanamh as coirce agus prátaí, in ionad na heorna.

---

sibhialtach civilian • bombardú bombardment • íospartach victim • olldíothú mass extermination
An Fronta Baile Home Front • míchaoithiúlacht inconvenience • lánmhúchadh blackout
earra maisíochta toiletry • cion offence • ciondáil rationing • loingseoireacht shipping
saill fat • neamhdhúchasach non-native • meanma morale

Gríosaíodh daoine le hábhar bia a chur ag fás ina ngairdín. Mar chuid den fheachtas
*'**Tochail ar son an Bhua**', rinneadh *ceapacha glasraí as páirceanna poiblí. Bhunaigh *<u>an
Aireacht Bia</u> '**Bialanna Briotanacha**', chomh maith, chun béilí maithe *cothaitheacha a
chur ar fáil ar phraghas íseal.

Spreagadh *barainneachtaí de gach sórt. Iarradh ar an ngnáthphobal airgead agus earraí
a bhronnadh ar mhaithe leis an gcogadh, trí *achainíocha mar 'Chiste an *Spitfire*' nó
'Seachtain na Long Cogaidh'. I measc na n-earraí a bronnadh bhí potaí agus
*friochtáin *alúmanaim.

Cé go bhfuil cuma an ghéarchruatain, de réir chaighdeán an lae inniu, ar an
gciondáil a bhí sa Bhreatain, ba mheasa an cruatan sa chuid den Eoraip a bhí
*forghafa ag na Naitsithe. Shúigh na Naitsithe soláthairtí bia as tíortha eile chun
an Ghearmáin a chothú. Bhí ar an Danmhairg, an Fhrainc agus an Iorua a
n-easpórtálacha de tháirgí talmhaíochta chun na Gearmáine a mhéadú faoi thrí.
Fuair na mílte bás den ocras freisin nuair nár shroich soláthairtí bia an daonra
sibhialtach de bharr dianchogaíochta i gceantar. Bhí a dóthain de sholáthairtí
riachtanacha bia ag an nGearmáin. Níor laghdaigh an chiondáil aráin ach ó 2,400
gram i mí Mheán Fómhair 1939 go 2,225 gram faoi mhí Dheireadh Fómhair
1944. Itheadh níos mó prátaí agus glasraí nuair a bhí easpa táirgí déiríochta, éisc
agus feola ann. Ní dheachaigh na coinníollacha maireachtála i gcathracha na
Gearmáine in olcas i gceart go dtí feachtais ollmhóra bhuamála na
gComhghuaillithe ó 1942 go dtí 1945 (lch 170).

▲
Garda Baile na Breataine, nó
'Arm Dhaidí'.

*An Garda Baile

Sa Bhreatain, liostáil fir a bhí níos sine, nó nach raibh chomh *haclaí sin, sa Gharda Baile
nó in 'Arm Dhaidí' mar a ghlaoití go ceanúil air. Ba é an phríomhaidhm a bhí ag an arm
sin ná dul i ngleic le saighdiúirí Gearmánacha a thuirlingeodh sa Bhreatain le paraisiút.
Fir a bhí róshean le troid, agus buachaillí 17 nó 18
mbliana d'aois, ba ea formhór na mball. Cé go
raibh easpa arm air, bhí tionchar dearfach ag an
nGarda Baile ar mheanma phobal na Breataine le
linn an chogaidh.

Ról na mBan le linn an Chogaidh

Sa Bhreatain, mhéadaigh go mór ar a oiread ban a
chuaigh amach ag obair le linn an chogaidh, ag
déanamh oibre a bhíodh na fir a dhéanamh go dtí
sin. Chuaigh siad ag obair mar stiúrthóirí bus, mar
oibrithe poist, mar thiománaithe traenach agus tram,
etc. Go luath in 1940 chuir rialachán nua iallach ar
mhná neamhphósta, a bhí in aois mhíleata, clárú le
haghaidh seirbhís náisiúnta. Chuaigh a lán acu
isteach i bhforsaí *cúntacha éagsúla mar Aerfhórsa

▲
Baill d'Arm Talún na mBan ag fáil treoracha ar *threabhadh le
tarracóir, in Institiúid Talmhaíochta Somerset i mí na Bealtaine 1941.

Cúntach na mBan, mar an tSeirbhís Chúntach Áitiúil Talún agus Seirbhís Ríoga
Chabhlaigh na mBan. Bhí cuid eile acu ag obair i monarchana *muinisin (airm).

Tochail ar son an Bhua Dig for Victory • **ceapach** plot • **An Aireacht Bia** Ministry of Food
cothaitheach nourishing • **barainneacht** economy • **achainí** appeal • **friochtán** pan
alúmanam aluminium • **forghafa** occupied • **An Garda Baile** The Home Guard • **aclaí** fit
cúntach auxiliary • **muinisean** munitions • **treabhadh** ploughing

Bhí **Arm Talún na mBan** ann leis an táirgeadh bia a mhéadú. Go luath in 1940 bhí breis is 25,000 ball in Arm na Talún. Ba í **Seirbhís Dheonach na mBan** an eagraíocht ban ba mhó, agus iad ag cabhrú le daoine a bhí ag fulaingt de bharr ionsuithe buamála.

Scéal eile ar fad a bhí sa Ghearmáin. Ar feadh na 1930idí, spreag Hitler na mná le fanacht sa bhaile. Go fiú le linn na mblianta ba dheacra sa Ghearmáin, 1944-45, ba lú mná a bhí sa líon saothair ná mar a bhí sa Bhreatain. Níor chóir dearmad a dhéanamh, áfach, gur bhain an Ghearmáin leas as na mílte 'oibrithe sclábhaíochta' ón iasacht le linn an chogaidh. Faoi 1944, ba phríosúnach cogaidh nó oibrí eachtrannach (***Fremdarbeiter***) duine as gach cúigear oibrí sa Ghearmáin. I gcaitheamh an chogaidh, *earcaíodh go héigeantach seacht milliún oibrí, agus ba mhná milliún go leith díobh sin: ceithre mhilliún as an Aontas Sóivéadach, milliún amháin as an bPolainn, agus an chuid eile as an mBeilg, as an bhFrainc agus as an Ollainn. Níor tugadh a gcearta dlíthiúla do na hoibrithe as Oirthear na hEorpa, agus ba mhinic a coimeádadh i sluachampaí géibhinn iad.

De réir mar a chuaigh an cogadh chun fadála, mhéadaigh ar thábhacht na mban i gcogaíocht na Gearmáine, agus bhí ar an bPáirtí Naitsíoch athmhachnamh a dhéanamh ar a bpolasaí maidir le mná a bheith fostaithe. Faoi 1943 bhí ar na mná go léir san aoisghrúpa 17-45 clárú le haghaidh seirbhís náisiúnta. Faoi 1945, áfach, ní raibh curtha ag obair le *táirgeadh cogaidh (tionscal na cogaíochta) ach milliún bean. D'oil an SS breis agus 3,500 bean mar ghardaí sluachampaí géibhinn. Ba bheag an difríocht a bhí idir iad agus a gcomhghleacaithe fireanna, maidir lena ndearcadh agus a ngníomhartha.

Toradh dearfach amháin a tháinig as an gcogadh do na mná ná gur fhill siad ar ollscoileanna na Gearmáine ina sluaite; ba mhná 61% de na mic léinn faoi 1945.

> **Táirgeadh Cogaidh:** Táirgeadh na n-ábhar a theastaíonn le haghaidh cogaidh, mar shampla buamaí, tancanna agus gunnaí.

Cathracha á mßuamáil

Cé gur tháinig deireadh le Cath na Breataine in 1941, lean na Gearmánaigh dá ruathair oíche isteach go maith in 1942. Ba é a bhí i gceist sna ruathair sin ná buamaí ardphléascacha, *buamaí loiscneacha (buamaí chun tinte a thosú) agus mianaigh pharasiúit (scrios siad sráideanna iomlána), a scaoileadh anuas. Rinneadh damáiste uafásach do Londain, Coventry, Sheffield agus *Glaschú. D'éalaíodh na sibhialtaigh ó na buamaí, isteach i 'm**botháin Anderson**' (a bhí sa talamh agus iad clúdaithe le cré), agus i stáisiúin iarnróid faoi thalamh (an tiúb). Théidís isteach, freisin, i mboscaí cruach a bhíodh i dtithe agus i bhfoirgnimh, ar glaodh *'**scáthláin Morrison**' orthu. Cé gur maraíodh breis is 44,000 sibhialtach le linn na ruathar sin, theip orthu misneach na ndaoine a bhriseadh. Ina áit sin, tháinig cineál comh-mhisneach chun cinn, agus mhothaigh na sibhialtaigh comhbhá áirithe leis na saighdiúirí a bhí sa 'líne thosaigh'.

Sa sliocht thíos, as a leabhar *Child at War*, tá cuntas ag George Macbeth ar an dearcadh a bhí aigesean, agus é ina pháiste in Sheffield, ar aer-ruathair na nGearmánach in 1940:

*Ar maidin, shiúlainn ar feadh Bhóthar Clarkehouse agus mo shúile greamaithe den chosán ar thóir *srapnail* (blúirí de bhuama). *Bhí nós ann srapnal a bhailiú, agus ba bheag lá a tháinig mé abhaile gan lán póca de ghiotaí *spiacánacha, meirgeacha, i leith is gur píosaí dothuigthe as *'míreanna mearaí de phian agus d'fhoréigean iad.*

*Ar ndóigh, ní mar sin a chonaiceamar iad ag an am. Ní raibh iontu ach bréagáin shaora ón spéir, chomh líonmhar agus chomh suimiúil leis na cnónna capaill i *nGairdín na Lus, nó na dearcáin, agus siní astu, ar Ascaill Melbourne.*

---

earcaigh recruit • **táirgeadh cogaidh** war production • **buama loiscneach** incendiary • **Glaschú** Glasgow **scáthlán** shelter • **srapnal** shrapnel • **spiacánach** jagged • **míreanna mearaí** jigsaw **Gairdín na Lus** Botanical Gardens

Ó 1942 ar aghaidh, d'fhulaing sibhialtaigh na Gearmáine an chinniúint chéanna lena *macasamhla sa Bhreatain, mar go raibh na Comhghuaillithe i mbun aer-ruathair ollmhóra oíche ar chathracha tionsclaíochta na Gearmáine. Ba é an ruathar ar Dresden ar an 13-14 Feabhra 1945 an ruathar ba mhillteanaí. Maraíodh breis is 50,000 duine – sibhialtaigh ar an gcuid ba mhó – i *stoirm olldóiteáin i ndiaidh ruathair inar scaoil breis is 800 buamadóir *Briotanach 2,600 tonna de phléascáin anuas ar lár na cathrach. Bhí daonra Dresden méadaithe ag *dídeanaithe a theith roimh theacht na Sóivéadach, agus ag dídeanaithe a aslonnaíodh as cathracha a buamáladh cheana féin.

Teaghlach as Glaschú ag siúl lena gcuid *sealúchais síos sráid a sriosadh le linn aer-ruathair na nGearmánach.

Aslonnú

Páistí aslonnaithe ag dul ar thraein sa Bhreatain in 1938.

An Bhreatain

In 1938 ba luaithe a rinneadh pleananna le páistí as Londain a aslonnú, nuair a bhagair Chamberlain cogadh ar Hitler de bharr a chuid pleananna an tSúidéatlainn sa tSeicslóvaic a ghabháil. Bhunaigh an Rialtas **Coiste Impiriúil Cosanta**, a chuir amach tuarascáil a rinne áibhéil mhór faoi líon na *dtaismeach a bheadh ann. Mheas an tuarascáil go marófaí beagnach milliún duine, agus go ngortófaí breis is milliún duine, sa Bhreatain, le linn an chéad dá mhí den chogadh. Ainmníodh ceantair a mbeadh baol ard iontu, agus ullmhaíodh ceantair ní ba shábháilte faoin tuath le glacadh le plód mór daoine.

Nuair a thosaigh an cogadh i mí Mheán Fómhair 1939, cuireadh an plean aslonnaithe i bhfeidhm láithreach. Thionlaic a dtuismitheoirí agus a múinteoirí na mílte páistí chuig stáisiúin traenach agus *busárais le go gcuirfí ar *altramas faoin tuath iad. Bhí cás ag gach páiste, ina raibh athrú éadaigh agus masc gáis i mbosca. Bhí lipéad greamaithe dá gcóta, ar a raibh a n-ainm, a n-aois, a seoladh agus a *gceann cúrsa.

---

macasamhail counterpart • **stoirm olldóiteáin** firestorm • **Briotanach** British • **dídeanaí** refugee
sealúchas belongings • **taismeach** casualty • **busáras** bus station • **altramas** fosterage
ceann cúrsa destination

An *Blitz*:
Is é is ciall leis an *Blitz* ná aer-ruathair na Gearmáine ar Londain, Coventry agus cathracha tionsclaíocha eile sa Bhreatain le linn 1940-41.

Mhair an feachtas trí lá, agus sa thréimhse sin aslonnaíodh 827,000 páiste, 103,000 múinteoir agus oibrí sóisialta, 524,000 máthair agus leanbh, 13,000 bean a bhí ag súil le leanbh, agus 7,000 duine a raibh *míchumas orthu.

Mórán de na daoine a aslonnaíodh, d'fhill siad ar na cathracha le linn *an Chogaidh Bhréige (Meán Fómhair 1939 go Bealtaine 1940), i.e. na haer-ruathair a rabhthas ag súil leo, níor tháinig siad. Rinneadh aslonnú nua a eagrú go tapa, áfach, le tús an *Blitz* (lch 105) i mí Mheán Fómhair 1940.

Mhéadaigh nó laghdaigh líon na *n-aslonnaithe, ag brath ar dhéine na bhfeachtas buamála. Le linn shamhradh 1944 a rinneadh an t-aslonnú ba mhó as Londain, nuair a thosaigh Roicéid VI na Gearmáine ag stealladh anuas ar an gcathair.

An Fhrainc

Ní raibh an t-aslonnú chomh heagraithe sin sa Fhrainc. I mí an Mheithimh 1940 theith tuairim is cúig mhilliún duine as a mbaile sa chaoi go seachnóidís Arm na Gearmáine, a bhí ag déanamh orthu. Ba bheag cabhair a fuair na haslonnaithe ón Rialtas, a theith as Páras iad féin, ar an 10 Meitheamh. In Versailles bhí an fógra seo a leanas ar halla an bhaile: 'Seo cuireadh ón Méara don phobal teitheadh.' Tháinig méadú ar dhaonra chathracha dheisceart na Fraince, ag cruthú fadhbanna riaracháin agus sóisialta do na comhairlí áitiúla.

Níor mhair an *Exode* (nó an t-ollimeacht), mar a tugadh air, rófhada. Tar éis shíniú an tsos cogaidh ar an 22 Meitheamh, lig na Gearmánaigh d'fhormhór na n-aslonnaithe filleadh abhaile.

An tAontas Sóivéadach

San Aontas Sóivéadach, aistríodh cuid mhór den daonra soir, mar chuid de phlean míleata/eacnamaíoch arbh é a chuspóir tionscail na Rúise a chur thar *raon buamála Aerfhórsa na Gearmáine. Idir mí Iúil agus mí na Samhna 1941, aistríodh breis is 1,503 monarcha. Bhí formhór thionscail na Rúise aistrithe faoi shamhradh 1942. A luaithe is a bhí na monarchana ag feidhmiú i gceart, agus na scileanna tionsclaíochta ba ghá faighte, chuaigh mná in ionad a bhfear céile agus a ndeartháireacha, mar go raibh géarghá leis na fir ar an bhfronta.

*Dídeanaithe

Thosaigh daoine ag teitheadh as an nGearmáin ón uair a tháinig Hitler i gcumhacht in 1933. Faoi dheireadh na bliana sin, bhí breis is 65,000 duine teite as an tír. Lonnaigh a bhformhór sa bhFrainc. Idir 1933 agus 1939, theith breis is 56,000 *dídeanaí as Gearmáin na Naitsithe, as an Ostair agus as an tSeicslóvaic, chun na Breataine. Ba Ghiúdaigh a dtromlach sin; lorg líon beag de fhreasúra polaitiúil na Naitsithe dídean sa Bhreatain chomh maith.

I mí Aibreáin 1933 dúirt pobal Giúdach na Breataine leis an Rialtas go n-íocfaidís-sean as costas na ndídeanaithe Giúdacha a bhí ag teacht isteach. Ó 1934 ar aghaidh, bhí ar dhaoine a bhí ag teitheadh as an nGearmáin ***cáin eisimirce**' an-ard a íoc. Mar thoradh

---

míchumas disability • **An Cogadh Bréige** The Phoney War • aslonnaí evacuee
raon buamála bombing range • dídeanaí refugee • cáin eisimirce emigration tax

air sin, ba bheag airgead a bhí ag formhór na ndídeanaithe nuair a shroich siad an tír a raibh siad ag teitheadh chuici.

Tar éis don chogadh tosú in 1939, ba dodhéanta, nach mór, éalú as an nGearmáin nó as Oirthear na hEorpa, mar dhídeanaí. Faoi mhí na Bealtaine 1940, ba bheag dídeanaí a bhí ag teacht isteach sa Bhreatain. I gcaitheamh na chéad chúig bliana eile, de na dídeanaithe a bhí ag éalú as an gcuid den Eoraip a bhí gafa ag na Naitsithe, níor éirigh ach le 6,000 díobh an Bhreatain a bhaint amach. Faoi 1935 thosaigh bá an phobail le cás na ndídeanaithe, ag meath. Bhí polaiteoirí agus nuachtáin áirithe naimhdeach go *neamhbhalbh:

> *A luaithe is a fhaightear amach go bhfuil *tearmann (sábháilteacht) le fáil sa Bhreatain ag gach aon duine a thagann chun na Breataine, osclófar na geataí agus báfar muid ag na mílte a bheidh ag lorg áit chónaithe.*
>
> As ***Daily Mail***, 1935.

Chuir Aontas Faisistithe na Breataine in aghaidh na ndídeanaithe mar 'go raibh siad ag baint a bpostanna d'oibrithe Briotanacha'.

Bhí eisimirce na nGiúdach chuig an bPalaistín ina *cnámh spairne ag Rialtas na Breataine. Thosaigh Arabaigh na Palaistíne ag agóidíocht mar go raibh siad buartha faoina dtodhchaí. Bhí Rialtas na Breataine ag iarraidh fanacht cairdiúil le rialtais Arabacha an Mheánoirthir, ar eagla go mbeadh cogadh sa réigiún sin. In 1937 chuir an Bhreatain teorainn 10,000 leis an líon dídeanaithe Giúdacha a mbeadh cead isteach sa Phalaistín acu, go ceann cúig bliana.

I mí Iúil 1938 tionóladh comhdháil idirnáisiúnta ar dhídeanaithe in Evian na Fraince. Theip ar an gcomhdháil teacht ar shocrú de bharr nach raibh formhór na dtíortha sásta líon mór dídeanaithe a ligean isteach ina dtír féin.

Saighdiúirí Gearmánacha ag gabháil Giúdach i mBúdaipeist in 1943 lena ndíbirt go sluachampaí géibhinn.

Neartaigh an bá le dídeanaithe Giúdacha ó mhí Lúnasa 1942 ar aghaidh de réir mar ar tháinig scéala go dtí an Bhreatain faoi dhíbirt na nGiúdach go *geiteonna. Ar an 30 Nollaig, áfach, thug Anthony Eden, an Rúnaí Gnóthaí Eachtracha, eolas don *Chomh-aireacht Chogaidh nach bhféadfadh an Bhreatain ach 1,000-2,000 dídeanaí breise a ligean isteach. I mí Aibreáin 1943, de bharr brú ón bpobal, d'eagraigh Rialtas na Breataine comhdháil idirnáisiúnta eile faoi na dídeanaithe – i mBeirmiúda. Chríochnaigh an Chomhdháil i sáinn arís eile nuair a dhiúltaigh na rialtais gealladh go nglacfaidís le líon mór dídeanaithe.

---

neamhbhalbh outspoken, open • **tearmann** sanctuary • **cnámh spairne** bone of contention
geiteo ghetto • **An Chomh-aireacht Chogaidh** The War Cabinet

De réir mar a chas an taoide sa Dara Cogadh Domhanda, bunaíodh eagraíocht darbh ainm ***Eagraíocht Fóirithinte agus Athshlánaithe na Náisiún Aontaithe** in 1943; níor mhair sí i bhfad. Idir 1943 agus 1946 chabhraigh an eagraíocht sin le breis is 30 milliún dídeanaí agus *díláithreach ar fud an domhain a fágadh gan dídean i ndiaidh dheireadh an Dara Cogadh Domhanda.

Eochairchoincheap: *Frithbheartaíocht

Tháinig gluaiseachtaí frithbheartaíochta chun cinn ag an am céanna sna tíortha go léir a bhí *forghafa. Rinne na gréasáin rúnda sin *sabaitéireacht, phléasc siad droichid agus scrios siad línte iarnróid agus teileafóin. Chuidigh siad, freisin, le píolótaí, etc., de chuid na gComhghuaillithe a thuirling sna críocha forghafa.

I rith an chéad dá bhliain den chogadh, bhí drocheagar ar na gluaiseachtaí frithbheartaíochta, agus níor éirigh leo cur isteach i gceart ar fhorghabháil na Naitsithe. Ó 1942 ar aghaidh, áfach, de réir mar a chuaigh staid an gheilleagair in olcas, tosaíodh ag tabhairt níos mó tacaíochta do na gluaiseachtaí frithbheartaíochta.

Rinne ***Feidhmeannas Oibríochtaí Speisialta na Breataine** (*SOE*), i dteannta ***Oifig Sheirbhísí Straitéiseacha Mheiriceá** (*OSS*), teagmháil le gluaiseachtaí frithbheartaíochta, agus chuir siad airm agus muinisin ar fáil dóibh. Bhain grúpaí áirithe frithbheartaíochta leas as teicnící nach raibh chomh dainséarach sin, mar shampla, feachtais *mhoilleadóireachta'. Ba iad na Seicigh ab fhearr chuige sin: bhí siad cairdiúil leis na Gearmánaigh, ach bhí an obair a rinne siad mí-éifeachtúil.

Frithbheartaíocht na Fraince

Bhí roinnt gluaiseachtaí frithbheartaíochta sa Fhrainc, ina raibh réimse iomlán tuairimí polaitiúla ó chlé go deas. Bhunaigh siad grúpaí armáilte troda ar a nglaoití na *Maquis* (i ndiaidh cineál *duilliúir a bhí sa Chorsaic, a dtéadh trodaithe frithbheartaíochta an oileáin i bhfolach ar a chúl). Rinne Charles de Gaulle, a raibh *'Rialtas ar Deoraíocht' Francach bunaithe aige i Londain, iarracht na grúpaí difriúla a chomhordú. Seo léiriú ar ról na ngluaiseachtaí frithbheartaíochta ag de Gaulle ina leabhar *Mémoires de Guerre* (Cuimhní Cogaidh), 1954:

*Ní shamhlaímid ach eagraíocht a ligfidh dúinn na nithe seo a dhéanamh ag an am céanna: eolas a chur ar fáil d'oibríochtaí na gComhghuaillithe trí fhaisnéis faoin namhaid a thabhairt dóibh; frithbheartaíocht in aghaidh an namhad a mhúscailt i ngach réigiún, agus soláthairtí a chur ar fáil do gach fórsa atá báúil linn, agus a bheidh páirteach, ag an am cuí, ar chúl na nGearmánach, i gcogadh na saoirse, ar mhaithe le hullmhú d'athshlánú shláinte ár dtíre a luaithe is a bhainfear an bua. Caithfear an Fhrainc a thabhairt ar ais isteach sa chogadh, sa chaoi go mbeidh sí páirteach sa bhua deiridh. Sa chéad chéim, caithfear gréasáin eolais a bhunú ar mhaithe le *cinn foirne na gComhghuaillithe. Sa dara céim, ba chóir sabaitéireacht a dhéanamh ar eagraíocht chogaíochta an namhad, pé áit ina mbeidh sí, agus diúltú d'aon chomhréiteach leis an údarás forghabhála agus iad sin atá ag cuidiú leis. Sa tríú céim, ba chóir fórsaí míleata a eagrú agus a oiliúint chun an namhaid a ionsaí de réir mar a théann na Comhghuaillithe chun tosaigh, le bac a chur ar a chóir chosanta (an namhaid), agus chun timpeallacht aontaithe náisiúnta a chur chun cinn sa chaoi go n-athbhunófar geilleagar agus saoirsí bunúsacha an náisiúin.*

Eagraíocht Fóirithinte agus Athshlánaithe na Náisiún Aontaithe United Nations Relief and Rehabilitation Organisation • **díláithreach** displaced person • **frithbheartaíocht** resistance • **forghafa** occupied **sabaitéireacht** sabotage • **Feidhmeannas Oibríochtaí Speisialta na Breataine** British Special Operations Executive (SOE) • **Oifig Sheirbhísí Straitéiseacha Mheiriceá** Office of Strategic Services (OSS) • **moilleadóireacht** go-slow **duilliúr** foliage • **rialtas ar deoraíocht** government in exile • **ceann foirne** chief of staff

In 1943, thug Jean Moulin, comhghleacaí de chuid de Gaulle, formhór na ngrúpaí éagsúla frithbheartaíochta le chéile nuair a bhunaigh sé *an Chomhairle Náisiúnta Frithbheartaíochta. Cuireadh comhfhoireann le chéile le haghaidh an airm rúnda sin, faoi cheannasaíochta an Ghinearáil Charles Delestraint. *Baineadh siar as Gluaiseacht Frithbheartaíochta na Fraince i mí an Mheithimh 1943 nuair a gabhadh Moulin. Chéas agus mharaigh an Naitsí, Klaus Barbie ('Búistéir Lyon' an mhíchlú), é ina dhiaidh sin.

Sa Dhanmhairg, daoine a bhí i gcoinne na Naitsithe, bhain siad leas as feachtas *easumhlaíochta sibhialta agus stailceanna le hagóid a dhéanamh i gcoinne fhorghabháil na Gearmáine. Nuair a d'ordaigh na Naitsithe do Ghiúdaigh na Danmhairge réalta bhuí a chaitheamh, tháinig Rí na Danmhairge − duine nár Ghiúdach é − amach agus réalta bhuí á caitheamh aige. D'éirigh le gluaiseachtaí frithbheartaíochta Danmhargacha formhór an 5,000 Giúdach de chuid na Danmhairge a smuigleáil chun sábháilteachta sa tSualainn, a bhí neodrach.

Josip Broz (Tito) agus an Fhrithbheartaíocht san Iúgslaiv

Nuair a ghabh na Gearmánaigh an Iúgslaiv i mí Aibreáin 1941, bhunaigh ceannaire cumannach, Josip Broz (ar tugadh an leasainm 'Tito' air ina dhiaidh sin), grúpa náisiúnta frithbheartaíochta ar tugadh na ***Páirtiseáin** orthu. Chruthaigh siad iad féin gan mhoill mar an t-arm *treallchogaíochta ab éifeachtaí san Eoraip. Bhí taithí mhíleata faighte ag Tito ag troid ar thaobh na bPoblachtach i gCogadh Cathartha na Spáinne. Faoi dheireadh 1942, bhí 28 briogáid in arm Tito, agus 3,000-4,000 fear agus bean i ngach ceann díobh. Threoraigh Tito dá chuid fórsaí gan dul i gcathanna móra le hArm na Gearmáine, arm a bhí i bhfad níos fearr ná iad, ach 'treallchogaíocht' a fhearadh faoin tuath.

D'éirigh go hiontach le hiarrachtaí Tito, agus cuireadh an ruaig ar Arm na Gearmáine as an gcuid ba mhó den tSeirbia faoi dheireadh mhí Mheán Fómhair 1941. Mar fhreagra, d'ordaigh an Ginearál Gearmánach Keital go gcuirfí 50-100 siabhaltach chun báis mar phionós, dá marófaí oiread agus saighdiúir Gearmánach amháin.

Idir 1941 agus 1943 chuir Tito agus a Arm cúig ionsaí Gearmánach díobh. Ó dheireadh 1943 ar aghaidh fuair a chuid fórsaí airm ó na Comhghuaillithe. Ar deireadh, faoi mhí an Mhárta 1945, bhí an ruaig curtha ag Tito ar na Gearmánaigh as an Iúgslaiv ar fad; chiallaigh sin gurbh é an t-aon cheannaire frithbheartaíochta é a shaor a thír féin gan cúnamh míleata ar an líne thosaigh, ó na Comhghuaillithe.

Ba mhinic a d'fhulaing na sibhialtaigh de bharr ghníomhartha na ngrúpaí frithbheartaíochta. Bhaineadh na Naitsithe díoltas amach nuair a d'éiríodh le hionsaí de chuid na ngrúpaí frithbheartaíochta. Scrios siad Lidice, sráidbhaile sa tSeicslóvaic, agus dhúnmharaigh siad 340 de mhuintir an tsráidbhaile, agus sheol siad an chuid eile chuig sluachampaí géibhinn, chun go gcuirfí *athoideachas orthu i dteaghlaigh Ghearmánacha. Rinne siad *ár freisin ar 642 fear, bean agus páiste in Oradour-sur-Glane, sráidbhaile sa Fhrainc. Ansin *chreach siad an baile agus dhóigh siad gach foirgneamh ann.

▲
An Marascal Tito (1892-1980), Ceannaire Cumannach na hIúgslaive sna 1940idí.

> **Arm *treallchogaíochta:** Arm neamhrialta, nó neamhoifigiúil, a dhéanann ionsaithe tobanna 'buille is teitheadh' ar a namhaid.

An Chomhairle Náisiúnta Frithbheartaíochta The National Resistance Council
baineadh siar as it suffered a setback • **easumhlaíocht shibhialta** civil disobedience
páirtiseán partisan • **treallchogaíocht** guerrilla war • **athoideachas** re-education • **ár** massacre
creach loot

Frithbheartaíocht Ghearmánach in aghaidh Hitler

Laistigh den Ghearmáin, tír a raibh an *t-ollsmachtachas i bhfeidhm inti, tháinig grúpaí beaga frithbheartaíochta chun cinn. Ba dhaoine óga mórán díobh sin a bhí sna grúpaí sin. Bhain baill de ghrúpaí mar sin leas as an mbláth *Edelweiss* mar shiombail, mar a bhain grúpa Caitliceach frithbheartaíochta as an mBaváir freisin – *Foghlaithe *Edelweiss*. Bhris an *Gestapo* an grúpa seo as a chéile ach tháinig siad le chéile arís agus leath siad go dtí áiteanna eile sa Ghearmáin, go háirithe go dtí cathracha tionsclaíocha. In Köln, in 1944, crochadh 12 bhall d'Fhoghlaithe *Edelweiss* go poiblí, mar shampla d'ógánaigh eile.

Grúpaí eile a bhí ann ná *Die Mute* (An Misneach) in Leipzig, an Grúpa 07 in München, agus an *Verband* (an Comhlachas) ó *bhunchnoic na nAlp sa Ghearmáin. Ba ghrúpa darbh ainm **an Rós Bán** an ghluaiseacht óige b'eagraithe agus ba pholaitiúla, agus ba in Ollscoil München, faoi cheannasaíocht Hans agus Sophie Scholl, a bhí siad. D'fhoilsigh siad agus scaip siad bileoga frith-Naitsíocha. I mí an Mheithimh 1942 cháin bileog de chuid an Róis Bháin marú na nGiúdach i rith fheachtas na Polainne. Ní raibh slándáil cheart ar a bhfeachtas ón tús, agus tharraing a n-oscailteacht aird an Gestapo orthu. I mí Feabhra 1943 gabhadh agus cuireadh chun báis Hans agus Sophie Scholl, mar aon le baill eile den ghrúpa. Chuir sé sin deireadh leis an éirí amach ba mhó ag an óige i gcoinne an Naitsíochais.

Ba é **Ciorcal *Kreisau*** an grúpa frithbheartaíochta ba mhó le rá i gcomhair daoine fásta; as eastát a gceannaire, an *Cunta Helmuth von Moltke, a ainmníodh an grúpa. Bhíodh comhdhálacha rúnda ag Ciorcal *Kreisau* in 1942 agus in 1943, inar phléigh siad todhchaí na Gearmáine nuair a chuirfí deireadh leis an Naitsíochas. Bhí baint ag mórán dá chuid ball le plota an Airm le Hitler a mharú i mí Iúil 1944 – plota nár éirigh leis. Cuireadh formhór na mball – von Moltke san áireamh – chun báis sa *phurgú a rinneadh i ndiaidh an phlota.

Cé gur theip ar na grúpaí frithbheartaíochta sin aon mhórthionchar a bheith acu ar *threascairt an Naitsíochais, bhí siad ina bhfoinse inspioráide ag glúine Gearmánach ina dhiaidh sin, trína mheabhrú dóibh nár lean gach aon duine go humhal tuairimí na Naitsithe.

Eochairchoincheap: *Comhoibriú

Sna tíortha a ndearna na Gearmánaigh forghabháil orthu, d'éiligh siad ar dhaoine a bhí báúil le cúis na Naitsithe, cuidiú leo ina dtasc. Tugadh *comhoibrithe' ar na daoine sin a chomhoibrigh leis an namhaid.

Mórán de na daoine a chomhoibrigh leo, ba de shliocht Gearmánach (*Volkdeutsche*) iad a chónaigh lasmuigh den *Reich*. Ba chuid de mhionlaigh na daoine sin i dtíortha nua, tar éis atarraingt theorainneacha na Gearmáine, faoi théarmaí Chonradh Versailles. Bhraith mionlaigh Ghearmánacha sa Pholainn agus sa tSeicslóvaic gur tugadh drochíde dóibh ina náisiún nua, agus d'fháiltigh siad roimh *choncas na Naitsithe.

Comhoibrithe eile, ba *náisiúnaigh de chuid na dtíortha forghafa iad a d'aontaigh cuidiú leis na Naitsithe as díograis d'idé-eolaíocht na Naitsithe nó as *féinleas. I gcás daoine eile, ba é an frith-Sheimíteachas nó an frith-Chumannachas a mheall i dtreo an Fhaisisteachais iad.

---

ollsmachtachas totalitarianism • **foghlaí** pirate • **bunchnoc** foothill • **cunta** count • **purgú** purge
treascairt downfall • **comhoibriú** collaboration • **comhoibrí** collaborator • **concas** conquest
náisiúnach national • **féinleas** self-interest

176

Quisling agus Comhoibriú san Iorua

I ndiaidh ionradh na Gearmáine ar an Iorua i mí Aibreáin 1940, d'fhógair Vidkin Quisling, ceannaire pháirtí na heite deise **Nasjonal Samling** (Aontas Náisiúnta), Páirtí Sóisialach Náisiúnta na hIorua, é féin ina cheannaire ar an Rialtas. Ba bheag tacaíocht a bhí aige san Iorua, agus cuireadh iallach air tarraingt siar tar éis dó a bheith i gcumhacht ar feadh tréimhse ghearr. Cheadaigh an fhorghabháil Ghearmánach dó, áfach, a bheith ina cheannaire ar *'rialtas puipéid' ó 1942 go 1945.

B'ainm nua ar *'thréatúir' an t-ainm *Quisling* feasta. I ndiaidh shaoradh na hIorua cuireadh chun báis é, as a bheith ina chomhoibrí.

D'fhógair Vidkun Quisling (1887-1945) (ar deis) é féin ina Cheannaire Rialtais tar éis ionradh na Gearmáine ar an Iorua i mí Aibreáin 1940. Tá Himmler, ceannaire an SS, suite ar clé.

Comhoibriú na Fraince

Rinne a lán lán daoine sa Fhrainc comhoibriú. Chuir an *Marascal Pétain, le tacaíocht ó Laval agus Darlan, riailréim leath-Fhaisisteach de chuid na heite deise i bhfeidhm i Stát Vichy sa Fhrainc, áit nach raibh forghafa (Caibidil 9). Léirigh daoine eile sa cheantar forghafa meas go hoscailte ar an Naitsíochas. I measc na ngrúpaí a chomhoibrigh bhí an PPF (Parti Populaire Française nó Páirtí Pobail na Fraince) faoi cheannasaíocht Jaques Doriot. D'eagraigh Doriot 'Léig na nÓglach Francach in aghaidh an Bhoilséiveachais' chun troid i gcoinne na Rúiseach ar an bhFronta Thoir. Theith sé chun na Gearmáine i ndiaidh an teacht i dtír sa Normainn, áit ar maraíodh é in aer-ruathar de chuid na gComhghuaillithe. Chuaigh daoine eile sa *Milíce*, *fórsa cúntach póilíneachta a rinne *ainghníomhartha uafásacha.

An *Ustasa* agus Comhoibriú na Cróite

Roghnaigh Mussolini Ante Pavelić, Ceannaire Ghluaiseacht Fhaisisteach na Cróite, le rialtas 'puipéid' a riar i stát nua neamhspleách na Cróite idir 1941 agus 1945. D'eagraigh Pavelić an *Ustasa*, gluaiseacht *sceimhlitheoireachta a rinne sléacht ar na mílte Seirbiach, Giúdach, *giofóg agus Cumannaí. Bhí gníomhartha an *Ustasa* chomh dona sin gur éirigh na Gearmánaigh féin imníoch fúthu. Ag deireadh an chogaidh, d'éalaigh Pavelić chun na hAirgintíne, áit ar fhan sé go dtí go bhfuair sé bás in 1959.

An Tiarna *Haw-Haw* agus an Comhoibriú

Bhí William Joyce ar dhuine de na comhoibrithe ba bheoga le linn an chogaidh. Thug iriseoir de chuid an *Daily Express* an 'Tiarna *Haw-Haw*' mar leasainm air mar gheall ar an *tuin shrónach, uasaicmeach a bhí aige. I Nua-Eabhrac a rugadh é, agus in Éirinn agus i Sasana a tógadh é. In 1937 bhunaigh sé Páirtí Sóisialach Náisiúnta na Breataine – páirtí de chuid na heite deise. Theith Joyce chun na Gearmáine go gairid roimh thús an chogaidh agus thairg sé cuidiú do na Naitsithe. Ar feadh an chogaidh bhí sé ag craoladh

rialtas puipéid puppet government • **tréatúir** traitor • **marascal** marshal
fórsa cúntach póilíneachta auxiliary police force • **ainghníomh** atrocity
sceimhlitheoireacht terrorism • **giofóg** gypsy • **tuin** accent

bolscaireacht ghreannmhar fhrith-Bhriotanach as Raidió Hamburg; thug lucht an raidió 'Tiarna *Haw-Haw* Hamburg' air. Bhíodh cuid mhór daoine sa Bhreatain ag éisteacht lena chlár − ar mhaithe le siamsa, don chuid ba mhó.

Ghabh na Comhghuaillithe sa Ghearmáin é i mí na Bealtaine 1945 agus *eiseachadadh chun na Breataine é. Cé gur mhaígh sé go raibh *saoránacht Ghearmánach aige, bhí pas Briotanach aige fós; lig sin don Bhreatain é a chiontú i *dtréas. Crochadh é i bPríosún Wandsworth i mí Eanáir 1946. Ina theachtaireacht phoiblí dheireanach, a tuairiscíodh ar an *BBC*, dúirt sé: 'Agus mé marbh, mar a rinne mé agus mé beo, tabharfaidh mé dúshlán na nGiúdach ba chúis leis an gcogadh deireanach seo, agus tabharfaidh mé dúshlán chumhachtaí an dorchadais arb iad na Giúdaigh iad.'

Díoltas

Nuair a tháinig deireadh leis an gcogadh, bhí na grúpaí frithbheartaíochta ag lorg díoltais orthu sin a chomhoibrigh leis na Gearmánaigh. B'in mar a bhí sa Fhrainc, go háirithe. Cé gur chuir an Rialtas na príomh-chomhoibrithe ar a dtriail, cuireadh mórán eile chun báis gan triail agus gan cead ón rialtas. I gcásanna áirithe, bearradh an ghruaig de chailíní a bhí mór le saighdiúirí Gearmánacha, agus caitheadh amach as a bpobal féin iad. Níor thaitin an *ghéarleanúint ar na comhoibrithe le Charles de Gaulle ach ba bheag a d'fhéadfadh sé a dhéanamh le stop a chur léi. Meastar gur maraíodh idir 30,000 agus 40,000 duine ar an gcaoi sin sa Fhrainc sular athbhunaíodh údarás oifigiúil.

▲ Mná Beilgeacha, agus a gceann á bhearradh mar phionós de bharr iad a bheith mór le saighdiúirí Gearmánacha.

---

eiseachaid extradite • **saoránacht** citizenship • **tréas** treason • **géarleanúint** persecution
treascair overthrow

178

? Ceisteanna

An Gnáthleibhéal

Déan staidéar ar an ngrianghraf agus freagair na ceisteanna atá thíos. Léiríonn an grianghraf mná de chuid na Breataine ag obair i monarcha a dhéanadh *balúin bharáiste (balúin a bhí lán de héiliam, agus iad deartha chun cosc a chur le buamáil íseal ón aer) in 1942.

1. Déan cur síos ar an gcaoi a bhfuil na mná sa ghrianghraf gléasta.

2. Cad chuige ar tháinig méadú mór ar líon na mban a bhíodh ag obair i monarchana le linn bhlianta an chogaidh?

3. An radharc sa phictiúr thuas, ní bheadh sé coitianta sa Ghearmáin. Mínigh an fáth a bheadh leis sin.

4. Scríobh cuntas gairid ar 'Ról na mBan a bhí fostaithe le linn an Dara Cogadh Domhanda'.

Scríobh cuntas ar 'An tSochaí le linn an Dara Cogadh Domhanda', ag baint úsáide as trí cinn de na ceannteidil seo a leanas:

1. Ciondáil
2. Aslonnú
3. Dídeanaithe
4. Comhoibriú
5. Frithbheartaíocht

An tArdleibhéal

1. Déan comparáid agus codarsnacht idir *eispéireas an daonra shibhialtaigh in dhá cheann, ar a laghad, de na tíortha a bhí páirteach sa Dara Cogadh Domhanda.

2. Déan cur síos ar thionchar an Dara Cogadh Domhanda ar an tsochaí, ag baint úsáide as trí cinn de na ceannteidil seo a leanas: Ciondáil; *Aslonnú; Dídeanaithe; Comhoibriú; Frithbheartaíocht.

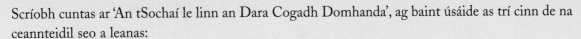

balún baráiste barrage baloon • **eispéireas** experience • **aslonnú** evacuation

13 An Frith-Sheimíteachas agus an *tUileloscadh

Eochairchoincheap: An Frith-Sheimíteachas

Téarma is ea an Frith-Sheimíteachas a úsáidtear chun cur síos a dhéanamh ar an *gclaontacht in aghaidh na nGiúdach. Is minic gurb é is brí le frith-Sheimíteachas nach dtaitníonn Giúdaigh le duine, ach nach n-úsáidfeadh sé/sí foréigean ina n-aghaidh; ach i nGearmáin Hitler bhí níos mó *urchóid ná sin ag daoine do na Giúdaigh, agus úsáideadh foréigean ina n-aghaidh, foréigean a chiallaigh go ndearnadh *olldíothú eagraithe ar a lán de Ghiúdaigh na hEorpa i rith an Dara Cogadh Domhanda.

---

*Claontacht:
Nuair atá claontacht i nduine, tá barúil dhocht aige/aici faoi rud éigean. Is iondúil gur diúltach a bhíonn an bharúil.

Géarleanúint na nGiúdach sa Ghearmáin

Bhí an ghráin ar na Giúdaigh ar cheann de na cúiseanna móra ar tháinig méadú ar thacaíocht an phobail don Naitsíochas sa Ghearmáin. Cé nach raibh iontu ach 1% de dhaonra na Gearmáine, leag Hitler an milleán orthu faoin gcuid ba mhó de dheacrachtaí na Gearmáine i rith na tréimhse idir an dá chogadh (1919-39). Bhain sé leas as an gclaontacht i gcoinne na nGiúdach a bhí sa Ghearmáin, sa Pholainn agus sa Rúis leis na céadta bliain. An t-éad a bhí ar dhaoine faoina fheabhas a d'éirigh leis na Giúdaigh i gcúrsaí tráchtála san Eoraip ba chúis lena lán den ghráin a bhí orthu.

Dlíthe Frith-Ghiúdacha

A luaithe agus a tháinig na Naitsithe i gcumhacht in 1933, rith siad dlíthe frith-Ghiúdacha, ag baint a maoin de na Giúdaigh, agus ag baint a gcearta sibhialta díobh trí iad a dhíbirt as an saol poiblí, as saol an ghnó agus as an saol féin, sa deireadh thiar.

Bhí na dlíthe seo a leanas i measc na bpríomhdhlíthe frith-Ghiúdacha:

*Baghcat:
Diúltú déileáil le duine, gluaiseacht nó imeacht.

- In Aibreán na bliana 1933 cuireadh *baghcat oifigiúil ar shiopaí Giúdacha. Díbríodh na Giúdaigh as an státseirbhís, as na cúirteanna agus as an múinteoireacht. Tugadh córas *cuótaí do na Giúdaigh isteach sna scoileanna agus sna hollscoileanna. Níor cheadaigh an córas sin ach do líon beag Giúdach teacht isteach sna hinstitiúidí sin.

- I mí Mheán Fómhair 1935 choisc **Dlíthe Nürnberg** pósadh idir *Airianaigh agus Giúdaigh, chun nach mbeadh *Mischlinge* (leanaí ó thuismitheoirí as ciníocha difriúla) ann.

- In 1936 cheadaigh Hitler sos gearr ina fheachtas frith-Sheimíteach, toisc go raibh eagla air go ndéanfaí baghcat ar na Cluichí Oilimpeacha i mBeirlín.

- Faoi 1937 d'fhéadfaí gnólachtaí Giúdacha a ghabháil gan cúis dhleathach. Ní raibh

---

An tUileloscadh The Holocaust • **claontacht** prejudice • **urchóid** evil • **olldíothú** mass extermination
baghcat boycott • **cuóta** quota • **Airianach** Aryan

cead a thuilleadh ag Giúdaigh dul isteach i
bpáirceanna poiblí, freastal ar imeachtaí
cultúrtha, ná peataí a bheith acu.

• Ar an 9 Samhain 1938, rinneadh racht
d'ionsaithe eagraithe agus d'fhoréigean in
aghaidh na nGiúdach sa Ghearmáin nuair a
mharaigh Giúdach Ambasadóir na Gearmáine i
bPáras. Faoi dheireadh *Kristallnacht* (Oíche na
Gloine Briste), bhí 20,000 Giúdach i bpríosún,
bhí na dosaenacha díobh marbh, agus bhí a lán
eile díobh teite as an tír.

• In 1939 cuireadh *cuirfiú i bhfeidhm ar na
Giúdaigh agus ní raibh cead acu a dteach a
fhágáil tar éis thitim na hoíche. Ní raibh cead ag
Giúdach ach oiread taisteal ar an gcóras iompair phoiblí,
ná rothar ná gléas raidió a bheith aige/aici.

Fuinneoga briste na siopaí Giúdacha an mhaidin i ndiaidh
Kristallnacht, an 9 Samhain 1938.

Anuas go dtí tús an chogaidh in 1939, rinne riailréim na Naitsithe a ndícheall chun tabhairt
ar Ghiúdaigh dul ar *eisimirce. Leathmhilliún Giúdach a bhí ina gcónaí sa Ghearmáin in
1933. Faoin mbliain 1939, bhí éirithe le breis is 360,000 díobh dul ar eisimirce. Níorbh
fhéidir le roinnt eile an tír a fhágáil de bharr easpa airgid nó nach raibh siad in ann an cháin a
ghearrtaí ar eisimircigh a íoc. Chuir an chuid ba mhó de thíortha na hEorpa cuóta i bhfeidhm
ar *inimirce na nGiúdach, agus dhiúltaigh siad glacadh le Giúdaigh a bhí bocht.

Le tosú an chogaidh in 1939, ghéaraigh ar pholasaí na Naitsithe i leith na nGiúdach. I
dtús báire, ní raibh aon phlean ag na Naitsithe chun déileáil leis na milliúin Ghiúdach a
tháinig faoi cheannas na nGearmánach sa Pholainn agus in Iarthar na hEorpa. Ar dtús,
ní dheachaigh na Gearmánaigh níos faide ná bearta dlí, a bhí bunaithe ar dhlíthe a bhí
cosúil leis na dlíthe a ritheadh sa Ghearmáin cheana féin. Níor fostaíodh Giúdaigh in
oifigí poiblí, gabhadh a gcuid maoine, agus tugadh orthu cónaí i limistéir *shonraithe nó
'geiteonna'.

Na Geiteonna

In 1940 bunaíodh geiteonna nó **Limistéir Chónaithe Ghiúdacha** ar fud na coda
d'Oirthear na hEorpa a bhí forghafa ag na Naitsithe. Bhí ar na Giúdaigh uile
bogadh isteach sna limistéir bhochta chathrach sin. Chuir na póilíní balla agus
sreang dheilgneach timpeall ar na geiteonna. I Vársá na Polainne a bhí an geiteo ba
mhó: 450,000 duine a bhí ann. Aon duine a rinne iarracht fágáil, bhí cead ag na
gardaí é nó í a scaoileadh láithreach. Fuair na mílte daoine sna geiteonna bás –
96,000 i Vársá féin – de bharr plódú agus easpa glaineachta.

'Níl fáilte roimh Ghiúdaigh ar
an mbaile seo' atá scríofa ar
an gcomhartha.

De réir mar a lean an cogadh ar aghaidh, réitigh na Naitsithe pleananna éagsúla
chun an pobal Giúdach a ghlanadh amach as an Eoraip. In 1939 chruthaigh
Reinhart Heydrich, Ceann *SS* Shlándáil an *Reich*, scéim ina gcónódh Giúdaigh uile na
hEorpa ar thailte san oirthear i *gcomarclann idir na haibhneacha, an Viostúile agus an
Bug. Éiríodh as an bplean sin go luath in 1940 de bharr deacrachtaí iompair.

I mí an Mhárta 1940 mhol Hitler plean ina n-aistreofaí ceithre mhilliún Giúdach chuig
Madagascar i ndeisceart na hAfraice. Mar thúschéim sa scéim sin, cuireadh 6,500

---

cuirfiú curfew • **eisimirce** emigration • **inimirce** immigration • **sonraithe** designated
comarclann reservation

Giúdach Gearmánach chuig deisceart na Fraince, faoi smacht Rialtas Vichy. Tháinig deacrachtaí iompair chun cinn arís agus níor cuireadh an plean i bhfeidhm.

Einsatzgruppen (Tascfhórsaí)

An t-ionradh ar an Aontas Sóivéadach in 1941, ghéaraigh sé ar ghéarleanúint na Naitsithe arís ar na Giúdaigh. D'ordaigh Hitler go gcuirfí chun báis gach Cumannaí agus Giúdach a ghabhfaí taobh thiar de línte an namhad. Lean Tascfhórsaí Speisialta *Gluaisteacha de chuid an SS (Einsatzgruppen) an tArm, agus thosaigh siad (Einsatzgruppen) ar dhíothú *córasach a dhéanamh ar Ghiúdaigh an Aontais Shóivéadaigh. Faoi thús 1942 bhí breis is 500,000 duine maraithe ag na Einsatzgruppen sa Pholainn, san Úcráin agus sa Rúis.

Eochairchoincheap: an *tUileloscadh

Is cur síos é an focal 'Uileloscadh' [Holocaust – ón nGréigis holos (iomlán) agus kaustos (*loiscthe)] ar an iarracht chórasach a rinne na Naitsithe chun Giúdaigh na hEorpa a scriosadh.

Ar an 30 Eanáir 1939 chuir Hitler in iúl don Reichstag 'dá mbrúfadh *airgeadaithe idirnáisiúnta Giúdacha cogadh ar an nGearmáin… gurbh é an deireadh a bheadh air go ndéanfaí díothú (scrios iomlán) ar an gcine Giúdach san Eoraip.' Faoin am a chríochnaigh an cogadh in 1945, bhí cuid mhaith den bhagairt sin curtha i gcrích aige.

Ba é *__an Réiteach Deireanach__' an t-ainm a bhí ar phlean na Naitsithe chun Giúdaigh uile na hEorpa a mharú. Tosaíodh ag forbairt an

Giúdaigh Pholannacha á gcruinniú le chéile i ngeiteo Vársá, Aibreán 1943. Bhí an t-ádh leis an mbuachaill beag seo – tháinig sé slán agus tá sé ina chónaí i Meiriceá anois.

phlean go luath in 1942. Ar an 20 Eanáir bhí Heydrich ina chathaoirleach ar chomhdháil in Wansee, bruachbhaile i mBeirlín, inar aontaíodh go foirmiúil polasaí a thabhairt isteach chun Giúdaigh na hEorpa a dhíbirt chun an Oirthir; iad sin a bhí ró-lag chun obair a dhéanamh, dhéanfaí iad a *dhíothú. Ar na daoine a bhí i láthair – 15 san iomlán – bhí ionadaithe as an SS agus as an bPáirtí Naitsíoch, chomh maith le hairí éagsúla stáit. Fágadh faoi Adolf Eichmann, oifigeach SS agus ceann *__Roinn Aslonnaithe na nGiúdach__', an jab na milliúin Ghiúdach a chruinniú le chéile.

Na *Campaí Díothaithe

Eagraíodh *campaí díothaithe go mear in 1942. Tosaíodh campa Bergen-Belsen (an Ghearmáin) i mí an Mhárta, campa Sobibor (an Pholainn) i mí Aibreáin, campa Auschwitz (an Pholainn) i mí an Mheithimh, agus campa Treblinka (an Pholainn) i mí Iúil. Chuir Eichmann agus a chuid gníomhairí sna tailte forghafa, na milliúin Ghiúdach

gluaisteach mobile • **córasach** systematic • **An tUileloscadh** The Holocaust • **loiscthe** burnt
airgeadaí financier • **An Réiteach Deireanach** The Final Solution • **díothaigh** exterminate
Roinn Aslonnaithe na nGiúdach Jewish Evacuation Department • **campa díothaithe** extermination camp

chuig na sluachampaí géibhinn. Bhíodh grúpaí á dtabhairt go rialta chuig Auschwitz, an príomhchampa díothaithe, áit a gcuirtí suas le 10,000 duine sna *seomraí gáis gach lá.

Giúdaigh a seoladh go Auschwitz agus ar measadh fúthu nach raibh ar a gcumas oibriú (leanaí, seandaoine, mná a bhí ag iompar, daoine *míchumasacha, agus daoine tinne), cuireadh díreach chuig na seomraí gáis iad. Cuireadh na daoine eile go dtí campaí oibre in aice na háite, mar ar fágadh iad go dtí go raibh siad traochta.

I mí an Mhárta 1942 osclaíodh an dara campa, in aice láimhe, in Birkenau. Ollionad a bhí ansin, ina raibh 200,000 príosúnach, agus bhí ceithre *chréamatóiriam ann. Osclaíodh an tríú campa, campa oibre a tháirg rubar sintéiseach, faoi chúram IG Farben, i mí Dheireadh Fómhair 1942, gar do Monowitz.

Joseph Mengele – 'Aingeal an Bháis'

Bhíodh Joseph Mengele, dochtúir míchlúiteach Auschwitz, ag déanamh *turgnaimh chiníocha ar phríosúnaigh. Agus é ag iarraidh *cine Airianach, ina mbeadh súile gorma, a chruthú, bhíodh sé ag déanamh turgnamh ar *chúplaí comhionanna Giúdacha. Níor tháinig aon eolas fiúntach don leigheas as a chuid trialacha. D'éalaigh Mengele, 'Aingeal an Bháis', go Meiriceá Theas tar éis an chogaidh agus bhí sé ar dhuine de na coirpigh chogaidh Naitsíocha ba mhó a raibh tóir air. Creidtear gur bádh é i dtimpiste sa Bhrasaíl in 1979.

*Seo an chaoi ar roghnaíomar ár *n-íospartaigh: Na Giúdaigh a tugadh chugainn, scrúdaigh beirt dochtúirí SS a bhí ar dualgas in Auschwitz iad. Bhí ar na príosúnaigh siúl thar dhochtúir, agus thug seisean comhartha dá chinneadh faoi mar a shiúil siad thairis. Iadsan a bhí in ann obair a dhéanamh, cuireadh isteach sa champa iad. Cuireadh roinnt eile díreach chuig na *saoráidí díothaithe. Díothaíodh páistí óga gan eisceacht, toisc nárbh fhéidir leo obair a dhéanamh de bharr go raibh siad ró-óg.*

As ráiteas a rinne Rudolf Höss, Ceannasaí Auschwitz, ag a thriail in Cracow, 1946.

Tíortha eile Eorpacha

I lár na hEorpa ba é Rialtas na Rómáine amháin a chomhoibrigh leis na Naitsithe chun Giúdaigh a chruinniú le chéile agus a sheoladh chun na sluachampaí géibhinn. Na codanna den Iúgslaiv agus den Ghréig a bhí faoi smacht na hIodáile, d'éalaigh siad ón bhfeachtas díothaithe go dtí gur ghabh an Ghearmáin iad i ndiaidh bhriseadh Mussolini as cumhacht in 1943.

Chosain Rialtas na hUngáire Giúdaigh na hUngáire go dtí earrach na bliana 1944 nuair a ghabh an Ghearmáin an tír. Faoi Mheitheamh na bliana sin bhí 350,000 Giúdach Ungárach tugtha ag Eichmann go Auschwitz, mar ar gásáladh 250,000 díobh laistigh de 46 lá tar éis dóibh teacht.

Máirseálacha an Bháis

Thosaigh 'an Réiteach Deireanach' ag teacht chun deiridh go déanach sa bhliain 1944 de bharr ganntanas oibrithe. De réir mar a ghluais Arm na Sóivéadach isteach in Oirthear na hEorpa in 1945, rinne na Naitsithe iarracht an fhianaise a cheilt trína thabhairt ar phríosúnaigh na gcampaí máirseáil i dtreo an iarthair. Nuair a thrasnaigh an tArm Dearg

---

seomra gáis gas chamber • **míchumasach** disabled • **créamatóiriam** crematorium
turgnamh experiment • **cine Airianach** Aryan race • **cúpla comhionann** identical twins
íospartach victim • **saoráid** facility

An rolla á ghlaoch i sluachampa géibhinn Sachsenhausen, gar do Bheirlín, i mí Feabhra 1941. Bhí ar na príosúnaigh seo seasamh i bhfuacht nimhneach an gheimhridh ar feadh sé huaire an chloig go dtí gur ghabh *cománlaigh an champa príosúnach a d'éalaigh. Ba mhinic a mhair an cineál sin pionós grúpa déanach san oíche, agus líon mór de na fir a bhí ag fanacht, thit siad as a seasamh nó fuair siad bás den *traochadh.

abhainn na Viostúile sa Pholainn i mí Eanáir 1945, d'ordaigh Heinrich Himmler go *n-aslonnófaí na sluachampaí géibhinn sa Pholainn – Auschwitz san áireamh. Fuair na céadta mílte príosúnach bás den *traochadh agus den ocras ar na 'Máirseálacha Báis' sin.

Meastar go raibh breis is sé mhilliún Giúdach, ar Pholannaigh trí mhilliún díobh, dúnmharaithe faoi dheireadh an chogaidh. Sular tosaíodh ar 'an Réiteach Deireanach', b'ocht milliún Giúdach a bhí sna tíortha sin a bhí forghafa ag na Naitsithe. Dúnmharaíodh daoine eile freisin, mar shampla *Giofóga na Rómáine agus príosúnaigh chogaidh Shóivéadacha.

Cé mhéad a bhí ar Eolas ag Hitler?

In 1922 féin, mhínigh Hitler a chuid pleananna le haghaidh na nGiúdach, in agallamh irise leis an iriseoir Josef Hell:

> *A luaithe agus a bheidh mé i gcumhacht i gceart, is é an chéad tasc – agus an tasc is tábhachtaí – a dhéanfaidh mé ná na Giúdaigh a dhíothú (scrios iomlán). A luaithe is a bheidh an chumhacht agam, tógfaidh mé *crocha ina sraitheanna – sa Marienplatz in München, mar shampla – a oiread agus a mbeidh spás ann dóibh, ó thaobh an tráchta.*
>
> *Crochfar na Giúdaigh ansin as éadan, agus fágfar ag crochadh iad nó go mbeidh boladh bréan uathu. Fágfar crochta ansin iad a fhad agus a cheadóidh prionsabail an *tsláinteachais. A luaithe agus a bhainfear anuas iad crochfar an chéad dream eile, agus mar sin de go dtí go mbeidh an Giúdach deireanach in München díothaithe. Déanfaidh na cathracha eile an obair chéanna, go díreach ar an gcaoi chéanna, go dtí go nglanfar na Giúdaigh as an nGearmáin uile.*
>
> Mar a luadh in **Hitler and the Final Solution** le Gerald Fleming, 1984.

Ón bhfianaise atá sa sliocht thíos, dealraíonn sé gur coimeádadh Hitler ar láneolas faoi imeachtaí na Naitsithe in Oirthear na hEorpa:

> *Ní mór tuarascálacha leanúnacha ar obair na 'Einsatzgruppen' san Oirthear a chur faoi bhráid an Führer. Chun na críche sin, is gá ábhar *léiritheach atá fíorshuimiúil, mar shampla grianghraif, póstaeir, *fógráin agus doiciméid eile. Má táthar in ann ábhar dá leithéid a fháil nó a tháirgeadh, iarraim go seolfaí é a luaithe agus is féidir.*
>
> Teiléacs ó Heinrich Müller, Ceann an *Gestapo*, chuig Aonaid Speisialta, 1 Lúnasa 1941.

Faoin mbliain 1942 bhí tagairt déanta ag Hitler i gceithre óráid ar a laghad, do scrios Ghiúdaigh na hEorpa. I Nollaig na bliana 1942 sheol ceannasaí an *SS*, Himmler, miontuairisc chuig Hitler ar obair na *Einsatzgruppen*, ag tabhairt mionchuntais ar bhás 336,211 Giúdach sa Rúis.

---

aslonnaigh evacuate • traochadh exhaustion • giofóg gypsy • cománlach commando
croch gallows • sláinteachas hygiene • léiritheach illustrative • fógrán flyer

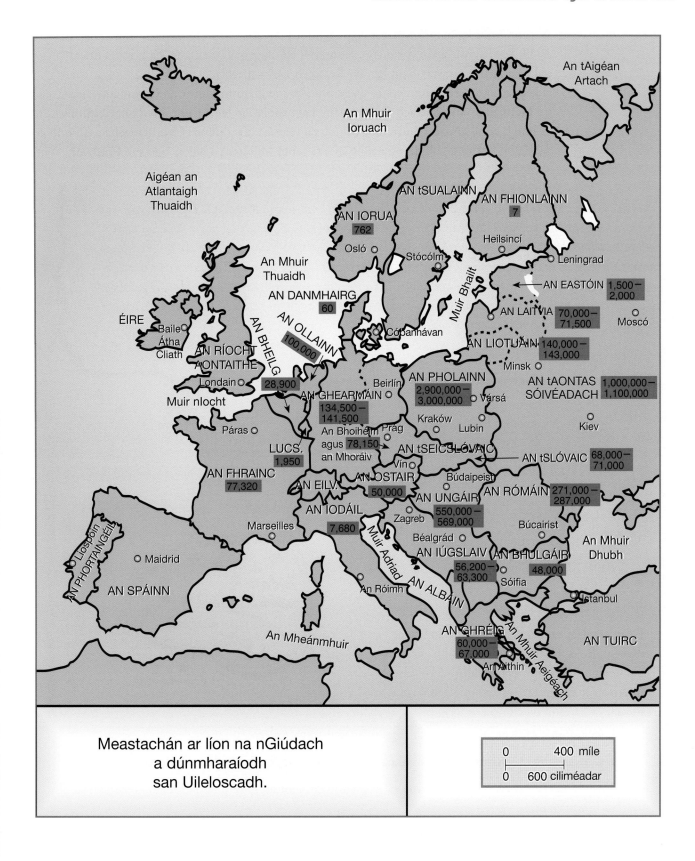

An tAigéan
Artach

An Mhuir
Ioruach

Aigéan an
Atlantaigh
Thuaidh

AN tSUALAINN

AN FHIONLAINN
7

Heilsincí

AN IORUA
762

Osló

Stócólm

Leningrad

An Mhuir
Thuaidh

AN EASTÓIN 1,500 –
2,000

AN DANMHAIRG
60

ÉIRE

Baile
Átha
Cliath

AN OLLAINN
100,000

Cópanhávan

AN LAITVIA 70,000 –
71,500

Moscó

AN LIOTUÁIN 140,000 –
143,000

Minsk

AN RÍOCHT
AONTAITHE

AN BHEILG

Londain

28,900

Beirlín

AN PHOLAINN
2,900,000 –
3,000,000

Vársá

AN tAONTAS 1,000,000 –
SÓIVÉADACH 1,100,000

Muir nlocht

AN GHEARMÁIN
134,500 –
141,500

Kraków

Lubin

Kiev

Páras

LUCS.
1,950

An Bhoihéim
agus
an Mhoráiv

78,150

Prág

AN tSEICSLÓVAIC

AN FHRAINC
77,320

AN EILV.

Vín

AN OSTAIR
50,000

Búdaipeist

AN tSLÓVAIC 68,000 –
71,000

AN UNGÁIR

AN RÓMÁIN 271,000 –
287,000

AN IODÁIL

Zagreb

550,000 –
569,000

Búcairist

An Mhuir
Dhubh

Marseilles

7,680

Béalgrád

AN IÚGSLAIV

AN BHULGÁIR

Maidrid

An Róimh

AN ALBÁIN

56,200 –
63,300

Sóifia

48,000

Ístanbul

AN SPÁINN

AN PHORTAINGÉIL

Liospóin

An Mheánmhuir

AN GHRÉIG
60,000 –
67,000

An Aithin

An Mhuir Aeigéach

AN TUIRC

Muir Bhailt

Muir Adriad

Meastachán ar líon na nGiúdach a dúnmharaíodh san Uileloscadh.	0 400 míle 0 600 ciliméadar

Níl aon *mhionpháipéarachas a bhaineann leis 'an Réiteach Deireanach' ann anois. In 1943 d'ordaigh Martin Bormann, ceannasaí Rúnaíocht Hitler, gur *de bhéal a dhéanfaí gach comhfhreagras a bhain leis 'an Réiteach Deireanach'.

 Is deacair a chreidiúint freisin go raibh a lán de gnáthmhuintir na Gearmáine aineolach go hiomlán ar 'an 'Réiteach Deireanach'. Faoi sholas an lae a rinneadh daoine a dhíbirt. D'imigh comharsana Giúdacha gan tásc ná tuairisc. Saighdiúirí Gearmánacha a bhíodh ar saoire ón bhfronta, bhídís ag insint scéalta faoin *ollbhású a bhí ar bun san Oirthear.

Sa chaoi go mairfidh ár bpobal atá an cogadh seo á fhearadh againn inniu. Buíochas le Dia nach dtéann sé i gcion rómhór oraibhse inár dtír dhúchais. Léirigh na ruathair bhuamála, áfach, an rud a bheadh i ndán dúinn ón namhaid dá mbeadh an chumhacht aige. Iadsan atá ag an bhfronta, tá siad á fhulaingt ar feadh an ama. Le fírinne, is sa chaoi go mairfidh ár bpobal atá mo chomrádaithe ag troid. Tá siad ag caitheamh leis an namhaid mar a chaithfeadh na naimhde linne. Tá a fhios agam go dtuigeann tú mé. De bhrí gur cogadh Giúdach é an cogadh seo, dar linne, is iad na Giúdaigh is mó atá ag fulaingt. Sa Rúis, áit ar bith a bhfuil saighdiúir Gearmánach, níl Giúdach le fáil.

As litir ó shaighdiúir Gearmánach chuig a bhean, Meán Fómhair 1942.

❓ Ceisteanna

An Gnáthleibhéal

Mínigh na heochairchoincheapa seo a leanas:

1. An Frith-Sheimíteachas

2. An tUileloscadh

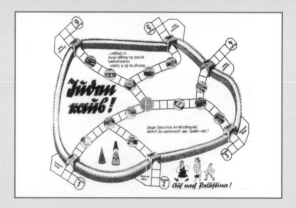

Déan staidéar ar an gcluiche boird do leanaí darb ainm 'A Ghiúdacha, imígí libh'. Is é an buaiteoir an leanbh a n-éiríonn leis seisear Giúdach a ruaigeadh as a ngnólacht agus a dteach (a léiríonn na ciorcail sa lár).

1. Cén aidhm a bhí ann ligean do pháistí cluiche mar seo a imirt?

2. Cad a léiríonn an pictiúr dúinn faoi dhearcadh na nGearmánach i leith na nGiúdach?

3. Luaigh dhá bhealach eile ina ndearna na Naitsithe iarracht an ghráin ar na Giúdaigh a ghríosú sa Ghearmáin?

An tArdleibhéal

1. Mínigh an chaoi ar éirigh géarleanúint na Naitsithe ar na Giúdaigh níos déine idir na blianta 1933 agus 1945.

---

mionpháipéarachas detailed paperwork • **de bhéal** verbally • **ollbhású** mass execution

Ceisteanna bunaithe ar Dhoiciméid
An tArdleibhéal agus an Gnáthleibhéal

I ndiaidh chomhdháil Wansee in 1942, rinne Adolf Eichmann achoimre ar an díospóireacht, i ndoiciméad. Sa sliocht thíos, as doiciméad Eichmann, pléann sé brí 'an Réitigh Dheireanaigh'. Léigh an sliocht agus freagair na ceisteanna a leanann.

Mar réiteach *féideartha eile, agus leis an údarás cuí ón Führer, *in ionad na Giúdaigh a bheith ag dul ar imirce tá siad á n-aslonnú chuig an Oirthear.*

Rogha ghearrthéarmach, amháin, áfach, ba chóir a bheith san oibríocht seo, cé go bhfuiltear ag fáil taithí phraiticiúil ríthábhachtach cheana féin aisti maidir leis an réiteach deireanach ar cheist na nGiúdach.

Mar chuid den réiteach deireanach, agus faoi threoir chuí, bainfear leas as na Giúdaigh chun obair a dhéanamh san Oirthear ar mhodh cuí. Giúdaigh atá in ann oibriú, cuirfear iad, ina gcolúin mhóra saothair, agus na fir dealaithe ó na mná, chuig na réigiúin sin chun bóithre a thógáil. Le linn na hoibre, teipfidh ar chuid mhór acu, gan dabht, de bharr *tnáitheadh (ídiú). Iad siúd a thiocfaidh tríd ar deireadh (dá mb'fhéidir sin), caithfear cóiriú oiriúnach a dhéanamh orthu, mar gurbh iad sin, go cinnte, an chuid is acmhainní díobh; dá bhrí sin, is élite *nádúrtha a bheadh iontusan, agus dá ligfí saor iad, d'iompóidís ina *ngaiméit (bunús) chun na Giúdaigh a athbheochan.*

I rith chur i bhfeidhm phraiticiúil an Réitigh Dheireanaigh, déanfar an Eoraip a chíoradh ó Iarthar go hOirthear. Ar dtús tabharfar na Giúdaigh aslonnaithe, grúpa i ndiaidh grúpa, chun geiteonna taistil (mar a thabharfar orthu), agus uaidh sin aistreofar iad chuig an Oirthear. Braithfidh na gluaiseachtaí móra ar leith aslonnaithe go mór ar an dul chun míleata. Maidir leis an gcaoi ina gcuirfear i gcrích an réiteach deireanach sna críocha Eorpacha sin atá forghafa againn, nó tionchar againn orthu, tá molta go rachaidh na speisialtóirí lena mbaineann sé, san Oifig Gnóthaí Eachtracha, i gcomhairle le hoifigeach cuí sna Póilíní Slándála agus sa tSeirbhís Slándála.

1. Cén fhianaise atá sa doiciméad seo go raibh Hitler eolach ar 'an Réiteach Deireanach' ar 'Cheist na nGiúdach'?

2. Cén leas atá le baint as na Giúdaigh i rith chéadchéimeanna an aslonnaithe chuig an Oirthear?

3. Cén fáth a meastar gur bagairt mhór don tsochaí is ea na Giúdaigh a thiocfadh tríd an gcéadchéim sin?

4. Déan cur síos ar an bpróiseas pleanáilte a bhí ann chun na Giúdaigh a aslonnú chuig an Oirthear, mar a insítear sa doiciméad seo é.

5. Ní thagraítear ar chor ar bith do bhású na nGiúdach sa doiciméad. Cén fáth?

6. Mínigh an toradh a bhí ag 'an Réiteach Deireanach' ar dhaonra Giúdach na hEorpa (an tArdleibhéal amháin).

---

féideartha possible • **tnáitheadh** attrition • **gaiméit** germ cell

14 An Caidreamh Eaglais-Stáit faoi Mussolini agus Hitler

'Tréimhse *Mhí na Meala'

I dtosach báire, ní raibh imní rómhór ar na hEaglaisí Críostaí san Iodáil agus sa Ghearmáin faoin bhFaisisteachas. Go deimhin, dar le cuid mhaith de cheannairí na nEaglaisí gur chosaint thábhachtach ba ea an stát Faisisteach ar leathadh an Chumannachais as an Oirthear. Tháinig strus ar thréimhse 'mhí na meala' sin idir na deachtóirí Faisisteacha agus na hEaglaisí Críostaí, áfach, de réir mar a thosaigh an Faisisteachas á léiriú féin.

An Eaglais Chaitliceach agus Mussolini

Ar an gcéad dul síos, bhí Mussolini naimhdeach leis an Eaglais Chaitliceach. D'fhógair sé sa bhliain 1919: 'Is sinne *eiricigh (daoine nach bhfuil creideamh acu) na nEaglaisí uile.' Thuig sé go luath gur bheag an chiall a bhí leis an bpolasaí sin i dtír dhílis Chaitliceach mar an Iodáil. Ón mbliain 1921 ar aghaidh, thosaigh sé ag mealladh na hEaglaise Caitlicí. Ar theacht i gcumhacht dó sa bhliain 1922, d'ordaigh sé go dtosófaí ag teagasc reiligiúin sna scoileanna agus sna hollscoileanna. Cuireadh cosc le foilseacháin *gháirsiúla agus le *heascainí go poiblí, agus cosc ar dhíol *frithghiniúnach. Faoi 1926 bhí caidreamh cairdiúil idir an stát Faisisteach agus an Eaglais Chaitliceach. Cé gur cháin an Eaglais Chaitliceach foréigean na bhFaisistithe, bhí sí buíoch freisin go raibh namhaid ab uafásaí léi fós − an Cumannachas − á choinneáil siar.

Tháinig réiteach iomlán leis an Eaglais in 1929, nuair a d'éirigh le Mussolini aighneas 60 bliain idir an Eaglais agus an stát a fhuascailt. Bhí easaontas idir an Eaglais agus an stát ó ghabh saighdiúirí Iodálacha an Róimh in 1870, le linn aontú na hIodáile.

Thosaigh idirbheartaíocht ar **'Cheist na Róimhe'** idir Mussolini agus an Cairdinéal Gaspari, Rúnaí Stáit na Vatacáine, in 1926. Lean na cainteanna faoi rún go ceann roinnt blianta. Bhí a fhios ag Mussolini cé chomh fada is a rachadh an eaglais chun teacht ar shocrú, mar go raibh *gaireas cúléisteachta teileafóin curtha sa Vatacáin aige. Theastaigh 4,000 milliún lira ón Vatacáin mar chúiteamh ar an talamh a ghabh an Stát Iodálach in 1870. Ar an 11 Feabhra 1929, tháinig an Vatacáin agus na Faisistithe ar chomhréiteach faoi dheireadh, agus shínigh siad Conradh Latern.

Mí na Meala Honeymoon • **eiriceach** heretic • **gáirsiúil** obscene • **eascainí** swearing
frithghiniúnach contraceptive • **gaireas cúléisteachta** tapping device

Conradh Latern 1929

Bhí na *forálacha seo a leanas i measc théarmaí an chonartha:

1. Tugadh aitheantas don Vatacáin mar stát neamhspleách.

2. D'aontaigh Mussolini 750 milliún *lira* a íoc leis an Vatacáin mar chúiteamh mar gur chaill an Vatacáin stáit an Phápa in 1870.

3. An Caitliceachas a bheadh ina reiligiún oifigiúil sa stát.

4. D'aontaigh an Eaglais Chaitliceach aitheantas a thabhairt d'údarás an stáit Iodálaigh den chéad uair ó aontú na hIodáile in 1870.

Cairdinéil Chaitliceacha ag tabhairt na *cúirtéise Faisistí in éineacht le Mussolini.

Bhí an chuid is mó de na daoine thar a bheith sásta leis. D'fhéach seisean [Mussolini] *siar ar a réiteach (athaontú) leis an Eaglais mar a *shárshaothar, agus gan amhras ba *shárbheart polaitíochta é a tharraing dó lúcháir (moladh) dhíograiseach an chuid is mó de Chaitlicigh.*

As **Mussolini** le Denis Mack Smith, 1982 .

Chuir an Conradh sin cuma na *measúlachta ar na Faisistithe sa bhaile agus thar lear. Dar le Mussolini go raibh an conradh ar cheann dá mhórbhearta. Bhí an-áthas ar an bPápa Pius XI freisin faoin gcomhaontú, agus dúirt sé: 'Tá Dia tugtha ar ais don Iodáil againn, agus an Iodáil ar ais do Dhia.'

*Beartaíocht na gCaitliceach

Go gearr i ndiaidh shíniú Chonradh Latern, chruthaigh dearcadh Mussolini i leith na hEaglaise roinnt teannais sa chaidreamh leis an Vatacáin. Agus é ag labhairt in 1930, d'áitigh Mussolini nach raibh an Eaglais Chaitliceach saor a thuilleadh de thoradh Chonradh Latern, ach go raibh sé faoi cheannas an stáit. A mhalairt de dhearcadh a bhí ag an bPápa Pius XI, gan amhras, agus dhamnaigh sé '*adhradh págánach an stáit' ag na Faisistithe. Dhiúltaigh Mussolini d'éilimh na hEaglaise ar thionchar a bheith acu ar an gcóras oideachais. Tháinig ceist eile chun tosaigh freisin: dhiúltaigh sé cead d'eagraíocht *thuata – *__Beartaíocht na gCaitliceach__ – leanúint dá cuid oibre i gcúrsaí sóisialta, sa cheardchumannachas agus in eagrú imeachtaí spóirt d'ógánaigh na hIodáile. I ndiaidh cruinniú idir an Pápa agus Mussolini sa Vatacáin in 1932, chuir an Cairdinéal Gaspari agus an Cairdinéal Pacelli (a ceapadh ina Phápa Pius XII ina dhiaidh sin) ina luí ar Pius XI géilleadh maidir leis an gceist. Mheas na Cairdinéil nár cheart coimhlint a bheith ag an Eaglais leis an bhFaisisteachas, mar gurbh é an Cumannachas an fíornamhaid. Bhí síocháin neamhshocair ann go dtí 1938.

---

foráil provision • **cúirtéis** salute • **sárshaothar** masterpiece • **sárbheart** great deed, success
measúlacht respectability • **Beartaíocht na gCaitliceach** Catholic Action • **adhradh** worship • **tuata** lay

Forógra *Della Razza*

Thosaigh an trioblóid arís idir an Eaglais agus an stát de bharr chinneadh Mussolini *'**Cairt Chine**'* (*Manifesto Della Razza*) a thabhairt isteach in 1938. Cuireadh cosc ar phósadh idir Iodálaigh agus daoine nárbh den chine 'Airianach' iad. Giúdaigh eachtracha agus daoine a tháinig isteach sa tír tar éis 1919, bhí siad le díbirt. Ní raibh cead ag Giúdaigh a bheith ina múinteoirí, ina ndlíodóirí ná ina n-iriseoirí.

Cinneadh Mussolini na Giúdaigh a ionsaí, ba mhó a bhain sé leis na Naitsithe a shásamh ná le haon ghráin dhaingean ar na Giúdaigh. Níor cuireadh an forógra (polasaí) i bhfeidhm go docht riamh. Dá ainneoin sin, dhamnaigh an Pápa Pius XI na dlíthe ciníocha go láidir. Ba é freagra Mussolini ná filleadh ar a sheanpholasaí, i.e. an *frithchléireachas. D'admhaigh sé go poiblí nach raibh creideamh aige, agus dúirt le cruinniú den *Chomh-aireacht in 1939 go mb'fhéidir go raibh an tIoslamachas ní b'éifeachtaí mar reiligiún ná an Chríostaíocht. Mar ba dhual do Mussolini, áfach, ba láidre a bhriathar ná a ghníomh: nuair a rinne roinnt ball óg den Pháirtí Faisisteach iarracht feachtas dóite séipéal a thosú, choisc Mussolini go tapa é.

▲ An Pápa Pius XII (1876-1958) á iompar trí shlua sa Róimh i mí na Bealtaine 1940.

Caidreamh le Pius XII

I mí an Mhárta 1939, i ndiaidh bhás an Phápa Pius XI, toghadh an Cairdinéal Pacelli ina Phápa Pius XII. Cé nár chuir Pius XII a ladar sa pholaitíocht chomh minic agus a rinne Pius XI, chuir seisean, chomh maith, isteach ar Mussolini. Chomhairligh sé arís agus arís eile do Mussolini a riachtanaí a bhí sé a bheith neodrach sa chogadh. D'fhoilsigh nuachtán na Vatacáine, *L'Osservatore Romano*, ailt a bhí frith-Fhaisisteach amach is amach. I mí na Bealtaine 1940, d'fhoilsigh sé teachtaireachtaí comhbhróin ón bPápa chuig Rí na Beilge, Banríon na hOllainne agus *Ard-Bhandiúc Lucsamburg, i ndiaidh forghabháil na Naitsithe ar a dtír. I ndiaidh don Iodáil dul sa chogadh in 1940, thug Mussolini rabhadh do *Nuinteas an Phápa (ambasadóir) sa Róimh go *dtoirmiscfí an nuachtán dá leanfadh sé ar aghaidh ag foilsiú tuairimí frith-Fhaisisteacha. Ghéill *L'Osservatore Romano* dá éileamh go drogallach.

Cairt Chine Charter of Race • **frithchléireachas** anti-clericalism • **comh-aireacht** cabinet
Ard-Bhandiúc Grand Duchess • **Nuinteas** Nuncio • **toirmisc** ban

Caidreamh idir an Eaglais agus Stát Hitler

An Sóisialachas Náisiúnta agus an Chríostaíocht, tá siad *doréitithe (gan a
bheith in ann réiteach lena chéile).

As óráid le Adolf Hitler in 1941.

Cé gur baisteadh Hitler ina Chaitliceach, ní raibh ach drochmheas aige ar chúrsaí
reiligiúin. Mheas na Naitsithe go bhféadfadh an Eaglais Chaitliceach agus an Eaglais
Phrotastúnach a bheith ina mbagairt dá riailréim.

An Eaglais Chaitliceach

Ní raibh aon ró-imní ar an Eaglais Chaitliceach faoi theacht chun cinn Hitler. Sa bhliain 1931
chuir sí deireadh leis an *toirmeasc a bhí ar Chaitlicigh dul isteach sa Pháirtí Naitsíoch. Dhá
bhliain dár gcionn, de thoradh *concordáide (comhaontú idir an Eaglais agus an stát) a shínigh
an Eaglais le Hitler, d'fhanfadh na sagairt as an bpolaitíocht, agus, ina chúiteamh sin, cheadódh
Hitler don Eaglais a cúrsaí féin a rialú. Shínigh Franz von Papen (Leas-Seansailéir an Tríú
Reich, 1933-34) agus Eugene Pacelli (Nuinteas an Phápa i mBeirlín ag an am) an choncordáid
i mí Iúil 1933.

*Is léir don Rialtas Náisiúnta gur san Eaglais Chaitliceach agus Phrotastúnach araon atá na tosca is
tábhachtaí chun ár sochaí a chothú. Comhlíonfaidh an Rialtas na comhaontuithe atá déanta idir iad agus
an stát. Ní chuirfear as dá gcearta. Rachaidh an Rialtas i mbannaí go mbeidh tionchar cuí acu ar an
oideachas. Is chun sochair don náisiún Gearmánach a oiread agus is chun sochar dár gcreideamh Críostaí is
ea an streachailt i gcoinne idé-eolaíocht an *ábharachais, agus chun fíor-shochaí náisiúnta a bhunú.*

As óráid *Reichstag* Hitler, 23 Márta 1933.

Cé go raibh an chosúlacht air go raibh an comhaontú seo ag obair ar dtús, thagadh
teannas chun cinn ó am go ham de réir mar a bhíodh Hitler ag cur srian le cumhacht na
hEaglaise tríd an smacht a bhí aige ar nuachtáin, ar ghluaiseachtaí óige agus ar an gcóras
oideachais.

I mí na Nollag 1936, d'eisigh easpaig Chaitliceacha na Baváire ráiteas, á rá nach raibh
an Rialtas Naitsíoch ag feidhmiú de réir *aigne na concordáide:

*I ndiaidh na troda uafásaí a *d'fhear Cumannaithe, *saorsmaointeoirí agus *máisiúin in aghaidh na
Críostaíochta, d'fháiltíomar go buíoch roimh admháil an Pháirtí Shóisialaigh Náisiúnta go raibh siad ar son
na Críostaíochta. D'admhaigh ár* Führer, *in óráid shuntasach, tábhacht an dá Eaglais Chríostaí don Stát,
agus gheall sé iad a chosaint. Faraor, tá fir a bhfuil tionchar agus cumhacht nach beag acu, ag feidhmiú go
díreach i gcoinne na ngealltanas sin, agus tá siad ag féachaint leis an Eaglais Chaitliceach a dhíbirt as an
nGearmáin, agus Eaglais aontaithe, nach mbeidh ciall ar bith le dearbhú an chreidimh inti, a chur ina háit.*

---

doréitithe irreconcilable • **toirmeasc** ban • **concordáid** concordat • **ábharachas** materialism
aigne spirit • **fear** wage • **saorsmaointeoir** freethinker • **máisiún** freemason

In ainneoin Choncordáid mhí Iúil 1933, tá streachailt tagtha chun cinn – streachailt atá ag fás ar feadh an ama – i gcoinne na Pápachta. Tugadh gealltanais d'eagraíochtaí agus do chumainn Chaitliceacha go gcosnófaí iad chun go mairfidís buan; le fírinne, agus de réir a chéile, ní thig leo leanúint ar aghaidh. Maslaítear an chléir go rialta in óráidí, scríbhinní, craolacháin agus i gcartúin, ach na daoine is cúis leis na nithe sin, ní chuirtear pionós orthu.

Níl aon rún againn diúltú don chineál rialtais atá ann faoi láthair, na dá pholasaí. Is féidir don Führer a bheith cinnte de go dtabharfaimid ár dtacaíocht mhorálta uile dá streachailt in aghaidh an Bhoilséiveachais, ach iarraimid go mbeidh na cearta agus an tsaoirse a thug Dia don Eaglais, go mbeidh cead againn iad sin a chleachtadh.

Ráiteas ó Easpaig Chaitliceacha na Baváire, 13 Nollaig 1936.

*Imlitir:

Litir ón bPápa chuig Easpaig uile na hEaglaise Caitlicí Rómhánaí.

Chuir ciníochas Hitler fearg ar an bPápa Pius XI, agus in 1937 d'eisigh sé a *imlitir **Mit Brennender Sorge** (*Le hImní Ghéar*). Dhamnaigh sé inti an chaoi nár sheas na Naitsithe leis an gConcordáid. Chuir an imlitir i leith na Naitsithe gur sháraigh siad an Choncordáid agus gur chuir siad 'síolta an aimhris, an easaontais, an fhuatha agus an *chlúmhillte, agus go raibh naimhdeas bunúsach acu, go rúnda agus go poiblí, do Chríost agus dá Eaglais'. Seans go raibh an Pápa chun an dara himlitir a fhoilsiú ag damnú fhrith-Sheimíteachas Hitler nuair a fuair sé bás in 1939.

An Cairdinéal von Galen

Sa bhliain 1941 labhair an Cairdinéal Galen, as Münster na Gearmáine, amach i gcoinne chleachtadh na *h**eotanáise** (marú seandaoine agus daoine an-tinn). Mheas Galen gur choir ba ea an eotanáis, agus thug sé tuairisc ar na Naitsithe do na póilíní sibhialta. Bhí an pobal ag tacú chomh láidir sin lena agóid gur thug Goebbels rabhadh do Hitler gan é a ghabháil. De thoradh idirghabháil Galen, chuir na Naitsithe deireadh le polasaí na heotanáise.

Le roinnt míonna anuas, tá tuairiscí ag teacht chugainn gur tógadh othair *dholeigheasta mheabhairghalair as a gclinic, le foréigean, ar ordú ó Bheirlín. Ansin, tar éis tamaillín, tugadh scéala dá gcuid gaolta go raibh an t-othar tar éis bháis agus gur *créamadh a chorp.

Ní ceadmhach do dhuine duine eile neamhchiontach a mharú, faoi thosca ar bith, seachas i gcogadh agus mar fhéinchosaint *inleithscéil. De réir an teagaisc (polasaí) atáthar a leanúint, áfach, is ceadmhach saol daoine atá *neamhthorthúil agus nach fiú dóibh a bheith beo, a scriosadh. De réir an teagaisc uafásaigh seo, is ceart daoine neamhchiontacha, othair, *cláirínigh, *easláin dholeigheasta agus seandaoine nach féidir leo oibriú, a dhúnmharú. A luaithe agus a ghlactar leis an bprionsabal sin, cén duine a mbeidh iontaoibh aige as a dhochtúir? D'fhéadfadh an dochtúir tuairisc a thabhairt go bhfuil a othar neamhthorthúil, agus ordú a fháil é a mharú. An meath morálta a thiocfaidh dá bharr sin, tá sé *doshamhlaithe; beidh amhras ar dhaoine faoina chéile – i dteaghlaigh, go fiú.

As damnú an Chairdinéil von Galen ar chlár eotanáise na Naitsithe, 3 Lúnasa 1941.

---

imlitir encyclical • **clúmhilleadh** slander • **eotanáis** • euthanasia • **doleigheasta** incurable • **créam** cremate
inleithscéil justifiable • **neamhthorthúil** unproductive • **cláiríneach** cripple • **easlán** sick person
doshamhlaithe unimaginable

Cé gur chuir na Naitsithe suas le roinnt tuairimí ina gcoinne ó dhaoine sinsearacha san Eaglais, cuireadh a lán sagart i bpríosún i sluachampa géibhinn Dachau mar gur chuir siad i gcoinne pholasaithe na Naitsithe.

Na hEaglaisí Protastúnacha

 Eochairchoincheap: *Reichskirche* (An Eaglais Stáit)

Sa bhliain 1933 cuireadh próiseas *Gleichschaltung* (comhordú) (lch 29) i bhfeidhm go docht ar na hEaglaisí Protastúnacha. Bhí 28 cineál éagsúil d'eaglaisí Protastúnacha sa Ghearmáin. Chinn Hitler gurbh éasca iad a rialú dá gcuirfí le chéile iad ina n-eaglais mhór stáit amháin (*Reichskirche*) faoi cheannas easpaig amháin de chuid an *Reich*, an *Tréadaí Ludwig Müller. I mí Iúil 1933, chuir ionadaithe na nEaglaisí éagsúla Protastúnacha bunreacht le chéile le haghaidh *Reichskirche* nua. Thug an *Reichstag* aitheantas foirmiúil don Eaglais nua ar an 14 Iúil 1933.

*Eaglais na hAdmhála

Ghlac an chuid ba mhó de na hEaglaisí Protastúnacha le ceannasaíocht na Naitsithe, ach dhamnaigh roinnt daoine an Tríú *Reich* agus dhiúltaigh a bheith páirteach sa *Reichskirche*. Duine díobh sin ba ea an Tréadaí Martin Niemöller, iaroifigeach U-bháid. I mí na Bealtaine 1934, ag *sionad (comhairle) de cheannairí Protastúnacha, bhunaigh an tOllamh Karl Barth agus Niemöller grúpa ar ar tugadh *<u>Eaglais na hAdmhála</u>'. In 1936 scríobh Eaglais na hAdmhála litir oscailte chuig Hitler ag cur i gcoinne a chur isteach ar chúrsaí creidimh agus a chuid polasaithe frith-Sheimíteacha. Fuair siad freagra an-tapa ó na Naitsithe. Tugadh duine de cheannairí Eaglais na hAdmhála, an Dr Friedrich Weissler, chuig sluachampa géibhinn Sachsenhausen agus cuireadh chun báis é. Cuireadh na céadta tréadaithe, Niemöller san áireamh, i sluachampaí géibhinn; d'fhág roinnt eile, mar shampla Barth, an tír. Fágadh Niemöller i bpríosún in Dachau nó gur saoradh na príosúnaigh as in 1945.

▲ Dietrich Bonhoeffer (1906-45), *diagaire mór le rá agus duine a bhí go láidir in aghaidh na Naitsithe, agus a gabhadh in 1943 agus a cuireadh chun báis in 1945 (in 1935 a glacadh an pictiúr).

---

tréadaí pastor • **Eaglais na hAdmhála** Confessional Church • **sionad** synod • **diagaire** theologian

Dietrich Bonhoeffer

Cuireadh cosc ar *dhiagairí mór le rá, leithéid Dietrich Bonhoeffer, labhairt go poiblí. Dhiúltaigh sé a bheith ina thost. Chuaigh Bonhoeffer i dteagmháil le gluaiseachtaí frith-Naitsíocha i rith an chogaidh. Ghabh an *SD* (*Gníomhaireacht Faisnéise na Naitsithe) é in 1943, agus cuireadh chun báis é i sluachampa géibhinn Flossenbürg in Aibreán na bliana 1945.

*Finnéithe Iáivé

D'fhulaing Finnéithe Iáivé leatrom freisin. Cuireadh i bpríosún iad nuair a chuir siad in aghaidh seirbhís mhíleata ar chúiseanna creidimh. Gabhadh Jonathan Stark in 1943, ball mór le rá d'Fhinnéithe Iáivé, toisc gur dhiúltaigh sé *mionn a thabhairt do Hitler agus seirbhís mhíleata a dhéanamh. Cuireadh go sluachampa Sachsenhausen é, agus crochadh ansin é in 1944.

Freagra na nEaglaisí Críostaí ar an Naitsíochas

Tar éis an Dara Cogadh Domhanda, rinneadh a lán ionsaithe ar cheannairí na nEaglaisí Críostaí toisc nár dhamnaigh siad riailréim na Naitsithe go láidir agus go hoscailte. Ar an bPápa Pius XII ba mhó a díríodh an t-ionsaí sin. Cé go raibh a fhios aige go raibh na Giúdaigh á ndíothú, dúirt sé le cruinniú de Chairdinéil i mí an Mheithimh 1943, dá ndéanfadh sé damnú poiblí go mb'fhéidir go ndéanfaí tuilleadh ionsaithe ar na Giúdaigh dá bharr. Bhí imní ar cheannairí na hEaglaise freisin go ndéanfadh na Naitsithe *géarleanúint ar a bpobal féin mar dhíoltas ar aon ráiteas damnaithe a d'eiseoidís. Polasaí cúramach sin na hEaglaise, níor stop sé sagairt, mná rialta agus ministéirí aonaracha, áfach, ó *dhídean a thabhairt do na mílte Giúdach ar fud an chuid den Eoraip a bhí faoi fhorghabháil na Naitsithe – ina séipéil, ina gclochair agus ina mainistreacha.

Ceisteanna

An Gnáthleibhéal

Scríobh cuntas gearr ar an gcaidreamh Eaglais-Stáit san Iodáil nó sa Ghearmáin.

An tArdleibhéal

'Ba mhinic trioblóid idir na hEaglaisí agus na stáit Fhaisisteacha.' É sin a phlé.

---

diagaire theologian • **Gníomhaireacht Faisnéise na Naitsithe** Nazi Intelligence Agency
Finné Iáivé Jehovah's Witness • **mionn** oath • **géarleanúint** persecution • **dídean** shelter

Ceisteanna bunaithe ar Dhoiciméid
An tArdleibhéal agus an Gnáthleibhéal

Léigh an doiciméad thíos, ar sliocht é as liosta de 30 treoirlíne a thug Rialtas na Naitsithe don Eaglais Phrotastúnach sa Ghearmáin i mí Iúil 1933:

1   *Éilíonn Eaglais Náisiúnta Reich na Gearmáine go dearfa an ceart *eisiach agus an chumhacht eisiach chun gach Eaglais laistigh de theorainneacha an Reich a rialú: áitíonn sé gur Eaglaisí náisiúnta de chuid Reich na Gearmáine iad.*

6   *Níl aon *scríobhaithe, tréadaithe, séiplínigh ná sagairt ag an Eaglais Náisiúnta; óráidithe de chuid an Reich Náisiúnta atá le labhairt iontu.*

13   *Éilíonn an Eaglais Náisiúnta go n-éireofaí as foilsiú agus scaipeadh (dáileadh) an Bhíobla sa Ghearmáin, láithreach...*

14   *Fógraíonn an Eaglais Náisiúnta gur cinneadh gurb é Mein Kampf an Führer an doiciméad is fearr ónár dtaobhna de, agus dá réir sin, ó thaobh an náisiúin Ghearmánaigh de. Ní hamháin gur ann atá an eitic is fearr, ach is ann atá an eitic is *íne agus is fíre le haghaidh shaol an náisiúin san am i láthair agus sa todhchaí.*

18   *Bainfidh an Eaglais Náisiúnta na nithe seo dá cuid altóirí: gach cros, bíobla agus pictiúr de naomh.*

19   *Ní bheidh ar na haltóirí ach Mein Kampf (an leabhar is naofa leis an náisiún Gearmánach, agus dá réir sin, le Dia); agus ar thaobh na láimhe clé den altóir beidh claíomh.*

1. De réir an eolais sa doiciméad, cé a rialaíonn imeachtaí na nEaglaisí uile sa Ghearmáin?

2. Déan cur síos ar roinnt de na srianta a chuir na Naitsithe ar an tsaoirse chreidimh, mar atá léirithe sa doiciméad.

3. Ón eolas atá agat ar an tréimhse, mínigh go hachomair conas a ghníomhaigh na hEaglaisí Protastúnacha sa Ghearmáin maidir le smacht na Naitsithe (an tArdleibhéal amháin).

15 An Cultúr Coitianta Angla-Mheiriceánach in Aimsir Shíochána agus Chogaidh

Na *Mórmheáin Chumarsáide

Ceann de thorthaí an Chéad Chogadh Domhanda – toradh nach bhfuil an-soiléir – ná gur spreag sé teacht chun cinn na mórmheán.

Scannánaíocht

Tar éis an Chéad Chogadh Domhanda, tháinig méadú tapa ar an scannánaíocht sa Bhreatain. Tógadh pictiúrlanna móra ar fud na tíre, go fiú i gceantair bhochta. Go luath sna 1920idí, measadh go mbíodh breis is 40% de dhaonra Learphoill ag dul chuig an bpictiúrlann uair sa tseachtain ar a laghad.

Cé gur loit an cogadh tionscal scannánaíochta na Breataine, tháinig borradh faoi thionscal scannánaíochta Mheiriceá. Scannáin a rinneadh in Hollywood ba mhó a bhí á dtaispeáint sa Bhreatain i rith na 1920idí.

Hollywood

D'oscail cuideachta Nestor an chéad stiúideo in Hollywood in 1911 i seansiopa grósaera a *athchóiríodh. Laistigh de bhliain, bhí 15 stiúideo eile oscailte gar dó. I rith na 1920idí, sheol léiritheoirí scannán Meiriceánacha gníomhairí chun na hEorpa chun scoth aisteoirí na hEorpa a thabhairt ar ais go Hollywood. Faoi mar a d'fhás cáil aisteoirí áirithe, d'fhás a dtuarastal chomh maith. Faoin mbliain 1917, bhí an t-aisteoir Ceanadach, Mary Pickford, ag tuilleamh $350,000 in aghaidh an scannáin (suim ollmhór in 1917).

In 1927 ritheadh acht sa Bhreatain chun a chinntiú gur as an mBreatain do *chuóta áirithe de na scannáin a thaispeánfaí i bpictiúrlanna na Breataine. In ainneoin a ndíchill, ní raibh cuideachtaí scannánaíochta na Breataine in ann dul in iomaíocht lena n-iomaitheoirí Meiriceánacha, agus ba iad scannáin Hollywood a bhí in uachtar sa Bhreatain.

---

mórmheáin mass media • **athchóirigh** renovate • **cuóta** quota

Eochairphearsa: Charlie Chaplin

Bhí Charlie Chaplin ar dhuine de na réaltaí scannán ba mhó. I ndeisceart Londan a rugadh é, in 1889. Ní raibh sé ach cúig bliana d'aois an chéad uair a chuaigh sé os comhair lucht féachana – ar stáitse halla ceoil. Ba é a phearsa scannáin, áfach – an *bacach beag truamhéalach a raibh an *croiméal beag agus an *babhlaer air – a rinne duine de na réaltaí ba mhó in Hollywood de. Rinne sé an pháirt chlasaiceach sin i mbreis is 70 scannán.

Sa bhliain 1913 d'aistrigh Chaplin go Los Angeles, áit a ndeachaigh sé isteach i gcuideachta Keystone Mack Sennett. Léirigh sé, agus ghlac sé an phríomhpháirt, i roinnt *balbhscannán, ina measc *The Rink* (1916), *The Kid* (1920) agus *The Gold Rush* (1925). In 1919 tháinig roinnt réaltaí móra, Mary Pickford, Douglas Fairbanks agus Charlie Chaplin, le chéile in éineacht leis an stiúrthóir scannán

Charlie Chaplin (1889-1977) sa ról ba *rathúla a bhí aige, mar Adenoid Hynkel in **The Great Dictator** in 1940.

D.W. Griffith, chun a gcuideachta neamhspleách léirithe féin, United Artists, a bhunú. Seo scannáin eile dá chuid: *City Lights* (1931), *Modern Times* (1936), *The Great Dictator* (1940), *Monsieur Verdoux* (1947) agus *Limelight* (1952).

Bhí Charlie Chaplin go fíochmhar in aghaidh an Naitsíochais. Is dócha gurbh é *The Great Dictator* (1940) an scannán ba mhó a rinne sé; scannán é ina maireann bearbóir *reibiliúnach Giúdach i ngeiteo faoi riailréim Adenoid Hynkel (Hitler). Chaplin a rinne páirt an dá charachtar sa scannán sin – a chéad scannán iomlán cainte. D'infheistigh sé dhá mhilliún dollar dá chuid airgid féin sa scannán. Bhí rath mór ar an scannán, agus shaothraigh sé breis is cúig mhilliún dollar. Bhí díomá ar roinnt den phobal, áfach, nuair a chuala siad a *mbobaide *dil balbh ag labhairt, den chéad uair, ar an scáileán.

Laghdaigh *gnaoi an phobail ar Chaplin i Meiriceá nuair a cuireadh ina leith go raibh bá aige leis an gCumannachas. Dá bhrí sin, d'fhág sé Stáit Aontaithe Mheiriceá in 1952 agus d'aistrigh go dtí an Eilvéis. Fuair Charlie Chaplin dhá *Oscar* speisialta, ceann in 1928 agus ceann eile in 1972.

Ar an 25 Nollaig 1977, fuair Chaplin *bás le hadhairt sa bhaile in Corsier-sur-Vevey san Eilvéis. Bhí sé 88 bliain d'aois. Bhí sé pósta le Oona Chaplin ag an am, agus ba ise a bhí ina bean chéile aige le 36 bliain.

*Deoraithe Hollywood

I ndiaidh theacht chun cinn Hitler in 1933, chuaigh a lán léiritheoirí scannán, *ceamaradóirí agus aisteoirí Gearmánacha ar imirce go Meiriceá. Go Hollywood a chuaigh an tromlach mór díobh, agus chuir siad go mór le tionscal scannánaíochta Mheiriceá i rith na 1930idí agus na 1940idí. I measc na n-aisteoirí mór le rá

---

bacach tramp • **croiméal** moustache • **babhlaer** bowler (hat) • **balbhscannán** silent movie
rathúil successful • **reibiliúnach** rebellious • **bobaide** clown • **dil** dear • **gnaoi** affection
bás le hadhairt death by natural causes • **deoraí** exile • **ceamaradóir** camera person

Gearmánacha a chuaigh ar imirce, bhí Conrad Viedt, Peter Lorre, Elisabeth Bergner agus Marlene Dietrich.

An Scannánaíocht i rith an Chogaidh

Tháinig rath ar scannánaíocht na Breataine i rith bhlianta an chogaidh (1939-45). Nuair a fógraíodh an cogadh, d'ordaigh Rialtas na Breataine áiteanna siamsaíochta a dhúnadh ar fhaitíos go dtosódh na hionsaithe buamála láithreach. Taobh istigh de roinnt seachtainí, áfach, tosaíodh ag oscailt na bpictiúrlann arís; thuig an Rialtas go tapa an deis bholscaireachta a bhí i dtionscal scannán na Breataine. Díoltaí idir 25 agus 30 milliún ticéad pictiúrlainne gach seachtain sa Bhreatain. Thabharfadh sin le fios go mbíodh a lán daoine ag dul chuig na pictiúir níos mó ná uair amháin sa tseachtain.

An méadú sin ar dhíol ticéad, thug sé *sonc do thionscal scannán na Breataine – sonc a raibh fáilte roimhe. Taispeánadh *nuachtscannán seachtainiúil roimh gach *príomhscannán. Rinneadh *<u>scannáin faisnéise</u> mar *The Next of Kin* (1942), *Target for Tonight* (1941) agus *Fires Were Started* (1943) chun rabhadh a thabhairt don phobal faoi 'chaint mhíchúramach'. Scannáin eile mar *The Foreman Went to France* (1942), faoi Dunkerque, agus *In which We Serve* (1942), faoin saol in Arm na Breataine, ghríosaigh siad *meanma an phobail i dtréimhse na géarchéime, nuair a bhí an Bhreatain léi féin sa chogadh. Chuir George Formby, Will Hay agus an '**Crazy Gang**', a bhí i *gcoiméidí a raibh tóir mhór orthu le linn an chogaidh, roinnt siamsaíocht éadrom ar fáil do náisiún *ciaptha na Breataine.

Ba é an scannán Briotanach ba mhó le linn an chogaidh ná léiriú Laurence Olivier ar *Henry V* le Shakespeare. Eisíodh é ag an am céanna a raibh na gComhghuaillithe ag dul i dtír ar thránna na Normainne in 1944. Léiríodh an scannán in Éirinn, ag úsáid *Technicolor*, a bhí costasach. Seo cur síos ag píolóta óg de chuid an *RAF*, Peter Nichols, ar an tionchar a bhí aige ar *mheanma na bhfórsaí armáilte in 1944:

> Bhí aoibhneas orainn faoin *gcomhbhua, faoi chomhráite an rí lena chuid saighdiúirí san oíche – bhí Robin Hood ann go smior… Chuaigh an ceathrar *saoithe (ealaíontóirí) againn – ar cheann den bheagán oícheanta a raibh cead againn dul amach – chun an scannán a fheiceáil don tríú nó don cheathrú uair, sa bhaile *cruach Corby, a bhí in aice láimhe. Agus sinn ag rith trí na sráideanna fliucha go dtí an bus deireanach ar ais go dtí an campa, gheallamar a bheith inár mbráithre go deo, agus *laom ó na *teilgcheártaí bladhmannacha (ceardlanna miotail) ar ár n-ógdhreach.
>
> As ***The Experiences of World War II*** le John Campbell, 1989.

Scannáin Chogaidh Meiriceánacha

De réir mar a lean an cogadh ar aghaidh agus a d'éirigh na ganntanais níos déine, bhí ar chuideachtaí scannán na Breataine gearradh siar ar a *dtáirgeacht. Líon príomhscannáin as Hollywood an bhearna; bhí táirgeacht Hollywood ag méadú i gcónaí. Tháinig carn mór scannáin choiméide ina raibh Bing Crosby#, Bob Hope agus Dorothy Lamour, léirithe ag Paramount Studios Cecil B. de Mille, isteach sa Bhreatain. Rinneadh iniúchadh ar an

---

sonc boost • **nuachtscannán** newsreel • **príomhscannán** feature film • **scannán faisnéise** documentary
meanma morale • **coiméide** comedy • **ciaptha** harassed • **comhbhua** shared victory • **saoi** aesthete
cruach steel • **laom** flash • **teilgcheárta** foundry • **táirgeacht** productivity

bhfrith-Fhaisisteachas i leagan Paramount de *For Whom the Bell Tolls* (1943), le Ernest Hemingway; ba faoi na fórsaí Poblachtacha i gCogadh Cathartha na Spáinne é, agus ba iad Gary Cooper agus Ingrid Bergman a bhí sna príomhpháirteanna. Bhí príomhpháirt ag Ingrid Bergman in éineacht le Humphrey Bogart sa scannán cogaidh *Casablanca* (1943), as Hollywood – an scannán cogaidh ba mhó a raibh tóir air. Bhuaigh an scannán an t*Oscar* don scannán is fearr in 1943. Thaitin sé lena lán daoine de bharr na gcarachtar *codarsnach ann – Bogart mar an Meiriceánach *ciniciúil ina chónaí thar lear, agus Bergman ag léiriú idéalachas na hEorpa.

Bhí Errol Flynn ar dhuine de na réaltaí scannán ba mhó in Hollywood le linn an chogaidh. Ba é an príomhaisteoir i scannán Warner *Desperate Journey* (1942), faoi phíolóta de chuid an *RAF* a bhí sáinnithe sa Ghearmáin, in éineacht le Ronald Reagan (a bhí ina Uachtarán ar na Stáit Aontaithe níos deireanaí). Flynn a bhí sa phríomhpháirt freisin, agus é ina phíolóta, in *Dive Bomber* (1944); in *Northern Pursuit* (1944) ba bhall é de *Mharcphóilíní Cheanada, agus é sa tóir ar Naitsí; in *Edge of Darkness* (1945), ba throdaí frithbheartaíochta Ioruach é.

Póstaer scannáin don scannán cogaidh ba mhó rath de chuid Hollywood, **Casablanca** (1943), ina raibh na príomhpháirteanna ag Ingrid Bergman agus Humphrey Bogart.

Eochairphearsa: Bing Crosby

Rugadh Bing Crosby mar Harry Lillis Crosby in Tacoma, Washington i mí na Bealtaine 1903. Ba é an chéad amhránaí halla damhsa mór le rá Meiriceánach é a raibh rath air mar aisteoir scannáin.

Tháinig rath air go luath sna 1930idí mar *oirfideach club oíche, lena *shainstíl *dúdaireachta. Bhíodh éileamh air i gcónaí ar cheirnín agus ar raidió mar ealaíontóir aonair, agus mar bhall den bhanna ceoil *The Rhythm Boys*.

Sa bhliain 1932 shínigh Crosby conradh le Paramount Pictures. Sa bhliain chéanna sin eisíodh a chéad phríomhscannán, *The Big Broadcast*, agus ba mhór a d'fháiltigh na *criticeoirí scannáin roimhe. Ina dhiaidh sin bhí an phríomhpháirt aige i sraith de scannáin cheoil, mar shampla *Mississippi* (1935), *Anything Goes* (1936) agus *Waikiki Wedding* (1937).

Bing Crosby (1903-77) i dteannta Dorothy Lamour in **Road to Singapore** (1940).

---

codarsnach contrasting • **ciniciúil** cynical
marcphóilín Mountie (Member of Royal Canadian Mounted Police) • **oirfideach** performer
sainstíl distinctive style • **dúdaireacht** crooning • **criticeoir** critic

Ba iad na 1940idí an tréimhse ba rathúla aige mar aisteoir, nuair a bhí an phríomhpháirt aige i sraith de scannáin 'Bóthair' (*The Road to Singapore*, etc.) in éineacht leis an aisteoir as Hollywood, Dorothy Lamour, agus an fear grinn, Bob Hope. Faoiseamh éigin do na milliúin daoine i rith na tréimhse ab ainnise den chogadh ba ea an meascán amhrán agus coiméide. Ba as ucht a ról sa scannán *Going My Way* (1944) – nuair a bhí sé in ard a réime i rith an chogaidh – a bhuaigh sé *Oscar*. Sa scannán sin, ba shagart óg Caitliceach faiseanta é Crosby (an tAthair O'Malley) – sagart a chuidigh le paróiste a gcuid fadhbanna a réiteach.

▲ Ba é **Road to Singapore** an chéad cheann de na scannáin rathúla 'Bóthair'; bhí an bheirt, Bing Crosby agus Bob Hope, le chéile iontu.

Measann a lán criticeoirí scannáin gurbh é a léiriú ar aisteoir alcólach a raibh an saol ag dul ina choinne, sa scannán *Country Girl* (1954), an léiriú is fearr dá chuid. Cé go raibh an phríomhpháirt aige i scannáin i rith na 1960idí, is iad na scannáin luatha aige is mó a bhfuil tóir orthu.

D'éirigh go hiontach le Crosby ar an raidió agus ar cheirnín freisin. Bhí a sheó raidió, Kraft Music Hall, a craoladh i rith na 1940idí, ar cheann de na seónna ba mhó ag an am. Bhí sé i gcairteacha Mheiriceá breis is 300 uair, agus bhain sé Uimhir 1 36 uair. An taifeadadh a rinne sé ar *White Christmas*, leis an gcumadóir Meiriceánach Irving Berlin, in 1942, bhí sé ar cheann de na ceirníní ba mhó díol riamh. Rinne Crosby taifeadadh i gcomhar le réaltaí eile: Louis Armstrong, Fred Astaire, Judy Garland, agus Frank Sinatra san áireamh.

Bhí Crosby ag obair ina aisteoir agus ina amhránaí ó na 1920idí go dtí a bhás, in 1977; bhí sé ar dhuine de na *hoirfidigh ba cháiliúla agus ba mhó *gean san fhichiú haois.

An Raidió

Chuir teacht chun cinn an raidió, sa tréimhse idir an dá chogadh domhanda, siamsaíocht shaor ar fáil don phobal.

Níor thosaigh an craoladh raidió don phobal mór *ar an mórchóir go dtí i ndiaidh an Chéad Chogadh Domhanda. Meiriceá a chuir tús leis. Sa bhliain 1920 bhunaigh Cuideachta Leictreachais Westinghouse, in Pittsburg, Pennsylvania, an chéad stáisiún raidió a bhí i seilbh lucht tráchtála. Agus é ag craoladh faoin ainm KDKA, chraol sé cláir cheoil, trí chineál seinnteoir ceirnín a chur os comhair micreafóin. Ní raibh ar na héisteoirí táille ceadúnais a íoc as an tseirbhís. Bhain Cuideachta Leictreachais Westinghouse leas as an stáisiún mar bhealach chun díol gléasanna raidió a fhógairt don phobal; mar sin a mhaoinigh siad an stáisiún.

Thuig déantóirí eile sna Stát Aontaithe go tapa luach *tráchtála an chraoladh raidió. Faoi 1934 bhí suas le 600 stáisiún raidió ag craoladh ar fud Mheiriceá. Idir 1922 agus 1929 d'ardaigh líon na dteaghlach Meiriceánach a raibh gléas raidió acu ó 60,000 go dtí 10 milliún. Nuair a bhí an iomarca gléasanna raidió ar an margadh baile, thosaigh

---

oirfideach performer • **gean** affection • **ar an mórchóir** on a large scale • **tráchtála** commercial

cuideachtaí craolta ag díol am fógraíochta chun brabús a dhéanamh.

An Craoladh sa Bhreatain

D'fhan an craoladh raidió sa Bhreatain saor ar an lucht tráchtála. Sa bhliain 1904 fuair Oifig an Phoist smacht ar an gcraoladh raidió. Bunaíodh cuideachta *urraithe, an *BBC* (Cuideachta Chraolacháin na Breataine), in 1922 chun an craoladh poiblí a *rialú agus a *rialáil. Níorbh ionann agus Meiriceá, ní in aisce a bhí an tseirbhís: is amhlaidh a maoiníodh í trí tháille bhliantúil ceadúnais a ghearradh ar úinéireacht gléas raidió. Tugadh amach breis is 36,000 ceadúnas sa chéad bhliain ag craoladh dó.

Shocraigh Stiúrthóir an *BBC*, Sir John Reith, nach *siamsaíocht amháin a chuirfí ar fáil, ach go dtabharfaí eolas do na héisteoirí, agus go gcuirfí oideachas orthu. Shocraigh sé freisin go mbeadh meon ardmhoráltachta sa chraoladh raidió. Shocraigh sé freisin go gcaithfeadh na daoine a bheadh ag cur na gclár i láthair, *culaith thráthnóna a chaitheamh. Chraol an *BBC* meascán *d'fheasacháin nuachta, cláir phlé, drámaí agus ceol – cláir a bhí i *gcodarsnacht go mór leis na 'cláir níos éadroime' a chraol na stáisiúin tráchtála i Meiriceá.

Ard-Stiúrthóir an *BBC*, Sir John Reith, a d'áitigh go gcuirfeadh an tseirbhís oideachas, chomh maith le siamsaíocht, ar fáil.

> B'iontach an ní é go raibh guth le cloisteáil i líon *dí-áirithe tithe, i riocht is gur sa teach a bhí sé; is a luaithe agus a cuireadh an t-iontas sin i gcrích, d'éirigh an cheist: cén guth a bhí le bheith ann, agus cad a bhí le rá aige/aici? I dtíortha eile, b'fhéidir gur i seilbh páirtí a bheadh an guth, nó go mbeadh sé ar díol: nóiméid luachmhara a cheannófaí chun taibléad a mholadh, feabhas gallúnaí a mhíniú. Ach ní mar sin a bheadh i Sasana: i bhfocail Sir John Reith, ba é an aidhm: 'intinn na Breataine *i mbláth a maitheasa' a léiriú. Bhíothas sa tóir ar an idéal sin go dúthrachtach (gan staonadh), agus ba é an fear chuige ná Albanach ard de bhunadh *Cailvíneach, sampla maith d'intinn na Breataine i mbláth a maitheasa. Eagraíodh díospóireachtaí idir dhaoine nach raibh ar aon tuairim, rinneadh cleachtadh, agus craoladh iad chun go mbeadh eolas ar gach cineál dearcaidh agus chun go measfaí iad go cothrom. Póilín ar a ghnó, coimeádaí teach solais ar a fhaire aonair, captaen loinge ar a dhroichead – d'éistfí leo sin go léir, agus le polaiteoirí, údair, eolaithe, *eaglaisigh, tiarnaí agus bantiarnaí.
>
> As **The Thirties**, le Malcolm Muggeridge, 1940.

Lagaigh an *BBC* cumhacht pholaitiúil na *meán clóite. Bhíodh polaiteoirí mór le rá páirteach go rialta i gcláir dhíospóireachta polaitiúla. Thit roinnt polaiteoirí, mar shampla Stanley Baldwin agus Philip Snowden, isteach go tapa leis an meán nua; ach bhí roinnt eile ann, mar shampla Lloyd George agus Anthony Mac Donald, a bhí cleachta ar labhairt os comhair lucht éisteachta mór beo, agus nach raibh chomh mór ar a gcompord leis an gcraoladh raidió.

---

urraithe sponsored • **rialaigh** control • **rialáil** regulate • **siamsaíocht** entertainment
culaith thráthnóna evening suit • **codarsnacht** contrast
dí-áirithe innumerable, countless • **i mbláth a maitheasa** at its best • **Cailvíneach** Calvinist
eaglaiseach clergyman • **meáin chlóite** print media

16 Teicneolaíocht na Cogaíochta

Rás na nArm

I rith an chogaidh bhí eolaithe agus innealtóirí ag obair go dian ag iarraidh modhanna níos fearr cogaíochta a fhorbairt. Thosaigh rás d'airm theicneolaíocha de réir mar a d'fhéach an dá thaobh leis an lámh in uachtar a fháil. Ba mhó ba léir forbairt theicneolaíoch na n-arm san aer agus ar muir ná ar talamh.

Eochairchoincheap: *Blitzkrieg*

D'úsáid na Naitsithe an téarma *Blitzkrieg* chun cur síos a dhéanamh ar an gcaoi a ndéanaidís ionsaí tobann le *rannáin tancanna armúrtha *i gcomhar le heitleáin. Lainseáladh an *Blitzkrieg* i dtosach in éadan na Polainne i mí Mheán Fómhair 1939. Ba bhealach nua cogaíochta é, bunaithe ar luas agus *suaitheadh. Níor buadh ar chosaint mhíleata náisiúin ar bith chomh tapa riamh roimhe sin. Ghiorraigh na Briotanaigh an focal ina *Blitz* agus iad ag tagairt don fheachtas dian buamála ón aer a rinne an Ghearmáin ar an mBreatain idir 1940 agus 1941. An chúis ar éirigh chomh maith sin leis an *Blitzkrieg* ná de bharr forbairt aerárthaí agus tancanna sular thosaigh an Dara Cogadh Domhanda.

Aerárthaí

Forbraíodh cineál nua eitleán troda i rith an chogaidh, mar shampla *Spitfire* na Breataine, *Mustang* Mheiriceá agus *Zero* na Seapáine, agus bhí siad i bhfad i bhfad níos tapúla ná na heitleáin a bhí ann rompu. *Feistíodh *bonnáin *ghaoth-thiomáinte de bhun an eitleáin *tumbhuamála Ghearmánaigh, an *Stuka*. Murar leor *buamadóir de chuid an namhad a fheiceáil agus a chloisteáil ag teacht faoi do dhéin, d'ordaigh Hitler an *Stuka* a fheistiú le bonnán screadaí chun go mbeadh fuaim an tumtha i bhfad níos scanrúla. Chuir an screadach sceimhle a gcroí ar shibhialtaigh agus ar shaighdiúirí – gunnadóirí *frith-aerárthaí san áireamh.

Faoin mbliain 1943 bhí an lámh in uachtar ag na Comhghuaillithe maidir le dearadh na n-aerárthaí. Tháinig glúin nua eitleáin bhuamála Mheiriceánacha, mar shampla an *Flying Fortress* agus an *Liberator*, chomh maith leis na heitleáin troda *fadraoin, mar shampla an *Thunderbolt* agus an *Mustang*; chinntigh na heitleáin sin gur ag na Comhghuaillithe a bhí an lámh in uachtar. Ar an bhFronta Thoir, fuair an tAontas Sóivéadach an bua ar na Gearmánaigh ó thaobh aerárthaí a tháirgeadh, cé go raibh aerárthaí na Gearmáine agus an Aontais Shóivéadaigh ar comhchaighdeán. Faoi gheimhreadh na bliana 1944-45 bhí an Ghearmáin ag cailleadh an cheathrú cuid dá heitleáin troda gach mí. Ba dheacair do

---

rannán division • **i gcomhar le** in conjunction with • **suaitheadh** shock • **feistigh** fit • **bonnán** siren
gaoth-thiomáinte wind-driven • **tumbhuamáil** dive-bombing • **buamadóir** bomber • **fadraoin** long-range

thionscal na Gearmáine eitleáin eile a chur ina n-áit toisc go raibh na monarchana á n-ionsaí de shíor i rith ruathair bhuamála straitéiseacha lae na gComhghuaillithe.

▲ *Spitfires* de chuid Scuadrún Trodaíochta Astrálach in aerpháirc de chuid *Cheannasaíocht na dTrodairí* i Sasana i rith an Dara Cogadh Domhanda.

*Níorbh fhéidir leis an ionsaí aeir an bua a bhreith leis as féin, mar a mhaígh *straitéisithe go luath, ach b'arm cumhachtach é a lagaigh an táirgeadh cogaidh agus an fhrithbheartaíocht Ghearmánach ar gach fronta.*

As ***The Changing Nature of Warfare 1700-1945*** le Neil Stewart, 2001.

*Tumbhuamáil: An bhuamáil ó *airde mhór – ní raibh sí cruinn; ionsaithe ó airde íseal le gunnaí agus roicéid ba lú cumhacht – ní raibh siad éifeachtach. Scéal eile a bhí sa tumbhuamáil: bhí sí an-éifeachtach ag tús an Dara Cogadh Domhanda le haghaidh ionsaithe cruinnis, mar shampla chun bóithre a ghearradh agus droichid a scriosadh.

Tancanna

Bhí ról mór ag an tanc i gcéadchéimeanna an Dara Cogadh Domhanda. Bhí tábhacht le rannáin Phansar na Gearmáine i rith *oirbheartaíocht *Blitzkrieg* Hitler sna blianta 1939 go 1941. De réir mar a lean an cogadh ar aghaidh, tháinig tancanna níos mó agus níos armúrtha in áit na dtancanna níos éadroime; mar shampla tháinig an Sherman Meiriceánach, an T-34 Sóivéadach agus an Panther Gearmánach, in áit na gcineálacha tancanna níos éadroime a bhí sna rannáin Phansar. Troideadh an cath tancanna ba mhó sa stair in Kursk san Aontas Sóivéadach i mí Iúil 1943 (lch 111).

Níor bhain an tanc amach ceannasaíocht iomlán riamh ar láthair an chatha, agus b'éasca é a ionsaí ón aer le haerárthaí scriosta tancanna mar an t-eitleán Meiriceánach *Swordfish*.

▲ Tanc mór armúrtha a bhí sa Tanc Sóivéadach T-34, a bhí fíorghníomhach i gcéadchéimeanna an Dara Cogadh Domhanda.

Ceannasaíocht na dTrodairí Fighter Command • **tumbhuamáil** dive-bombing • **airde** altitude
straitéisí strategist • **oirbheartaíocht** tactics

205

*Saintrealamh

Forbraíodh a lán arm nua sa Bhreatain agus i Meiriceá chun an *dul i dtír ar thránna na Normainne i rith ionradh *D-Day* (an 6 Meitheamh 1944, lch 114) a éascú.

- Tháirg monarchana Mheiriceá na mílte bád *dulta i dtír. Baineadh leas as 12 chineál éagsúil árthaigh, ar a laghad, chun na mílte saighdiúir a chur i dtír ar na tránna; bhí *cabhail indúnta/inoscailte ar na hárthaí.

- Dhear an *Maorghinearál Percy Hobart réimse de shainfheithiclí ar ar tugadh '*funnies*'. Feithicil amháin díobh sin ba ea an Tanc *Amfaibiach (ar uisce agus ar talamh) Sherman, a raibh tiúbanna *inteannta air.

- San oíche, ar an 5 Meitheamh, *phlúch na Comhghuaillithe, go leictreonach, 74 de 92 stáisiún *radair Gearmánach. Fágadh na stáisiúin eile ag feidhmiú d'aon ghnó chun go nglacfaidís *faisnéis bhréige. De thoradh an phlúchadh leictreonach, shíl na Gearmánaigh gur trasna Pas de Calais (an bealach trasna is cúinge i Muir nIocht) a dhéanfaí an t-ionradh. Tógadh campaí bréige airm in Sussex agus in Kent, agus cuireadh an chuma ar iarnróid an oirdheiscirt go raibh siad gnóthach, rud a thug le fios go raibh na mílte saighdiúirí á mbogadh. Bhain an *RAF* leas as cleas tábhachtach ar ar tugadh '**fuinneog**' nó *cáithleach'; ba é a bhí sa cháithleach ná *stiallacha de *scragaill stáin a scaoiltí anuas as aerárthaí; bhíodh an chuma ar na stiallacha, ar radar na nGearmánach, gur ionradh eitleán a bhí ann. Chuir an oirbheartaíocht *mhearaí sin ina luí ar Rommel, a bhí i gceannas ar chóras cosanta an Atlantaigh, gur ródhócha gurbh é Calais a d'ionsófaí. Dá bhrí sin, ba lú an chosaint a bhí ar an Normainn.

- In 1942, nuair a thosaigh na Comhghuaillithe ag pleanáil a n-ionradh ar Mhór-roinn na hEorpa, ghlac siad leis nárbh fhéidir a bheith cinnte go n-éireodh leo cuan a raibh caoi mhaith air a ghabháil. Tarraingíodh 'cuanta' *réamhdhéanta, ar tugadh an códainm '**Mulberry Harbours**' orthu, trasna Mhuir nIocht. Bhí *ardáin luchtaithe agus *lamairní ar na 'cuanta' sin a bhí beagnach trí cheathrú míle ar fad. A luaithe is a cuireadh an 'cuan' san áit a raibh sé le bheith, thosaigh criúnna innealtóirí ar bhóithre a thógáil trasna na dtránna. Leagadh mataí miotail nó mataí cnó cócó ar an ngaineamh agus ar na clocha.

- Chun a chinntiú go ráineodh soláthairtí riachtanach ola feithiclí na gComhghuaillithe san Eoraip i rith na mblianta 1944 go 1945, leagadh '**pluto**' – píopa ola faoin bhfarraige – as Sasana, trasna Mhuir nIocht. Ní hamháin gur chuir an píopa 172,000,000 galún ar fáil faoi Lá an Bhua san Eoraip (*VE Day* – 8 Bealtaine 1945), ach ba thús é le tionscal na hola faoin bhfarraige.

'Fuinneoga'; *'cáithleach' a tugadh orthu sna Stáit Aontaithe; is é a bhí iontu *stiallacha beaga *scragall stáin a scaoileadh anuas as aerárthaí. Bhí an radar in ann an scragall a bhrath, agus chuir sin mearbhall ar na hoibritheoirí radair, a bhí ag iarraidh suíomh na n-aerárthaí a aimsiú.

*Gairis Bhraite

Radar

Ceapadh an radar (bunaithe ar na focail *radio detection and ranging*) sa bhliain 1932. Fuair Robert Watson Watt amach go bhféadfaí rudaí a bhí ag gluaiseacht a bhrath trí na tonnta a bhí siad a *fhrithchaitheamh; le *tarchuradóir raidió a braithfí na tonnta. D'fhorbair Watt agus Sir Henry Tizard an radar, agus chuir se go suntasach le cosaint a dtíre i rith

---

saintrealamh specialist equipment • **dul i dtír** landing • **cabhail** hull • **Maorghinearál** Major-General
amfaibiach • amphibian • **inteannta** inflatable • **plúch** jam • **radar** radar • **faisnéis** information
cáithleach chaff • **stiall** strip • **scragall stáin** tinfoil • **mearaí** diversionary • **réamhdhéanta** prefabricated
ardán luchtaithe loading platform • **lamairne** jetty • **gaireas braite** detection device • **frithchaith** reflect
tarchuradóir raidió radio transmitter

Chath na Breataine (lch 104). Cuireadh le héifeachtacht an radair nuair a ceapadh an trealamh **IFF** (**Identification Friend or Foe**). Leis an gcóras sin, bhí oibritheoirí radair in ann aerárthaí nó longa óna dtaobh féin a aithint ar scáileán an radair.

Baineadh leas freisin as *léasacha raidió chun buamadóirí a threorú chun a sprioc. Ba é an gaireas ba shofaisticiúla ná an H^2S – tarchuradóir agus *glacadóir radair a bhí feistithe sa bhuamadóir.

Bhain an Bhreatain an-bhuntáiste as trealamh radair i rith Chath na Breataine chun eitleáin a bhí ag teacht isteach a bhrath; agus i gCath an Atlantaigh (lch 106), trí U-bháid an namhad a aimsiú ón aer. Cé go raibh an radar ag an nGearmáin chomh maith, ní raibh sé chomh forbartha le córas na Breataine. I dtús an chogaidh, níor thuig na Gearmánaigh tábhacht an radair, toisc go raibh siad muiníneach go dtabharfadh oirbheartaíocht an *Blitzkrieg* an *choinbhleacht chun deiridh go luath.

*Sonóir

I rith an Chéad Chogadh Domhanda, d'fhorbair Paul Langevin *sonóir. Córas atá sa 'sonóir' a bhaineann leas as tonnta fuaime a *tharchuirtear agus a *fhrithchaitear san fharraige; ligeann na tonnta sin duit nithe atá san uisce a bhrath, nó a thomhas cé chomh fada uait is atá siad. D'fheabhsaigh Cabhlach na Breataine an sonóir go mór roimh 1939, agus d'fheabhsaigh Cabhlach na Stát Aontaithe é i rith an chogaidh. I gcomhar leis an radar, bhí baint mhór aige le bua na gComhghuaillithe ar muir, go háirithe i rith Chath an Atlantaigh; chuir sé le cumas na gComhghuaillithe *fomhuireáin Ghearmánacha agus Sheapánacha a bhrath.

Ultra

Códainm a bhí in '*Ultra*' ar *ghaireas speisialta idircheaptha a bhí ag na Briotanaigh. Le cabhair na bPolannach, tháinig *Seirbhís Faisnéise Eachtraí na Breataine, *MI6*, ar chóip den *mheaisín cód ba rúnda a bhí ag an nGearmáin – **Enigma**. *Scaoil na Comhghuaillithe na cóid a bhí sa mheaisín, agus dá bharr sin bhí siad in ann a lán de threoracha pearsanta Hitler ar cheisteanna an-rúnda a léamh a luaithe agus a eisíodh iad.

Chaith Rialtas na Breataine acmhainní ollmhóra ar an *iarracht um fhaisnéis comharthaí nó ealaín scaoilte na gcód. Cuardaíodh na hollscoileanna chun teacht ar na daoine ab éirimiúla. Earcaíodh scoláirí clasaiceacha, go háirithe iad sin a bhí go maith ag an *mbeiriste nó ag an bhficheall, chun oibriú i gCeanncheathrú Faisnéise na Breataine in Bletchley Park in Buckinghamshire.

*Taismigh

Fuair a chúig oiread daoine bás sa Dara Cogadh Domhanda is a fuair sa Chéad Chogadh Domhanda. Gan amhras, bhí baint ag an oirbheartaíocht agus na hairm chogaidh nua, níos scriosaí, leis an méadú ar líon na *dtaismeach, go háirithe i measc sibhialtach. Sna ruathair bhuamála leo féin, chaill an Bhreatain 60,000 sibhialtach, agus chaill an Ghearmáin agus an tSeapáin beagnach 400,000 duine, araon. Sa Chéad Chogadh Domhanda, sibhialtaigh a bhí san fhichiú cuid den líon a fuair bás; sa Dara Cogadh Domhanda, sibhialtaigh a bhí i leath den líon a fuair bás.

---

léas raidió radio beam • **glacadóir** receiver • **coinbhleacht** conflict • **sonóir** sonar • **tarchuir** transmit
frithchaith reflect • **fomhuireán** submarine • **gaireas idircheaptha** interception device
Seirbhís Faisnéise Eachtraí Foreign Intelligence Service • **meaisín cód** code machine
scaoil break • **iarracht um fhaisnéis comharthaí** signals intelligence effort • **beiriste** bridge
taismeach casualty

Toradh

A luaithe agus a chuaigh an tAontas Sóivéadach agus na Stáit Aontaithe isteach sa chogadh in 1941, ba leis na Comhghuaillithe a bhí an buntáiste teicneolaíochta. Níor éirigh le Cumhachtaí na hAise coinneáil suas leis na Stáit Aontaithe ná leis an Aontas Sóivéadach maidir le líon na n-arm a tháirg siad.

Ba chinneadh fíorthábhachtach é cinneadh Stailín na monarchana a aistriú soir, lasmuigh de raon na nGearmánach. Tháinig innealtóirí agus dearthóirí den scoth as an gcóras oideachais Sóivéadach (lch 69), rud a d'fhág go raibh caighdeán na n-arm a táirgeadh ansin níos fearr ná airm na nGearmánach. Bhí an tanc T-34 Sóivéadach agus an *teilgeoir roicéad *Katyusha* ar na hairm mhíleata ab fhearr a táirgeadh i rith an Dara Cogadh Domhanda.

Baineadh leas as tionscal seanbhunaithe gluaisteán Mheiriceá, lena mhodhanna éifeachtúla táirgeacht líne, chun tancanna, eitleáin agus longa a thógáil i rith an chogaidh. Chomh luath le 1942, bhí na Stáit Aontaithe ag táirgeadh níos mó arm ná *aschur uile Chumhachtaí na hAise le chéile.

? Ceisteanna

An Gnáthleibhéal

Déan cur síos ar an gcaoi ar chuir dhá cheann díobh seo a leanas le toradh an Dara Cogadh Domhanda.

1. An Radar.
2. Aerárthaí.
3. Tancanna.

An tArdleibhéal

1. Cén chaoi ar chuir teicneolaíocht an chogaidh le toradh an Dara Cogadh Domhanda?
2. Déan cur síos ar na príomhchéimeanna a tugadh chun cinn sa teicneolaíocht i rith an Dara Cogadh Domhanda.

---

teilgeoir roicéad rocket launcher • **aschur** output

Foclóirín Gaeilge—Béarla

ábhar *fr1* potential

ábharachas *fr1* materialism

absalóideach *a* absolute

Acadamh *fr1* **na Mínealaíon**
Academy of Fine Arts

achainí *b4* appeal

achainigh *br* plead

Acht Údaraithe, An t, Enabling Act

**Acht um Árachas Dífhostaíochta,
An t,** Unemployment Insurance Act

aclaí *a* fit

adhradh *fr* worship

admháil *b3* confession

aerbhombardú *fr* aerial
bombardment

aerchriú *fr4* aircrew

aerpháirc *b2* airfield

agóideoir *fr3* protester

áibhéil *b2* exaggeration

áibhéileach *a* exaggerated

aibhsiú *fr* highlighting

aigne *b4* spirit

aimiréal *fr1* admiral

aimiréalacht *b3* admiralty

aindiachas *fr1* atheism

ainghníomh *fr1* atrocity

ainnise *b4* misery

ainriail *b* anarchy

airde *b4* altitude

airdeall *fr1* attentiveness

Aire *fr4* **Gnóthaí Baile** Minister for
the Interior

Aire *fr4* **Muinisin** Minister of
Munitions

Aireacht Bia, An, Ministry of Food

Aireacht Bolscaireachta, An,
Propaganda Ministry

Aireacht Muinisin Ministry of
Munitions

Aireacht Oird, An, Ministry of Order

Aireacht Saothair, An, Ministry of
Labour

airéine *b4* arena

airgeadaí *fr4* financier

Airianach *fr1 & a* Aryan

áirigh *br* estimate; include

ais *b2* axis

aistarraingt *b2* **scaoill** panic
withdrawal

áitigh *br* argue; persuade

áitiú *fr* persuasion

áitreabh *fr1* **pionóis** penal
settlement

allta *a* wild

alltacht *b3* amazement

altramas *fr1* fosterage

alúmanam *fr1* aluminium

amfaibiach *a* amphibian

amhiarann *fr1* iron ore

anachain *b2* misfortune

anaithnid *a* unknown

antoisceach *a* extreme

antoisceach *fr1* extremist

aonaránaithe *a* isolated

aonaránú *fr* isolation

aonfhoirmeacht *b3* uniformity

**Aontas na bPoblachtaí Sóivéadacha
Sóisialacha (APSS)** Union of
Soviet Socialist Republics (USSR)

aorach *a* satirical

aosach *fr1* adult

ár *fr1* massacre

ar aire at attention

ar ais nó ar éigean at all costs

ar an meán on average

ar an mórchóir on a large scale

ar deoraíocht in exile

ar foluain flying

ardaigh *br* promote

ardán *fr1* stand

ardán *fr1* **luchtaithe** loading
platform

Ard-Bhandiúc *fr1* Grand Duchess

Ardcheannasaí *fr4* Commander in
Chief

ardchéimíocht *b3* high rank

ardnós *fr1* grandeur

ardtréas *fr3* high treason

armáid *b2* armada

armúrtha *a* armoured

árthach *fr1* vessel, craft

arúil *a* arable

aschur *fr1* output

aslonnaí *fr4* evacuee

aslonnaigh *br* evacuate

aslonnú *fr* evacuation

átarcacht *b3* autarky

atharmáil *br* re-arm

athbhreithniú *fr* revision

athchóirigh *br* renovate

athdháil *br* redistribute

athláimhe *g mar a* second-hand

athmhuintearas *fr1* reconciliation

athoideachas *fr1* re-education

athraitheach *a* changeable

bá *b4* sympathy

babhlaer *fr1* bowler (hat)

babhtáil *b3* bartering

bacach *fr1* tramp

baghcat *fr1* boycott

baicle *b4* band

bailé *fr4* ballet

baineadh siar as it suffered a
setback

baitsiléir *fr3* bachelor

balbhscannán *fr1* silent movie

balsamigh *br* embalm

balún *fr1* **baráiste** barrage baloon

baothdhána *a* desperate

barainneacht *b3* economy

bardasach *fr1* alderman

barr *fr1* crop

barrachas *fr1* surplus

barún *fr1* baron

bás le hadhairt death by natural causes

beagní a dhéanamh de to minimise

beaignit *b2* bayonet

Bealach na Polainne The Polish Corridor

bealaí *iol* **táirgeachta** means of production

Bearnas Brenner Brenner Pass

beart *fr1* measure

beart *fr1* **éigeandála** emergency measure

Beartaíocht na gCaitliceach Catholic Action

beartas *fr1* **géilleadh síthe** policy of appeasement

beireatas *fr1* birth

beiriste *fr4* bridge

beith *b2* **absalóideach** absolute being

Bille um Dhleachtanna ar Allmhairí, An, Import Duties Bill

bláthfhleasc *b2* wreath

bob *fr4* **a bhualadh** play a trick

bobaide *fr4* clown

boc *fr1* **mór** tycoon

bogás *fr1* complacency

boilsc *b2* bulge

boilsciú *fr* inflation

bolscaire *fr4* **láithreachais** continuity announcer

bolscaireacht *b3* propaganda

bombardú *fr* bombardment

bonnán *fr1* siren

Bord Cúnamh Dífhostaíochta, An, Unemployment Assistance Board

borrach *a* booming

borradh *fr* boom

braith *br* betray; inform on

breathnóir *fr3* observer, spectator

Briotanach *fr1* British

bris *br* dismiss

briseadh *fr* fall; defeat

bua *fr4* gift

buaic *b2* high point, finest hour

buama *fr4* **adamhach** atomic bomb

buama *fr4* **dordáin** buzz bomb

buama *fr4* **loiscneach** incendiary (bomb)

buamadóir *fr3* bomber

Buanréabhlóid *b2* Permanent Revolution

buanseasmhacht *b3* perseverance

buille *fr4* **fill** stab in the back

Buíon *b2* **an Ruathair** Assault Division (stormtroopers, *SA*)

búir *b2* roar

bulaíocht *b3* bullying

bun *fr1* **an angair** bitter end

bunáit *b2* base

bunáit *b2* **chabhlaigh** naval base

buncar *fr1* bunker

bunchloch *b2* basis

bunchnoc *fr1* foothill

busáras *fr1* bus station

buscáil *b3* busking

busta *fr4* bust

cabhail *b* hull

cabhlach *fr1* **ionraidh** invasion fleet

caibléireacht *b3* cobbling

caidreamh *fr1* relations

Cailvíneach *a* Calvinist

cáin *b* **eisimirce** emigration tax

Cairt Chine Charter of Race

cáithleach *b2* chaff

caithréimeach *a* triumphant

calaois *b2* fraud

calc *br* freeze

campa *fr4* **díothaithe** extermination camp

campa *fr4* **oibre** labour camp

campa *fr4* **oibre éigeantais** forced labour camp

Caolais *iol* **na Dardainéile** Dardanelles Straits

cara *fr4* **rúin** confidant

carasma *fr4* charisma

carasmatach *a* charismatic

Cath na Boilsce Battle of the Bulge

Cathair Pheadair St Petersburg

cathlán *fr1* battalion

cead *fr3* **a chinn** free hand

Céad-Tiarna na hAimiréalachta First Lord of the Admiralty

ceamaradóir *fr3* camera person

ceanán *fr1* favourite

ceann *fr1* **cúrsa** destination

ceann *fr1* **droichid** bridgehead

Ceann *fr1* **Foirne** Chief of Staff

ceannaghaidh *b2* feature

ceannairc *b2* mutiny

ceannaire *fr4* corporal

ceannasaí *fr4* **coiriúlachta** crime boss

ceannasaí *fr4* **rannáin** divisional commander

Ceannasaí *fr4* **Uachtarach** Supreme Commander

Ceannasaíocht na dTrodairí Fighter Command

ceannródaí *fr4* pioneer

ceansaigh *br* calm

ceantar *fr1* **anáis** distressed area

ceapach *b2* plot

ceardaí *fr4* artisan

cearrbhachas *fr1* gambling

ceart *fr1* **vótála na bhfear uile** universal male suffrage

ceartaiseach *a* self-righteous

ceartchreidmheach *a* orthodox

céas *br* torture

céasadh *fr* torture

céimíocht *b3* rank

céimnigh *br* stride

ciap *br* harass

Cine *fr4* **Airianach, An,** The Aryan race

cineál *fr1* nature

ciniciúil *br* cynical

ciníoch *a* racial

ciníochas *fr1* racism

cinn *br* decide

cinneadh *fr* decision

cinniúint *b3* fate

cinnte *a* decided

ciocrach *a* greedy

ciocras *fr1* eagerness

ciocras *fr1* **fola** bloodthirstiness

cion *fr3* offence

cion *fr4* share

ciondáil *b3* rationing

ciorrú *fr* cut-back

círéib *b2* riot

cirte *b4* correctness

citreas *fr1* citrus

clabhsúr *fr1* end

cláiríneach *fr1* cripple

claochlaigh *br* transform

claonadh *fr* bias

claontacht *b3* prejudice

clár *fr1* **céimíochta** honours board

clár *fr1* **dáilte talaimh** land distribution programme

Clár Léas-iasachta Lend-Lease Programme

cliamhain *fr4* son-in-law

cliarlathas *fr1* hierarchy

cliseadh *fr* bust, crash

Cliseadh Wall Street The Wall Street Crash

cloch *b2* **mhíle** milestone

clóphreas *fr3* printing press

cluain *b3* deception

clúmhilleadh *fr* slander

cnámh *b2* **spairne** bone of contention

cobhsaí *a* stable

cobhsaigh *br* stabilise

cobhsaíocht *b3* stability

cobhsaíocht *b3* **eacnamaíoch** economic stability

códaigh *br* code

códainm *fr4* codename

codarsnach *a* contrasting

codarsnacht *b3* contrast

Cogadh Bréige, An The Phoney War

Cogadh Fuar, An The Cold War

Cogadh na mBórach The Boer War

cogadh *fr1* **tintrí** lightning war

coigilte *a* saved

coigilteas *fr1* savings

coilíneacht *b3* colony

Coimeádach *a & fr1* Conserative

coimeasár *fr1* commissar

Coimeasáracht *b3* Commissariat

coiméide *b4* comedy

coimhlint *b2* **cumhachta** power struggle

coimirceas *fr1* protectorate

Coimisiún an Chúitimh Reparations Commission

coinbhleacht *b3* conflict

coinscríobh *fr* conscription

cóir *b3* equipment

coir *b2* **chogaidh** war crime

cóir *b3* **iompair** transport equipment

coirb *br* corrupt

coirbthe *a* corrupted

coiriúil *a* criminal

coirpeach *fr1* criminal

cománlach *fr1* commando

comaoin *b2* return for favour, owe

comarclann *b2* reservation

comh-aireacht *b3* cabinet

C[h]omh-aireacht Chogaidh, An, The War Cabinet

comhairle *b4* council

Comhairle *b4* **Buirge** Borough Council

Comhairle Choimeasáir na bPobal Council of Peoples' Commissars

Comhairle na gCeardchumann Trade Union Council

C[h]omhairle Náisiúnta Frithbheartaíochta, An The National Resistance Council

comhaontas *fr1* alliance

Comhaontú *fr4* **Frith-Chumannachais, An,** Anti-Communist Pact

Comhaontú na Cruach Pact of Steel

comhaontú *fr* **neamhionsaitheachta** non-aggression pact

comharba *fr4* successor

comharbas *fr1* succession

comharthaíocht *b3* signalling

comhbhua *fr4* shared victory

comhchabhair *b* mutual assistance

comhcheangal *fr1* combination

comhcheannaireacht *b3* collective leadership

comhcheilg *b2* conspiracy

comhcheilg *b2* **armáilte** armed conspiracy

comhchineáil *g mar a* in kind

comhchúnamh *fr1* mutual help

comhdháil *b3* **nuachta** press conference

Comhdháil Shóivéidí an Uile-Rontais All-Union Congress of Soviets

comhéigean *fr1* coercion

comhfheirm *b2* collective farm

comhfhreagraí *fr4* **cogaidh** war correspondent

comhghleacaí *fr4* companion

comhghuaillí *fr4* ally

Comhghuaillithe, Na, The Allies/The Allied Powers

comhionann *a* equal

comhlachas *fr1* association

comhlathas *fr1* commonwealth

comhneart *fr1* united strength

comhoibrí *fr4* collaborator

comhoibriú *fr* collaboration

comhpháirtíocht *b3* partnership; solidarity

comhrac *fr1* combat

comhrún *fr1* joint resolution

comhsheilbhíocht *b3* collectivisation

comhshlándáil *b3* collective security

comhshnaidhmiú *fr* incorporation

comhstraitéis *b2* common strategy

comhthéacsú *fr* contextualisation

comhthiomsaigh *br* pool

comhthoil *b3* consensus

complacht *fr3* company

concaire *fr4* conqueror

concas *fr1* conquest

conclúid *b2* conclusion

concordáid *b2* concordat

Conradh na Náisiún League of Nations

contrártha *a* opposing

cór *fr1* corps

cor *fr1* **nua** turning point

córasach *a* systematic

corcairghorm *a* violet

corrach *a* shifty

corrail *b2* disturbance, unrest

corrán *fr1* sickle

cos *b2* **ar bolg** oppression

cosantachas *fr1* protectionism

cosantóir *fr3* defendant

coscrach *br* shattering

cosmaidí *iol* cosmetics

cothaitheach *a* nourishing

cothroime *b4* **inscní** gender equality

crann *fr1* **tógála** crane

craobhscaoil *br* disseminate

craolachán *fr1* broadcast

craoladh *fr* broadcast

creach *b2* booty, loot

creachadh *fr* looting

créam *br* cremate

créamatóiriam *fr1* crematorium

críochdheighil *br* partition

crios *fr3* zone

crios *fr3* **dímhíleataithe**
     demilitarised zone

crios *fr3* **maolánach** buffer zone

criticeoir *fr3* critic

croch *b2* gallows

croiméal *fr1* moustache

crosáid *b2* crusade

Crosáid Jarrow Jarrow Crusade

crosphórú *fr* cross-breeding

cruach *b4* steel

cruálacht *b3* cruelty

Cugas *fr1* Caucasus

cúige *fr4* province

cuimhneachán *fr1* commemoration

cuing *b2* yoke, tie

cuir *br* **thar a fhulaingt** to overreach

cuirfiú *fr4* curfew

cúirtéis *b2* salute

cúiseamh *fr1* accusation; charge

cúisí *fr4* accused (person)

cúl *fr1* rear

Cúlacach *fr1* Kulak

cúlaistín *fr4* henchman

culaith *b2* **thráthnóna** evening suit

cúlchiste *fr4* reserve

cúltaca *fr4* reserve

cultas *fr1* **pearsantachta**
     personality cult

cultúr *fr1* **pobail** popular culture

cumhacht *b3* **éigeandála** emergency
     power

cumhachtaí *iol* **forógra éigeandála**
     emergency decree powers

Cumhachtaí na hAise Axis Powers

cumhrán *fr1* perfume

cúngaigeanta *a* narrow-minded

cunta *fr4* count

cúntach *a* auxiliary

cuntas *fr1* **iarbháis** obituary

cuóta *fr4* quota

cúpla *fr4* **comhionann** identical twins

cur *fr1* **chuige** approach

cúrsóir *fr3* cruiser

daingean *fr1* fortress

daingniú *fr* fortification

dála like, similar to

dalba *a* brazen

Dalmáit, An, Dalmatia

daoirse *b4* **eacnamaíoch** economic
     enslavement

**Daonchoimeasáracht Gnóthaí Baile,
     An,** People's Commisariat for
     Interior Affairs

daonnachtúil *a* humane

de bhéal verbally

de thrí cheathrú by three-quarters

deabhóideach *a* devotional

dearnáil *b3* darning

deilbh *b2* figure

déine *b4* severity

Deireadh Fómhair Dearg Red
     October

Deireadh Fómhairigh Bheaga, Na,
     Little Octoberists

déistin *b2* disgust

deoraí *fr4* exile

deoraíocht *b3* exile

diagaire *fr4* theologian

dí-áirithe *a* innumerable, countless

díbhoilscitheach *a* deflationary

díbhoilsciú *fr* deflation

díbir *br* banish

dídean *b2* shelter

dídeanaí *fr4* refugee

dífhostaíocht *b3* **struchtúrach**
     structural unemployment

difreálach *fr1* differential

dil *a* dear

díláithreach *fr1* displaced person

dílsigh *br* vest

díluacháil *b3* devaluation

díluacháil *br* devalue

díluchtaigh *br* unload

dínit *b2* dignity

díoltas *fr1* vengeance

díomhaoineach *fr1* idler

díomua *fr4* defeat

díomuachas *fr1* defeatism

diongbháilteacht *b3* determination

díorma *fr4* band

díothaigh *br* exterminate

díothú *fr* extermination

dírbheathaisnéis *b2* autobiography

díshlógadh *fr* demobilisation

diúracán *fr1* missile

dlínse *b4* jurisdiction

dlisteanaigh *br* legitimate, justify

dlúthpháirtíocht *b3* solidarity

dó *fr* **seaca** frostbite

dochloíteacht *b3* endurance

dofhulaingthe *a* unbearable

doicheall *fr1* resentment

doichte *b4* firmness

doleigheasta *a* incurable

dordán *fr1* buzz

doréitithe *a* irreconcilable

dorialaithe *a* ungovernable

doshamhlaithe *a* unimaginable

dosheachanta *a* inevitable

draíodóir *fr3* wizard

drámatacht *b3* dramatic quality

dréachtchonradh *fr3* protocol

drochmhuinín *b2* distrust

drong *b2* gang

dúchas *fr1* **an tréada** herd instinct

dúdaireacht *b3* crooning

dufair *b2* jungle

duibheagán *fr1* abyss

Dúiche na Réine The Rhineland

duilliúr *fr1* foliage

dul de dhroim trinse go over the top

dul i dtír landing

dúmháladh *fr* blackmail

dúnfort *fr1* stronghold

dúshlán *fr1* challenge

dúshlán *fr1* **a thabhairt** to challenge

dusma *fr4* blur

éadairbheach *a* fruitless

eadránaí *fr4* arbitrator

Eaglais na hAdmhála Confessional Church

eaglaiseach *fr1* clergyman

Eagraíocht Fóirithinte agus Athshlánaithe na Náisiún Aontaithe United Nations Relief and Rehabilitation Organisation

éagumasach *a* impotent

eamhnú *fr4* **núicléach** nuclear fission

earcaigh *br* recruit

earra *fr4* **maisíochta** toiletry

earra *fr4* **tomhaltais** consumer good

eascainí *b4* swearing

easlán *fr1* sick person

easumhlaíocht *b3* **shibhialta** civil disobedience

éide *b4* uniform

éigeandáil *b3* emergency

éigeantach *a* compulsory

éigniú *fr* rape

Eilbe, An, *b4* The Elbe

eiriceach *fr1* heretic

eiseachaid *br* extradite

eiseamláir *b2* example

eiseamláireach *a* exemplary

eisiach *a* exclusive

eisimirce *b4* emigration

eispéireas *fr1* experience

eite *b4* **dheas** right wing

eite *b4* **faisnéise** intelligence wing

eithne *b4* core

eitinn, an, *b2* consumption, tuberculosis

eitneach *a* ethnic

eotanáis, an, *b2* euthanasia

fabhar *fr1* **impiriúil trádála** imperial trading preference

fadraoin *g mar a* long-range

faill *b2* time

fairsingigh *br* expand

fairsingiú *fr* expansion

faisnéis *b2* intelligence; information

fálróid *b2* hanging about

faoi léigear besieged

faoi thiomáint spreagthaigh stimulus driven

faomh *br* approve

faomhadh *fr* approval

féach le attempt to, try to

feall *fr1* betrayal

feallmharaigh *br* assassinate

fear *br* wage

fearacht like

feasachán *fr1* bulletin

féideartha *a* possible

Feidhmeannas Oibríochtaí Speisialta na Breataine British Special Operations Executive (SOE)

féimheacht *b3* bankruptcy

féinleas *fr3* self-interest

féinmhuinín *b2* self-confidence

feistigh *br* fit

feithicil *b2* **armúrtha** armoured vehicle, armour

fimíneach *fr1* hypocrite

Finné *fr4* **láivé** Jehovah's Witness

fiontar *fr1* venture

fiontraíocht *b3* enterprise

fíormhianach *fr1* true nature

fíorphá *fr4* real wage

fíréan *fr1* faithful person

fíréanta *a* sincere

fíriciúil *a* factual

fisiceoir *fr3* physicist

fiuchaidh *g mar a* boiling

flaithiúlacht *b3* generosity

Flóndras *fr4* Flanders

fochine *fr4* inferior race

fodhaoine *iol* lesser people

foghlaí *fr4* pirate

fógra *fr4* **deiridh** ultimatum

fógrán *fr1* flyer

foilmhe *b4* emptiness

foinse *b4* **phríomha** primary source

foinse *b4* **thánaisteach** secondary source

fóirdheontas *fr1* subsidy

foireann *b2* **ghinearálta** general staff

foirfe *a* perfect

fóirithint *b2* relief

foirmiúil *a* formal

folús *fr1* vacuum

fomhuireán *fr1* submarine

foráil *b3* provision

foraithne *b4* decree; proclamation

foraithne *b4* **chiníoch** racial decree

foraithne *b4* **leasúcháin** reforming decree

foraithne *b4* **talún** decree on land

Foras Náisiúnta Oideachais Pholaitiúil, An, National Political Educational Establishment

forásach *a* progressive

forbhoilsciú *fr* hyperinflation

forbhreathnú *fr* overview

forghabh *br* occupy

forghabháil *b3* occupation, take-over

forghafa *a* occupied

forlámhas *fr1* superiority; despotism

forleathnaitheach *a* expansionist

fórsa *fr4* **cúntach póilíneachta** auxiliary police force

foscadán *fr1* shelter

fosú *fr* deposit

freasúra *fr4* opposition

freasúrach *a* opposition

friochtán *fr1* pan

frith-aerárthaí *g mar a* anti-aircraft

frithbheartaíocht *b3* resistance

frithbheartaíocht *b3* **shíochanta** passive resistance

frithchaith *br* reflect

frithchléireachas *fr1* anti-clericalism

frithdhúnadh *fr* lockout

frithfheimineach *a* anti-feminist

frithghiniúnach *fr1* contraceptive

frithionsaí *fr* counter-attack

frithréabhlóidí *fr4* counter-revolutionary

frith-Sheimíteach *a* anti-Semitic

Fronta Baile, An Home Front

fronta *fr4* **pobail** popular front

Fronta Saothair na Naitsithe Nazi Labour Front

fuarchúis *b2* indifference

gabh *br* arrest

gabha *fr4* **dubh** blacksmith

gabháltas *fr1* holding

gabhann *fr1* dock

gach re seal every now and then

gáifeach *a* sensational

gaiméit *b2* germ cell

Gairdín na Lus Botanical Gardens

gaireas *fr1* **braite** detection device

gaireas *fr1* **cúléisteachta** tapping device

gaireas *fr1* **idircheaptha** interception device

gáirsiúil *a* obscene

gaisce *fr4* achievement; bravado

gaiscíoch *fr1* champion

gaiste *fr4* trap

gamal *fr1* fool

gan bhunús unfounded

gangaid *b2* bitterness

gaoth-thiomáinte *a* wind-driven

garchabhair *b* first-aid

gártha *iol* **molta** cheering, ovation

geáitseáil *b3* posing

gean *fr3* affection

géarchéim *b2* crisis

géarleanúint *b3* persecution

géilleadh *fr* **síthe** appeasement

geiteo *fr4* ghetto

ginias *fr1* **oirbheartaíochta** tactical genius

giofóg *b2* gypsy

glacadóir *fr3* receiver

glaineacht *b3* **chiníoch** racial hygiene

Glaschú Glasgow

gleadhair *br* blare

gleic *b2* fight, engagement

glóirigh *br* glorify

glóir-réim *b2* pageant

gluaiseacht *b3* **phionsúir** pincer movement

gluaisteach *a* mobile

gnaoi *b4* affection

gnaoi *b4* **a bheith ar** to be popular

gnéasachas *fr1* sexism

gnéchlár *fr1* feature (programme)

gníomhaíoch *fr1* activist

gníomhaire *fr4* **dhá thaobh** double-agent

gníomhaireacht *b3* agency

Gníomhaireacht Faisnéise na Naitsithe Nazi Intelligence Agency

go fánach randomly

gramaisc *b2* mob

gránáid *b2* grenade

gráscar *fr1* ragbag

gréasán *fr1* **faisnéise** intelligence network

gríosaigh *br* stir up

guagach *a* fickle

hidrileictreachas *fr1* hydroelectricity

i gcoibhneas le relative to

i gcomhar le in conjunction with

i mbláth a maitheasa at its best

iarbhall *fr1* ex-member

iarchoilíneacht *b3* former colony

iargúlta *a* backward

iarracht *b3* **um fhaisnéis comharthaí** signals intelligence effort

idé *b4* idea

idé-eolaíocht *b3* ideology

idirbheartaíocht *b3* negotiations

idirchogaidh *g mar a* inter-war

idirghabháil *b3* intervention

idirghabhálaí *fr4* mediator, go-between

idir-réiteach *fr1* conciliation

idirthréimhse *b4* transitional period

ilpháirtithe *iol* multi-party

ilrannach *a* departmental

imeaglú *fr* intimidation

imlitir *b* encyclical

imshuí *fr* blockade

in aisce in vain

in inmhe fit to

inargóna arguable

infheistíocht *b3* **eachtrach** foreign investment

inleithscéil *g mar a* justifiable

inlíocht *b3* manoeuvre

inlíocht *b3* **airm** army manoeuvre

insamhlaithe *a* 'thinkable', imaginable

inteannta *a* inflatable

intíre *g mar a* domestic

íochtarán *fr1* inferior person

iomadúil *a* numerous

iomaíoch *a* competitive

iompróir *fr3* **aerárthaí** aircraft carrier

íon *a* pure

íonacht *b3* purity

Ionadaíocht Chionmhar, An, Proportional Representation

ionaid *g mar a* substitute

ionchoiriú *fr* incrimination

ionchúiseamh *fr1* prosecution

ionradh *fr* invasion

ionróir *fr3* invader

ionsaitheach *a* aggressive

Iontaobhaithe an Lucht Oibre
Trustees of Labour

iontaofacht *b3* reliability

** íonú** *fr* purification

íos-mheánaicme *b4* lower middle
class

íospartach *fr1* victim

ísleán *fr1* low-lying land

ladar *fr1* **a chur i** to intervene in

lamairne *fr4* jetty

lámhach *br* shoot

lamháltas *fr1* concession

lána *fr4* **mall** slow lane

lánán *fr1* **doimhneachta** depth charge

lánmhúchadh *fr* blackout

laochas *fr1* heroism

laochta *a* heroic

laom *fr3* flash

lárthéama *fr4* central theme

lasta *fr4* freight

lastas *fr1* cargo

leannán *fr1* lover

léas *fr1* **raidió** radio beam

Leas-Cheann *fr1* **Stáit** Deputy Head
of State

leasú *fr* **chóras na talún** land reform

leathanuilleach *a* wide-angle

leictrigh *br* electrify

Léig an Chatha The Battle League

Léig Iníonacha na Gearmáine
League of German Maidens

léigear *fr1* siege

léiritheach *a* illustrative

léirsiú *fr* demonstration

leithcheal *fr3* discrimination

leomh *br* dare

leordhóthanach *a* self-sufficient

leordhóthanacht *b3* self-sufficiency

liodán *fr1* litany

líon *fr1* **saothair** workforce

loingseoireacht *b3* shipping

loiscthe *a* burnt

longscartáil *b3* ship-breaking

longthógáil *b3* shipbuilding

luamh *fr1* yacht

mac *fr1* **tíre** wolf

macasamhail *b3* counterpart

madra *fr4* **dúchais** mad dog

maígh *br* claim

mailíseach *a* malicious

máirseáil *b3* **bheacht** precision
marching

máirseáil *b3* **ocrais** hunger march

máisiún *fr1* freemason

máistirchine *fr4* master race

m[h]aláire, an, *b4* malaria

malartán *fr1* **oibre** labour exchange

maoinigh *br* finance

maoiniú *fr* finance, financing

maolán *fr1* buffer

maolánach *a* buffer

maor *fr1* warden

Maorghinearál *fr1* Major-General

maorlathas *fr1* bureaucracy

marascal *fr1* marshal

marascal *fr1* **machaire** field marshal

Marcphóilín *fr4* Mountie (Member
of Royal Canadian Mounted Police)

marg *fr1* mark

másailéam *fr1* mausoleum

meáin *iol* **chlóite** print media

meaisín *fr4* **cód** code machine

meamram *fr1* memo

meán *fr1* average

meanma *b4* morale

meánmhéid *b2* medium-sized

mearaí *a* diversionary

mearú *fr* distraction

measartha *a* moderate

measúlacht *b3* respectability

meatachán *fr1* coward

meathlóir *fr3* degenerate

meathlú *fr* recession, slump

Meinséiveach *fr1* Menshevik

mí *b4* **na meala** honeymoon

mianach *fr1* quality, substance

míchaoithiúlacht *b3* inconvenience

míchlú *fr* ill-repute

míchothú *fr* malnutrition

míchumas *fr1* disability

míchumasach *a* disabled

míghnaoi *b4* dislike

míleatacht *b3* militancy

míliste *fr4* militia

míntírigh *br* reclaim

míntíriú *fr* reclamation

miodóg *b2* dagger

mionn *fr3* oath

mionn *fr3* **umhlaíochta** oath of
obedience

mionnaigh *br* swear-in

mionpháipéarachas *fr1* detailed
paperwork

miotalóir *fr3* metallurgist

miotas *fr1* myth

míreanna *iol* **mearaí** jigsaw

míshocracht *b3* instability

modhúil *a* modest

moilleadóireacht *b3* delay; go-
slow; hesitancy

mórmheáin *iol* mass media

mór-ré *b4* great epoch

mór-rón *fr1* sea lion

mórtas *fr1* pride

muciarann *fr1* pig iron

muinisean *fr1* munitions

muinteartha *a* conciliatory

M[h]uir Bhán, An, White Sea

Muir nIocht English Channel

Múisiceach *fr1* Muzhik

múrmhaisiú *fr* mural

náisiúnach *a* national

náisiúnaigh *br* nationalise

náisiúntacht *b3* nationality

neamhaí *a* celestial

neamhbhalbh *a* outspoken, open

neamhbhásmhaireacht *b3*
immortality

neamhchomhardú *fr* imbalance

neamhchúnantaithe *a* uncovenanted

neamhdhúchasach *a* non-native

neamh-inmhianaithe *a* undesirable

neamhionsaitheacht *b3* non-aggression

neamhlitearthacht *b3* illiteracy

neamhord *fr1* disorder

neamhsheasmhacht *b3* instabiltiy

neamhthorthúil *a* unproductive

Ní breac é go mbeidh sé ar an bport Don't count your chickens until they're hatched

nimhitheoir *fr3* poisoner

nuachtscannán *fr1* newsreel

Nua-eagrú Thuathánaigh na Gearmáine New Formation of German Peasantry

Nuinteas *fr1* Nuncio

obair *b2* **éigeantais** forced labour

Ógra na gCumannaithe Communist Youth Movement

oibiachtúlacht *b3* objectivity

oibreacha *iol* **cruach** steelworks

oibrí *fr4* **bóna bháin** white-collar worker

oibrí *fr4* **éigeantais** forced labourer

oibrí *fr4* **láimhe** manual worker

oibríocht *b3* operation

Oibríocht an Mhór-róin Operation Sea lion

Oibríocht Bhuí, An, Operation Yellow

Oifig na Meitéareolaíochta Meteorological Office

Oifig Sheirbhísí Straitéiseacha Mheiriceá American Office of Strategic Services (OSS)

oirbheart *fr1* tactic

oirbheartaíoch *a* tactical

oirbheartaíocht *b3* tactics

oirbheartaíocht *b3* **mhíleata** military tactics

oirfideach *fr1* performer

olacheantar *fr1* oil-field

ollbhású *fr* mass execution

olldíothú *fr* mass extermination

ollsceimhle *b4* mass terror

ollsmachtach *a* totalitarian

ollsmachtachas *fr1* totalitarianism

ollstailc *b2* general strike

ológ *b2* olive

óráidíocht *b3* speech-making, oratory

órchaighdeán *fr1* gold standard

páirtiseán *fr1* partisan

paitriarc *fr1* patriarch

pansar *fr1* panzer

paranóiach *a* paranoid

pearsanú *fr* impersonation

pigmíoch *a* pygmean

plúch *br* jam

pobalbhreith *b2* plebiscite

pragmatach *fr1* pragmatist

príomhscannán *fr1* feature film

prólatáireach *a* proletarian

prólatáireacht *b3* proletariat

puilpid *b2* pulpit

purgú *fr* purge

rabhadh *fr* warning

radar *fr1* radar

raic *b2* wreckage

rámhaille *b4* delirium

rang *fr1* rank

rannán *fr1* division

rannán *fr1* **coise** infantry division

rannpháirtíocht *b3* participation

raon *fr1* range

raon *fr1* **buamála** bombing range

ráta *fr4* **malairte** exchange rate

rath *fr3* prosperity, success

ráthaíocht *b3* guarantee

rathúil *a* successful

ré *b4* age

réabhlóid *b2* **phobail** people's revolution

réalachas *fr1* realism

réaltacht *b3* reality

réamhchogaidh *g mar a* pre-war

réamhdhéanta *a* prefabricated

reatha *a* current

reibiliúnach *a* rebellious

reicneáil *b3* reckoning

réimse *fr4* **tionchair** sphere of influence

réise *b4* span

Réiteach Deireanach, An, The Final Solution

riail *b* rule

riailréim *b2* regime

rialaigh *br* control

rialáil *br* regulate

Rialtas an Aontais Naisiúnta Government of National Unity

rialtas *fr1* **ar deoraíocht** government in exile

Rialtas na Fraince ar Deoraíocht French Government in Exile

rialtas *fr1* **puipéid** puppet government

rialú *fr* **praghsanna** price control

rialúchán *fr1* control

rianaigh *br* trace, track

riasc *fr1* marsh

Ridire an Ghairtéir Knight of the Garter

roghnaíocht *b3* selectivity

Roinn Aslonnaithe na nGiúdach Jewish Evacuation Department

rómholadh *fr* excess praise

rop *br* dash

rósholáthar *fr1* oversupply

rualoscadh *fr* scorched earth

Rúnaí *fr4* **Cóilíneachta** Colonial Secretary

sabaitéireacht *b3* sabotage

saighdiúir *fr3* **coise** infantry soldier

saill *b2* fat

sainchomhartha *fr4* characteristic

sainleas *fr3* special interest

sainstíl *b2* distinctive style

saintrealamh *fr1* specialist equipment

Sáir, An t, *b2* The Saar

saoirse *b4* **comhlachais** freedom of associaition

saoráid *b2* facility

saorálaí *fr4* volunteer

saoránacht *b3* citizenship

saorga *a* artificial

saorsmaointeoir *fr3* freethinker

Sár *fr1* Tsar

sárbheart *fr1* great deed, success

sár-eolaí *fr4* master

sárshaothar *fr1* masterpiece

sásaithe *a* satiated

scairdtiomáinte *a* jet-propelled

scannán *fr1* **faisnéise** documentary (film)

scaoil (cód) *br* break (code)

scar is treascair divide and conquer

scaradh *fr* secession

scáthlán *fr1* shelter

sceimhle *b4* terror

Sceimhle Dhearg, An, The Red Terror

Sceimhle Mhór, An, The Great Terror

sceimhlitheoireacht *b3* terrorism

sceimhliú *fr* terrorising

scigaithris *b2* parody

scoil *b2* **den scoth** elite school

scoil *b2* **leanúna** continuation school

scoir *br* dissolve, disband

scoite *a* isolated

scragall *fr1* **stáin** tin-foil

scríbhinn *b2* caption

scríobhaí *fr4* scribe

scriostóir *fr3* destroyer

scuabadóir *fr3* **mianach** minesweeper

scuad *fr1* squad

Scuad Cosanta, An, Protective Squad

scuad *fr1* **lámhaigh** firing squad

scuadrún *fr1* squadron

seachrán *fr1* delusion

seal *fr3* shift

sealadach *a* provisional

sealúchas *fr1* belongings

seamadóir *fr3* riveter

séamafór *fr1* semaphore

Seansailéir *fr3* Chancellor

seas *br* **ar** insist on

seasc *a* barren

seasta *a* fixed

seat *fr4* **gearruilleach** short-angled shot

seirbhe *b4* bitterness

Seirbhís Faisnéise Eachtraí Foreign Intelligence Service

seomra *fr4* **gáis** gas chamber

seóthriail *b* show trial

siamsaíocht *b3* entertainment

sibhialtach *fr1* civilian

Sicil, An t, *b2* Sicily

Siléis, An t, *b2* Silesia

síochánachas *fr1* pacifism

síochánaí *fr4* pacifist

sionad *fr1* synod

siondacáiteach *fr1* syndicalist

síoraíocht *b3* eternity

sláinteachas *fr1* hygiene

sléacht *fr3* massacre

Sléibhte na hÚraile Ural mountains

slóg *br* mobilize

Slógadh Nürnberg Nuremberg Rally

slua *fr4* **tosaigh** advance party

sluachampa *fr4* **géibhinn** concentration camp

sluaíocht *b3* expedition

sluaisteáil *br* shovel

sluán *fr1* slogan

sluma *fr4* slum

smachtbhanna *fr4* sanction

snagcheoltóir *fr3* jazz musician

sochar *fr1* benefit

sochar *fr1* **dífhostaíochta** unemployment benefit

socracht *b3* stability

Sóisialachas in aon Tír Amháin, An, Socialism in One Country

sóivéid *b2* soviet

Sóivéid Uachtarach, An t, The Supreme Soviet

solas *fr1* **cuardaigh** search light

soláthairtí *iol* supplies

sólínéar *fr1* luxury liner

sollúnta *a* solemn

sonc *fr4* boost

sonóir *fr3* sonar

sonraithe *a* designated; detailed

sotalach *a* arrogant

spá *fr4* spa

spágáil *b3* wade

spás *fr1* **áitrithe** living space

spealadh *fr* depression

Spealadh Mór, An, The Great Depression

spiacánach *a* jagged

spiaire *fr4* spy

spiara *fr4* partition, screen

spíon *br* exhaust

splanc *b2* **thintrí** lightning flash

spontáineach *a* spontaneously

srapnal *fr1* shrapnel

sreang *b2* **dheilgneach** barbed wire

srian *fr1* restriction

staid *b2* stadium

stát *fr1* **póilíní** police state

stát *fr1* **puipéid** puppet state

státchiste *fr4* treasury

stiall *b2* strip

stíl *b2* **mhaireachtála** lifestyle

stocmhalartán *fr1* stock exchange

stoirm *b2* **olldóiteáin** firestorm

straitéisí *fr4* strategist

streachailt *b2* struggle

Streachailt Aicmeach, An, The Class Struggle

suáilce *b4* virtue

suaitheadh *fr* shock

suí *fr* **istigh** sit-in

Súidéatlainn, An t, *b2* Sudetenland

svaistíce *b4* swastika

tabhair *br* **ar láimh** hand over

tabhair *br* **dúshlán** challenge

tacaí *fr4* supporter

Tadhg an dá thaobh two-faced person

taibhseach *a* grandiose

taidhleoir *fr3* diplomat

taifead *fr1* record

táirgeacht *b3* productivity

táirgeadh *fr* **cogaidh** war production

taismeach *fr1* casualty

Tánaiste *fr4* Deputy

tarchuir *br* transmit

tarchuradóir *fr3* **raidió** radio transmitter

tarrtháil *br* rescue

tascobair *b2* piecework

tástáil *b3* **acmhainne** means test

Teach na dTeachtaí Chamber of Deputies; House of Commons

teachta *fr4* member, deputy

teagasc *fr1* doctrine

teagmhas *fr1* contingency

téanam let us go

tearmann *fr1* sanctuary

téarnamh *fr1* recovery

teicstíl *b2* textile

teideal *fr1* title

teideal *fr1* **ríoga** royal title

téigh *br* **go cnámh na huillinne** put to the test

téigh *br* **i dtír** land

téigh *br* **i gcomhar le** co-operate with; join with

téigh *br* **i mbannaí (ar)** guarantee

teilgcheárta *b4* foundry

teilgeoir *fr3* **roicéad** rocket launcher

tiarnas *fr1* dominion

tiarnasach *a* authoritarian

tinneas *fr1* **radaíochta** radiation sickness

tiomanta *a* committed, dedicated

tiomna *fr4* testament

tionlacan *fr1* escort

tionól *fr1* assembly

tionól *fr1* **bunreachta** constituent assembly

tionsclaí *fr1* industrialist

tionscnamh *fr1* iniative

tíorántacht *b3* tyranny

Tíortha faoi Thoinn, Na, The Low Countries

tír *b2* **bhuailte** defeated country

tnáitheadh *fr* attrition, wearing down

Tochail ar son an Bhua Dig for Victory

tochaltán *fr1* dugout

toghchánach *a* electoral

toirmeasc *fr1* ban

toirmisc *br* forbid

toisc *b2* (*iol* **tosca**) circumstance, condition

tomhaltóir *fr3* consumer

tosca *iol* circumstances, conditions

toscaireacht *b3* delegation

tráchtála *g mar a* commercial

tráchtas *fr1* treatise

trádáil *b3* **eachtrach** foreign trade

traoch *br* wear out, wear down

traochadh *fr* exhaustion

Traschugais, An, Transcaucasia

tras-scríbhinn *b2* transcript

tráthchuid *b3* instalment

treabhadh *fr* ploughing

tréadaí *fr4* pastor

treallchogaíocht *b3* guerrilla warfare

tréas *fr1* treason

treascair *br* overthrow, overrun

treascairt *b3* overthrow, downfall

tréatúir *fr3* traitor

treocht *b3* trend

triail *b* trial

triail *b* **tuisceana** comprehension

triomach *fr1* drought

tríthaobhach *a* tripartite

triúracht *b3* triumvirate

trodaí *fr4* fighter

tromlach *fr1* majority

Trotscaíochas, An Trotskyism

tuar *br* predict

tuar *fr1* prediction

tuargain *br* pound

tuata *a* lay

tuathánach *fr1* peasant

tubaisteach *a* disastrous

tuilsolas *fr1* floodlight

tuin *b2* accent

tumbhuamadóir *fr3* dive-bomber

tumbhuamáil *b3* dive-bombing

turgnamh *fr1* experiment

turnamh *fr1* fall

túsghabháil *b3* initiation

uachtarán *fr1* superior

uaillmhian *b2* ambition

uaillmhianach *a* ambitious

uaslathaí *fr4* aristocrat

uathlathach *a* autocratic

uathlathaí *fr4* autocrat

ubhchruthach *a* oval

Uileloscadh, An t, The Holocaust

uiríslítheach *a* humiliating

uirísliú *fr* humilation

uisce *fr4* **faoi thalamh** intrigue

uiscedhíonach *a* waterproof

urchóid *b2* evil

urraithe *a* sponsored

Innéacs

(Na hIontrálacha thíos a bhfuil dath dearg orthu, is Eochairchoincheap nó Eochairphearsa iad.)

Leabharliosta

Moltar na leabhair seo a leanas mar léitheoireacht bhreise:

Campbell, John: *The Experience of World War II*, Equinox Limited, 1989.

Cobban, Alfred: *A History of Modern France, Volume 3: 1871–1962*, Penguin Books, 1974.

Deutscher, Isaac: *Stalin*, Pelican Books, 1988.

Evans, David and Jenkins, Jane: *Years of Russia and the USSR*, 1851–1991, Hodder Arnold, 2001.

Foster, Arnold: *The World at War*, William Collins and Sons, 1981.

Joll, James: *Europe Since 1870*, Penguin Books, 1990.

Knopp, Guido: *Hitler's Holocaust*, Sutton Publishing, 2000.

Mack Smith, Denis: *Mussolini*, Weidenfeld and Nicolson Ltd, 1970.

Neville, Peter: France 1914–69: *The Three Republics*, Hodder & Stoughton, 1995.

Ó Cléirigh, Pádraic: *Léargas ar Stair na Linne, Cuid 1* agus *Cuid 2*, An Gúm, 1985 agus 1989.

Shirer, William L: *The Rise and Fall of the Third Reich*, Arrow Books, 1998.

Speer, Albert: *Inside the Third Reich*, Weidenfeld and Nicolson, 1970.

Stewart, Neil: *The Changing Nature of Warfare 1700–1945*, Hodder & Stoughton, 2001.